더 플로

일러두기

이 책은 '안유화독서투자클럽 10기'와 '제1회 투시경 라이브 강연' 내용을
정리했습니다.

THE

더 플로

안유화 지음

FLOW

경이로움

시대적 흐름에 올라타는 자가
미래를 이끈다!

사람들은 항상 미래를 보고 산다. 누구나 행복하고 즐거운 장밋빛 미래를 상상한다. 그리고 자신이 할 수 있는 범위 안에서 미래를 위해 열심히 투자한다. 운동, 공부, 자기관리 등의 행위 모두가 행복한 미래를 만들기 위한 투자라고 볼 수 있다. 본문에서 하나씩 살펴보겠지만 필자는 투자를 다음과 같이 정의한다.

투자란 한 국가 운명에 대한 베팅이다.

투자의 중요성을 모르는 사람은 없다. 투자해야 삶이 바뀌고 더 많은 기회를 만날 수 있다는 걸 모르는 사람이 있을까? 아마 거의 없을 것이다. 이는 수많은 전문가가 여러 채널에서 투자를 강조한 덕분이다. 그리고 실제 투자로 어마어마한 부를 일군 사람도 주변에서 종종 만나볼 수 있다. 최근에는 코로나19 팬데믹이 촉발되어 투자에 관심이 높아졌고 이런 사회적 분위기가 투자의 당위성을 강조해왔다. 심지어 대학생들도 '투자동아리' 모임에서 주식 투자 성과를 공유한다. 그런데 여기서 한 가지 허점이 드러난다. 투자 목적과 당위성은 다 아는 이야기인데, 사람들은 투자 본질에 대한 이해와 전략이 부족하다.

그렇다면 투자의 핵심은 뭘까? 한마디로 '시대적 흐름 파악'이다! 주식 투자로 예를 들면, 주식으로 수익이 나려면 전반적인 경제흐름을 알아야 한다. 그 흐름에 맞는 산업(섹터)을 골라야 하고, 그 산업 안에서 유망한 종목에 투자해야 수익이 난다. 성공적인 주식 투자에서 수익의 80%는 섹터 선정의 몫, 나머지 20%는 종목 선정에서 이뤄진다. 여기서 섹터 고르기가 곧 시대적 흐름 파악이라고 볼 수 있다. 다시 말해 주식 수익 대부분이 미래흐름에서 결정된다. 시대흐름과 역행하는 섹터는 점점 쇠퇴하게 마련이다.

시대흐름 파악의 중요성은 인생에도 적용할 수 있다. 지금보다 더 유의미한 인생을 살고 싶다면, 사회에서 더욱 큰 역할을 하고 싶다면 미래흐름을 알아야 한다. 그리고 그 흐름 위에 올라탈 줄 알아야 한다. 당연히 전도유망한 산업에 종사해야 남보다 빠르게 성공할 수 있다. 빌 게이츠, 일론 머스크, 손정의, 마윈 등이 세계 갑부가 될 수 있었던 것도 성공적으로 시대흐름에 올라탔기 때문이다. 큰 부를 축적한 사람들은 한결같이 돈이 흘러가는 흐름을 빠르게 파악하고 거기서 기회를 만들어 신속하게 대응했다. 시대흐름을 아는 사람은 유행 지난 산업에 절대 투자하지 않는다.

자본은 미래를 먹고 산다. 미래를 이끌어갈 산업, 인간의 시대적 호기심을 자극하는 아이디어, 기존에 없던 스토리에 투자한다. 이것이 자본의 본질이며, 이 책에서 전하고 싶은 이야기다.

필자는 글로벌 시대적 흐름을 선도적으로 파악하고, 이를 우리 투자에 활용해야 함을 강조하고 싶다. 그렇다면 시대흐름은 어떻게 읽어야 할까? 전문가들은 복잡하고 다양한 정보를 숫자로 말하기를 즐기기 때문에 우리는 여러 가지 숫자로 된 지표를 읽는 데 도움이 되는 수학, 경영학, 경제학을 어느 정도 알아야 한다. 그뿐만 아니라 역사와 철학 그리고 외국어와 지역별 문화 공부도 필수다. 복잡하고 빠르게 돌아가는 세상에서 그 안의 흐름을 알려면 많은 공부가 뒤따라야 할 것이다.

한 국가의 경제는 그 국가의 1등 기업들의 투자흐름만 알아도 쉽게 파악된다. 한국을 예로 들면 삼성전자(전자 산업), 포스코(철강 산업), SK텔레콤(정보 산업), 현대자동차(자동차 산업), LG화학(2차 전지 산업), 신한은행(은행업), 미래에셋증권(증권업)만 알면 한국경제의 미래를 파악할 수 있다. 2등, 3등 기업은 1등 기업을 벤치마킹하며 따라간다. 글로벌 경쟁 시대에 세계는 1등만이 살아남는 세상이 되었다. 흔히들 말하는 '20:80 법칙'이 점점 더 들어맞는 세계가 되고 있는 것이다. 1등이 산업을 이끌어간다고 할 때, 그러한 사회에서 경쟁력을 갖추려면 1등의 시각으로 볼 줄 알아야 하고 거기에 맞출 수도 있어야 한다. 일찍 일어 나는 새가 먹이를 많이 찾을 수 있는 것처럼, 국가도 경제의 흐름을 빨 리 파악해야 빨리 발전할 수 있고, 세계경제를 이끌어 갈 수 있다.

오늘날 미국이 강한 이유는 두 가지다. 첫 번째는 미국의 금융산업 이 세계적으로 가장 뛰어나고, 두 번째는 IT를 포함한 정보 산업이 세 계를 독점하고 있기 때문이다. 정보 산업은 미국이 세계의 돈의 흐름 을 남보다 빨리 읽어낼 수 있게 했고, 금융산업은 자금이 이러한 정보 를 빨리 따라갈 수 있는 메커니즘을 만들어냈다. 이제 미국의 고민은 정보 산업 이후 세상을 지배할 또 다른 흐름 찾기 내지는 흐름 만들기 일 것이다. 즉 어떤 산업이 세계를 선도해나갈 것이며, 어떤 산업을 우 선 선정하고 육성할 것인지를 고민할 것이다. 따라서 미국처럼 강한 나라가 앞으로 어떤 정책을 펼쳐갈지 전망하는 일은 매우 중요하다. 세계적 흐름을 만들고, 바꾸기 때문이다.

같은 의미에서 우리는 G2Group of 2**로 부상한 중국도 알아야 한다. 중국의 행보와 정책 방향을 늘 주시해야 한다. 사실 미국 관련 정보에 비해 G2로 부상한 중국을 모르는 사람이 많다. 오랜 세월 역사적, 지 리적으로 한국과 밀접한 관계를 맺어온 중국은 어느새 경제적으로도

---

* 파레토 법칙Pareto's Law이라고도 한다. 상위 20%가 80%를 이끈다는 법칙이다.
** 미국과 중국을 말한다. 중국의 경제적 위상이 급부상하면서 초강대국인 미국과 함께 세계에 영향력 을 행사하는 두 나라를 의미하는 용어다.

외면할 수 없는 세계 대국 자리에 와 있다. 여기에 정치적 이슈, 복잡한 국제질서까지 더해져 세계흐름에 큰 영향을 미치고 있다. 최근 한국과 중국의 관계를 지켜보고 있자면, 왠지 걱정이 앞선다. 정치 이야기는 생략하고, 경제적 흐름에 초점을 맞춰 중국을 읽을 수 있어야 한다는 게 필자가 강조하는 바다. 세계흐름을 만들고, 판도를 바꾸는 미국과 중국 이야기는 본문에서 시대적 흐름에 맞춰 정리했다.

이 책이 우리 주변을 에워싼 여러 가지 시대흐름을 파악하는 데 조금이라도 도움이 되기를 바란다. 개인이든 기업이든 국가든 그 운명은 흐름을 파악하는 일에서 시작된다는 걸 강조하고 싶다. 전략적인 자세와 넓은 시야로 복잡한 판세를 읽어낼 수 있어야 한다.

필자가 앞으로 계속 강조할 '시대적 흐름' '흘러감'이란 말을 적다 보니 생각나는 이야기가 있다. '흐름'이란 단어와 잘 어울리는 물질이 있다면 그건 아마 '물'일 것이다. 중국 고대 철학자 노자는 『도덕경』에서 그 유명한 '상선약수上善若水' 이야기를 남겼다.

가장 훌륭한 덕은 마치 물과 같다.
물은 만물을 이롭게 해주지만 다투지 않는다.
주로 사람이 싫어하는 곳에 처한다.
그러므로 도에 가깝다.

노자는 우리를 둘러싼 자연 속에 만물이 운행하는 원칙이 있다고 믿었다. 그는 자연이 품은 운행 원칙을 인간의 삶에 적용하려 했다. '흐름'은 곧 '물'이다. 물이 원칙을 역행해 거꾸로 올라갈 수 없듯, 흐름을 알았다면 그 흐름에 몸을 맡기는 것이 지혜다. 인간이 미래를 대비하려는 건 자연스러운 일이고, 시대흐름 파악이 미래 대비에 효과적이란 이야기가 순리다. 다시 말해 미래흐름을 알기를 원하고, 그 흐름에 올라타려는 삶이 결국 답이라는 말이다. 매시간 급변하는 세계 정세 속에서 여러 흐름이 감지된다. 과연 어떤 흐름에 몸을 맡겨야 좋을까? 전략적으로 진지하게 생각해볼 문제다.

한국은 이제 추격자가 아니라, 초격차 리더국가가 되어야 한다. 사실 한국은 이미 그런 반열에 올라섰다. 이는 한국인이 여러 가지 장점을 많이 가졌기 때문이다. 영민하고 근면하며 속도를 내고 방향성을 잡는 데 세계 으뜸이다. 이러한 장점을 십분 활용한 결과로 최고의 한국 인재가 각 분야에서 세계적인 두각을 보이며 주목받고 있다. 한국인의 무궁무진한 가능성을 믿고, 시대적 흐름을 파악해 편승하는 일이야말로 한 개인을 넘어 한국이 더 승승장구하는 결과를 만들 것이다.

어느 한 개인의 운명은 시대의 운명을 이기지 못한다. 기업과 국가의 운명도 시대적 운명을 이길 수 없다. 미·중 갈등 시대의 국제질서는 크게 변할 것이고 한국은 큰 시대적 운명의 갈림길에 서 있다. 운명이 변할 때 위기와 기회가 동시에 찾아온다. 열린 마음과 눈으로 시대가 어떤 흐름에 놓였는지, 그 안에서 어떤 전략적 자세를 취해야 선도 기회가 생겨날지 깊이 고민해야 한다. 시대적 흐름을 읽지 못하고 근시안적으로 접근한다면, 우리 의지와 상관없이 타인의 생각에 따라 움직이는 바둑판의 알(말)이 될 수 있다. 말이 될 것인가, 말을 움직이는 기사가 될 것인가? 구소련 붕괴 초기에 강한 국가였던 우크라이나가 오늘의 전쟁 폐허에 놓이게 된 것도 지도자들이 너무 근시안적으로 접근했기 때문이다. 바둑판의 큰 흐름을 읽을 수 있는 전략보다 미국이냐 러시아냐 하는 양자택일에만 너무 집중했다. 즉 스스로 '바둑알' 운명을 선택했다.

바둑알의 운명은 바둑을 두는 사람에 의해 좌우된다. 다시 말해 오늘날 한국의 리더들에게 중요한 것은 단순히 전문 분야 공부만 열심히 하는 것보다 지혜롭게 시대적 흐름을 읽고 전략적인 판단을 할 수 있는 소양을 갖추는 것이다. 지금의 한국 사회는 다양성을 존중하고, 큰 판을 읽고 끌고 갈, 열려 있으면서도 융통성 있게 시대흐름을 읽을 전략형 리더가 그 어느 때보다 필요하기 때문이다. 그리고 한국 국민들의 시대적 운명은 여기에서 결정된다.

사실 이 책은 '안유화독서투자클럽 10기'와 '제1회 투시경 라이브 강연' 내용을 정리한 것이다. 학술적인 표현을 최대한 피하고 일상 용어로 투자와 거시경제 및 시대흐름 파악에 관한 이야기를 전달하려는 것이 목적이다.

마지막으로 방송과 유튜브 채널 등에서 필자를 성원하고 응원해주시는 분들에게 이 자리를 빌려 감사의 말씀을 전한다. 또한 책이 출간되기까지 많은 분의 수고가 더해졌다. '사이다경제' 대표와 관계자들에게도 감사의 인사를 남긴다.

이 책을 읽는 독자 중에는 미래를 이끌어갈 리더가 분명 있을 것이다. 모쪼록 더 많은 사람이 더욱 행복한 삶을 사는 데 도움을 주는 큰 지혜를 가진 글로벌 리더가 한국에서 많이 나와주기를 희망한다.

2023년 8월
서울에서
안유화

목차

CHAPTER 2

ROE에 숨어 있는 시대흐름과 투자 방향

CHAPTER 3

50년 경제주기와 기술혁신주기의 커플링

CHAPTER 4

중국을 알면 시대흐름 파악이 쉽다

CHAPTER 5

미·중 갈등 시대, 투자 방향 찾기

CHAPTER 6

시대적 흐름, 미래의 방향과 우리의 준비

투자란 시대적 흐름에
베팅하는 것

THE FLOW

Intro

강의가 없는 날이면, 사두고 읽지 못한 책을 보거나 영화를 시청하며 하루를 보내곤 한다. 한국의 국민배우 송강호 씨가 출연한 영화 〈관상〉도 몇 번 돌려 봤다.

이 영화에는 시대흐름과 관련해 재미있는 대사가 나온다. 영화 속 유명 관상가인 송강호는 수양대군을 보고, '얼굴이 너무 흉악해서 왕이 될 상이 아니다'라고 점쳤다. 그러나 우리가 잘 알듯 수양대군은 조카 단종을 몰아내고 결국 왕위에 올랐다. 크게 실망한 그는 파도치는 바다를 바라보면서 이런 명대사를 남긴다.

> "나는 사람의 얼굴을 봤을 뿐, 시대의 모습을 보지 못했소.
> 시시각각 변하는 파도만 본 격이지. 바람을 봐야 하는데⋯.
> 파도를 만드는 건 바람인데 말이오!"

비록 영화 이야기지만 시대적 운명과 시대흐름에 대해 깊이 생각해볼 울림을 전해준다. 그래서 필자는 강의 마무리에서 저 대사를 자주 인용한다.

사실 원고를 쓰면서 어떤 이야기에 초점을 맞춰야 좋을지 고민이 많았다. 과거와 달리 지금은 유행을 이끄는 주제가 한 가지로 그치지 않기 때문이다. 여러 가지 이야기가 어우러져 복합적으로 우리에게 찾아와 놀라운 일들을 경험케 한다. 그만큼 기술 발전의 속도도 빨라졌다. 챗GPT^{ChatGPT}든, 글로벌 밸류체인이든, 금융 이야기든 한 가지 주제를 골라 깊이 있게 파헤쳐 책 1권 쓸 수도 있었다. 하지만 우리 삶에 영향을 미치는 주요 주제를 두루 살펴, 시대적 운명을 먼저 파악하는 것이 우리 인생에서 방향을 잡는 데 한결 더 유익하다고 생각했다. 특히 경제, 금융의 흐름은 수많은 이슈가 얽히고설켜 시대흐름을 만든다. 마치 지금의 벤처 자본이 거의 AI(인공지능)와 디지털헬스케어 영역에 몰려가고 있는 것과 같은 맥락이다. 그래서 첫 번째 이야기의 주제를 '투자와 시대적 흐름'으로 결정했다. 그 이야기부터 시작한다.

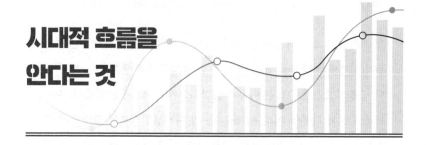

시대적 흐름을 안다는 것

경제학에서는 '인간은 가장 합리적이면서 효율적인 방법을 활용해 경제이익을 극대화하려는 욕망까지 갖춘 존재'로 정의하고 있다. 즉 인간은 호모 에코노미쿠스,[*] '경제적 동물'로서 이성적·합리적 판단으로 최소 비용·최고 효율의 경제이익을 얻고자 노력한다. 이는 자본주의 체제가 유지되는 근간이다.

바람직한 현상은 아닐지라도, 지금은 경제력의 유무가 그 사람의

---

[*] 윤리적·종교적 동기와 같은 외적 동기에는 영향받지 않고, 자신의 경제적 이득만을 위해 행동하는 사람을 말한다.

지위와 역할까지 결정하는 강력한 증표가 되었다. 누군가를 만나면 그가 가진 자산이 얼마인지 궁금하고, 조심스럽게 어디에서 몇 평짜리 집에 사는지를 묻기도 한다. 상대가 나보다 부유하면 왠지 부럽고, 괜히 배가 아프다. 어쩔 수 없다. 인간의 본성이다.

이제 먹고사는 문제에서 벗어나 경제적 자유를 누리는 삶을 살겠다는 사람도 많아졌다. 많은 사람이 경제적 자유를 만들어내려고 고군분투하는 시대다. 경제 공부와 자기계발에 시간과 열정을 쏟는 사람도 정말 많다. '경제적 자유'라는 구호에 머물지 않고 진짜 경제적으로 자유를 누리려면 어떤 일부터 해야 할까?

필자는 먼저 시대적 흐름부터 공부해야 한다고 말해주고 싶다. 어떤 시대든 그 시절을 지배하는 시대흐름이 있었다. 그리고 시대흐름에 올라탄 사람과 기업, 그리고 국가가 세상을 이끌어왔다. 시대흐름이란 세상을 지배하는 기술과 자본 및 소비의 흐름을 총칭한다. 흐름을 알아야 부의 반열에 오르고, 경제적 자유도 실현할 수 있다. 인류 발전 역사에서 늘 새로운 기술이 새로운 산업을 형성했고 그 산업의 대표 기업들은 언제나 그 시대에서 1등 기업이 되었다.

그림 1-1에서 정리한 것처럼, 인류는 수렵, 농경, 산업사회를 거쳐 현재 정보사회에 와 있다. 100년 전만 해도 전 세계 농업 인구 비율은 90%였다. 그러나 현재 세계 농업 인구 비율은 5%에 그친다. 지금 우리는 정보사회를 뛰어넘어 스마트디지털사회로 변하는 중이다.

그림 1-2는 시대별 주도 산업의 변화를 보여준다. 1950~1960년대에 들어서면서 자동차 산업이 이머징 산업이었고, 이에 GM, 포드, 크라이

그림 1-1. 인류 발전 역사와 시대적 흐름

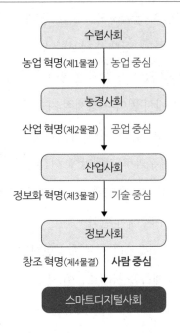

슬러 같은 세계적 자동차 제조기업들이 성장했다.

1960~1970년대에는 화학 산업이 비약적인 성장을 이뤘고 이는 바이엘, 듀폰, 다우케미칼, 셸, 엑손과 같은 거대기업을 탄생시켰다. 1970~1980년대에 와서 베이비붐 시대 성장에 힘입어 소비가 세상을 주도했는데, 그에 따라 P&G, 맥도날드 등이 글로벌기업 반열에 당당히 이름을 올렸다.

그리고 상대적으로 우리에게 친숙한 1990년대에는 전자컴퓨터 산업이 세상을 주도하면서 마이크로소프트, 인텔 같은 기업이 세상을 선도해갔다. 그러나 2000년 초반에 IT버블이 꺼지면서 낮은 금리 정책

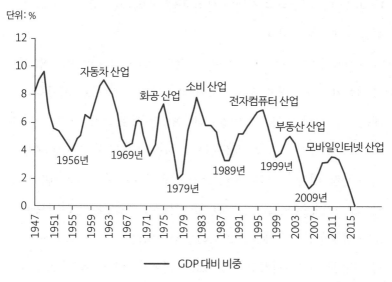

그림 1-2. 시대별 주도 산업의 변화

단위: %

- 자동차 산업
- 1956년
- 1969년
- 화공 산업
- 소비 산업
- 전자컴퓨터 산업
- 1979년
- 1989년
- 1999년
- 부동산 산업
- 2009년
- 모바일인터넷 산업

—— GDP 대비 비중

출처: CSAI

으로 자금들이 부동산으로 흘러갔다. 2007년까지 부동산 호황이 한국, 미국, 중국에서 똑같이 나타났다. 이런 시대적 흐름에 힘입어 중국에는 완다, 헝다와 같은 부동산 기업들이 거물기업으로 폭발성장했다. 그렇게 치솟은 부동산 거품은 드디어 2008년 미국의 서브프라임모기지 사태*를 계기로 전 세계적인 금융위기로 막을 내렸다.

이후 전개된 모바일인터넷 산업의 성장이 현재 글로벌 시가총액 상

◆ 2007년 미국에서 발생한 금융위기 사건이다. 2008년 글로벌 금융위기를 촉발시켰다.

위 그룹에 포함된 FAAMG,◆ 테슬라, 알리바바와 같은 빅테크기업들을 탄생시켰다. 이것이 본격적인 산업 시대 이후 지난 70년간 우리가 겪어온 시대적 흐름이다.

현재 ICT Information and Communications Technologies(정보통신기술) 산업 시대를 살아가는 중이지만, 우리 눈앞에 바짝 다가온 스마트디지털융합 시대는 모든 사람과 정보가 연결된다. 연결은 다소 복잡한 개념이긴 한데, '사람과 사람' '사람과 사물' '사물과 사물'의 모든 연결을 말한다. 즉 이는 '사람, 데이터, 가상, 실물, 금융, 신용'까지 모두 연결된 세상이다. 앞으로 30년, 50년을 이끌어갈 혁신기술이 무엇인지 알려면 우리의 모든 지혜를 동원해 새로운 스토리를 잡아내려는 노력이 필요하다. 누가 먼저 핵심을 파악하고 열정으로 이끌어가느냐에 따라 글로벌 1등 기업 순위는 언제든 변할 수 있다.

오랜 시간 대중을 상대로 강의를 해온 필자는 '시대적 흐름에 베팅하는 일이 투자'라고 강조한다. 이야기를 주식 투자에 한정해서 말하자면, 유망한 '섹터'가 투자자의 돈이 몰려가는 흐름이라 하겠다. 만약 우리가 어떤 나라에 투자한다고 해보자. 해당 국가가 펼쳐가는 정책과 방향, 그리고 기조까지 모두 더한 말이 국운인데, 국운이 긍정적인 나라에 베팅해야 원하는 결과를 기대할 수 있다. 그런 투자가 지혜로운 선택이다. 시대흐름은 혁신기술을 등에 업고 긍정적인 모습으로 나

◆ 미국 IT 업계 선도기업인 페이스북(현재는 메타), 애플, 아마존, 마이크로소프트, 구글의 머리글자를 따서 일컫는다.

타나기도 하지만, 때때로 부정적인 사건[**]이 발생함으로써 과거흐름을 순식간에 뒤바꾸는 촉매 역할을 할 때도 있다.

시대흐름을 바꾼 기업, 테슬라

시대적 흐름을 만들어가는 기업이 되어야 한다. 또는 그런 기업에 투자해야 한다. 테슬라의 사례에서 인사이트를 찾아보자. 테슬라는 미국 텍사스주 오스틴에 기반을 둔 전기 자동차회사다. 2003년, 마틴 에버하드 CEO와 마크 타페닝 CFO가 창업했다. 2004년 페이팔의 창업자이던 일론 머스크가 투자자로 참여했고 몇 년 후에 최대 주주로 회장이 되었다. 2010년 6월 나스닥에 상장되었다.

테슬라는 2019년에 36만 7,500대의 차량을 판매했으며, 이는 2018년보다 1.5배, 2017년보다는 3배 이상 증가한 것이다. 2012년부터 2019년 말까지 테슬라의 세계 판매량은 89만 1,000대 이상이었다. 내비건트 컨설팅에 따르면, 2018년 10월 기준 테슬라의 판매량은 전 세계 전기 자동차의 약 20%를 차지했다. 테슬라는 전기 자동차와 지속가능한 에너지회사로, 2022년에 약 130만 대의 차량을 전 세계적으로 판매했다.

2008년, 테슬라가 대중에 처음 선보인 전기 자동차는 테슬라 로드

[**] 코로나19 팬데믹, 미국과 중국의 갈등, 러시아-우크라이나 간 전쟁 등이 대표적이다.

그림 1-3. 테슬라 주가 추이

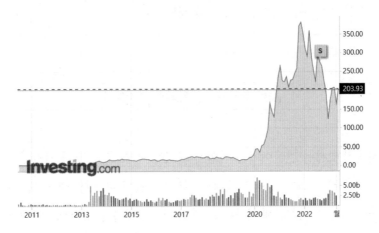

출처: 인베스팅닷컴

스터였다. 당시 출고가는 11만 2,000달러였다. 이후 테슬라는 '모델 X' '모델S' '모델3' '신형 로드스터' '세미' 등을 출시하면서 오늘날 대중의 지대한 관심을 받는 글로벌 대표 혁신기업이 되었다. 그림 1-3에서 과거의 테슬라 주가를 살펴보면 엄청난 가격 상승이 이 기업에 있었음을 알 수 있다.

테슬라는 내연 기관 중심의 자동차 산업의 발전흐름을 바꿨다. 그리고 업계에 강력한 '메기 효과*'를 불러일으켰다. 테슬라가 전 세계 자동차 산업에 변화를 도모하고 긴장감을 제공함에 따라 위기를 느낀 전

◆ 경영학에서 종종 사용하는 용어로, 어떤 생태계에 메기 같은 강력한 포식자(경쟁자)가 나타났을 때 기존의 약한 개체가 살아남고자 활발하게 활동하는 현상을 뜻한다.

통 자동차 업계는 빠른 태세 전환으로 전기 자동차시장에 본격적으로 뛰어들었다. 물론 기존에도 자동차 업계에서는 화석 연료 사용을 대체하는 전기 자동차 시대의 도래를 예상하고 있었다. 그런데 테슬라의 상용화가 업계의 발 빠른 변화를 유도하는 촉매가 되었다. 대중은 누군가가 처음 시도한 사업, 기존과 전혀 다른 새로운 시대흐름에 열광한다.

테슬라의 CEO 일론 머스크의 재산이 얼마인지 알고 있는가? 한때 그는 3,000억 달러(약 400조 원)의 재산을 가진 인물로 기록되었다.◆ 연간 130만 대(2022년 생산량)의 전기 자동차를 팔아서 얻은 대가라고 하기에는 엄청난 돈이다. 만약 다른 자동차회사에서 만든 신차가 1년에 130만 대쯤 팔렸다면? 연구개발비와 제반 비용을 제하고 가까스로 손익 분기점을 넘긴 성적표라고 평가받았을 것이다. 그렇다면 일론 머스크가 남다른 점은 무엇이었을까? 바로 시대흐름을 바꿔버렸고 산업흐름을 선도한 것이다. 주식시장은 이를 반영했고, 그는 세계 1위 부자가 되었다.

일론 머스크는 몇 년 전부터 우주여행을 계획 중이라고 밝히고 열정적으로 추진하고 있으며, 범용 AI^{AGI, Artificial General Intelligence} 개발에도 뛰어들었다. 그는 또다시 새로운 흐름을 주도하려고 하는 중이다.

◆ 그는 인류 최초로 3,000억 달러의 재산을 보유한 인물로 기네스북에 올랐다. 하지만 현재 그의 재산은 크게 줄어든 상태다. 2022년 테슬라 주가의 하락(2021년 대비 65% 하락), 인플레이션을 잡기 위한 FED^{Federal Reserve System}(미국의 연방준비제도) 금리 인상, 전년 대비 전기 자동차 수요 하락, 게다가 2022년 10월 일론 머스크가 트위터를 인수하며 테슬라 경영에 소홀했다는 '오너 리스크' 등이 겹쳐지난이 그게 줄었다. 그럴리라도 현재 그의 추정 재산은 2023년 7월 21일 기준 2,311억 달러(약 300조 원) 안팎인 것으로 전해진다.

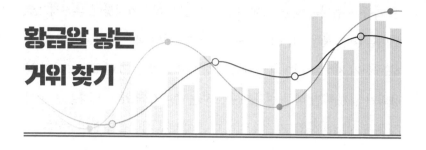

황금알 낳는 거위 찾기

투자에서 시대흐름을 파악한다는 것은 바로 시대를 이끄는 섹터를 아는 일이다. 섹터란, 유사한 제품이나 서비스 활동을 하는 사업 부분을 일컫는다. 다른 말로 대체하면 '영역' 또는 '부문'이다. 주식 투자에서 수익은 섹터 선정에 따라 달라진다. 전문가들이 섹터에서 수익의 70~80%가 이미 결정된다고 말하는 만큼, 섹터를 고를 때는 진짜 신중해야 한다. 섹터를 고를 때는 해당 섹터가 시대흐름과 동조하는지 역행하는지를 판단하는 게 우선이다. 고심 끝에 유망한 섹터를 골랐다면, 두 번째 선택이 종목이다. 종목 선택으로 나머지 수익 20~30%가만들어진다. 그런데 사람들은 섹터보다 종목 찾기에 더 관심이 많다.

평소 흐름을 먼저 파악하고 그 흐름이 누구에게 유익할지, 어떤 사회적 변화를 만들어낼지 등을 알아야 좋은 섹터가 눈에 들어온다. 일례로 챗GPT 열풍에 힘입어 2023년 2분기 기준, 어마어마한 자금이 해당 분야로 흘러들었다. 좀처럼 꺾이지 않는 추세다. 각종 방송과 책, 유튜브 채널도 챗GPT 이야기로 가득하다. 한국만큼 새로운 흐름, 트렌드를 앞다투어 배우려는 나라도 없을 듯하다. 전 세계에서 가장 발빠른 한국인은 새 흐름이 황금알을 낳는 거위가 된다는 걸 잘 안다.

뜨거운 흐름(섹터)을 하나 더 알아보자. 전기 자동차 제작에서 빼놓을 수 없는 재료, 이를테면 2차 전지, 배터리 분야다. 아마 여러분도 자신의 주식 포트폴리오에 2차 전지 관련 종목을 하나쯤 편입했거나, 해당 섹터의 대장주 이름쯤은 들어봤을 것이다. 2차 전지 산업이 황금알을 낳는 거위로 등극한 것은 전기 자동차시장이 급격하게 성장하면서 많은 투자자가 주목하고 있기 때문이다. 만약 사업 초기에 이 섹터의 성장 낌새를 눈치채고 들어갔다면, 엄청난 수익이 났을 것이다. 가히 시대흐름을 읽어낸 사람이자 과감히 투자한 용기 있는 사람이라 부를 만하다. 필자가 보기에 전기 자동차시장은 이제 막 첫걸음을 뗀 초기시장이다. 그림 1-4의 '글로벌 전기 자동차 판매 전망'을 봐도 2040년까지는 이 시장의 흐름이 이어지고 있다.

내연 기관 자동차 시대의 종말이 왔음을 직감하고도 과거 투자 관성에 따라 익숙한 종목, 대기업이라는 이유로 전통기업을 향한 미련을 놓지 않는다면 설령 장기 보유를 한다고 해도 투자에 실패할 가능성이 크다. 이에 대한 예로 테슬라와 GM을 비교해서 설명해보겠다.

그림 1-4. 글로벌 전기 자동차 판매 전망

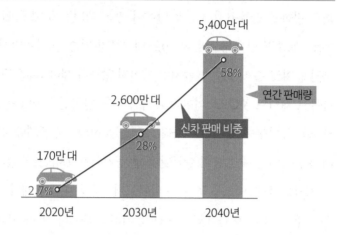

출처: 블룸버그 뉴 에너지 파이낸스

1908년에 설립된 GM은 세계 최초로 자동변속기, 와이퍼 등 오늘날 기본으로 자동차에 적용된 많은 메커니즘을 선보였다. 그리고 디자인센터를 설립하고 현대적인 자동차 브랜드 개념을 도입하는 등 GM의 자동차 역사는 세계 자동차의 역사였다. 미국의 자동차 제조사이지만 북미 이외의 24개국에서 28개의 해외 자회사를 가지고, 169개국에서 자동차를 판매하는 세계적인 다국적 기업이다. 대우자동차의 승용차 부문을 인수해 대한민국에서는 한국GM이라는 이름으로 자동차를 판매하기에 더욱 친숙하다. 현재 GM의 산하 브랜드로는 쉐보레, 뷰익, 캐딜락, GMC, 브라이트드롭이 있다. 과거 2000년대 초까지는 사브, 오펠, 홀덴, GM대우, 올즈모빌, 폰티악, 허머, 새턴 등 다양한 브랜드들도 보유했으나 2008년 금융위기 이후 대부분 정리했다. 시대흐름

그림 1-5. GM 주가 추이

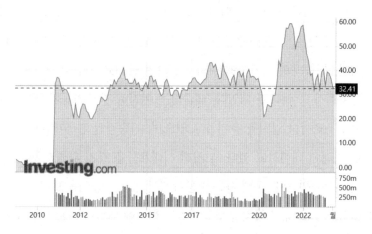

출처: 인베스팅닷컴

으로 판단해볼 때 GM은 테슬라와 비교도 안 되는 상황이다.

그림 1-5에서 볼 수 있듯이, GM의 주가는 2022년에는 하락세를 보였다. 이는 코로나19 팬데믹의 영향, 반도체 부족, 경쟁사들의 전기 자동차 출시 등이 원인으로 분석된다. 테슬라도 비슷한 상황이어서, 금리 인상과 같은 거시경제 환경의 변화도 큰 원인이다.[*] 하지만 시가총액을 비교하면 GM의 591억 달러는 테슬라의 8,139억 달러의 10분의 1도 안 되는 금액이다. 이는 GM이 비록 세계에서 가장 큰 자

---

[*] 테슬라의 주가는 2022년 초에 역사적인 최고점을 찍었으나, 그 이후에는 하락세를 보였다. 테슬라의 주가는 다양한 요인에 영향을 받는다. 예를 들어 테슬라의 생산량과 판매량, 경쟁사의 동향, 정부의 규제와 재정 지원, 원자재 가격과 공급, 기술혁신과 특허 분쟁, 투자사와 고객의 기대치 등이 있다. 또한 테슬라의 창업자이자 최고경영자인 일론 머스크의 발언과 행동도 주가에 영향을 미칠 수 있다.

동차회사 중 하나이지만 최근 52주간의 최고가는 약 43달러이고, 최저가는 약 30달러밖에 안 되기 때문이다. 나스닥에 상장되어 있는 테슬라의 주식은 최근 52주간의 최고가는 314달러이고, 최저가는 101달러다. 테슬라의 시가총액은 약 8,139억 달러로, 세계에서 가장 큰 자동차회사 중 하나가 되었다. 테슬라는 여전히 전기 자동차시장에서 선두주자로서의 입지를 유지하고 있으며, 지속적인 연구개발과 혁신으로 미래에 대비하고 있다. 뒤처진 시대흐름을 잡기 위해 GM 역시 전기 자동차와 자율 주행 자동차 분야에서 성장 가능성을 보고 투자를 확대하고 있으며, 적극적인 연구개발과 혁신에 대한 투자로 미래에 대비하고 있다.

우리가 알아야 할 것은 시장에서 영원한 승자는 없다는 사실이다. 한 시절을 풍미한 기업, 그들이 만들어낸 제품의 유통기한은 정해져 있다. 산업이 오래갈 거라는 기업가의 희망은 믿지 못할 신기루다. 기업의 존재 이유는 기존에 없는 색다른 제품을 만들어 소비자의 지갑을 열도록 하는 데 있다. 기업은 새로운 황금알을 낳는 거위 만들기 작업에 매진해야 한다. 투자자는 옥석 가리기로 누가 황금알 낳는 거위가 될지 가려내야 한다. 황금알을 낳는 거위는 1마리가 아니다. 어제까지 A가 황금알을 낳았다면 오늘은 B, 내일은 C가 황금알을 낳는 거위로 등극할 것이다. 지난 10년을 떠올려보자. 기존의 시대흐름을 지워낸 새 거위가 나타나 하늘 높이 날지 않았나! 앞으로 또 어떤 섹터가 황금알을 낳는 거위로 올라설지는 바로 시대흐름에서 답을 찾아야 한다.

흐름을 찾고, 그 시대적 흐름에 과감히 올라타라!

참고로, 소문을 듣고 새 흐름에 많은 투자자가 몰려든다면 더는 먹을 것 없는 시장으로 전락하기도 한다. 자연스러운 이치다. 소문난 잔치에는 먹을 게 없다는 말도 있지 않은가! 따라서 소문이 더 멀리 퍼져 사람이 몰려들기 전에 미리 흐름에 올라타는 것이 관건이다. 만약 그런 경험이 없다면 지금부터라도 시대흐름에 편승하는 연습을 해야 한다. 다행히 오늘날은 시간만 조금 들이면 누구나 좋은 정보를 얻을 수 있다. 독학을 하든, 해당 전문가의 이야기를 듣든 방법은 여러 가지다.

대중이 열광하는 스토리도 결국 시대적 흐름이다

내일의 주가를 정확히 알 수 있는 사람은

세상에 존재하지 않는다.

– 워런 버핏

　오마하의 현인[*] 워런 버핏이 남긴 말이다. 여기에 더해 워런 버핏은 "단 한 번도 내일의 주가를 예측해보려 하지 않았다"라고도 말했다. 필

---

[*] 오마하는 워런 버핏의 고향이자 버크셔 해서웨이의 본사가 위치한 곳이다. '오마하의 현인'은 여기서 유래되었다.

자는 대중을 상대로 한 투자 강연에서 이 이야기를 자주 인용한다. 운좋게 찍어서 내일의 코스피 종가를 맞힐 수는 있을지언정, 어떤 특정 주식의 종가를 정확히 맞힐 사람은 없다. 종가를 맞힐 수 있더라도 그건 중요하지 않다. 종가보다는 기업의 가치, 해당 섹터의 시대적 흐름과 그 성장성에 더 관심을 가져야 한다. 과연 사람들에게 유익하고 진짜 필요한 물건을 만드는지, 남다른 시대적 아이디어를 제공하는지를 지켜봐야 한다. 워런 버핏의 절친 찰스 멍거도 미시적인 주가보다 거시적인 산업의 흐름으로 '기업의 가치'를 파악하는 일이 중요함을 강조했다. 필자는 두 대가의 말에 전적으로 공감한다.

어떤 기업에 가치가 있다는 건 아무도 흉내 낼 수 없는 그 기업만의 시대적 스토리가 존재한다는 말이다. 여기서 시대적 스토리란 새로운 세상을 이끌어가는 발상과 아이디어, 누구에게나 감동을 주는 상품의 개발, 기존 것들의 장점을 융합하려는 시도, 많은 사람을 이롭게 만들자는 모토 등을 모두 포함한다. 이런 스토리가 있어야 매력적인 기업, 가치가 높은 기업이 될 것이다.

물론 스토리가 좋다고 다 성공하는 건 아니다. 좋은 스토리가 있더라도 누군가는 시행착오의 덫에 빠져 실패할 테고, 또 누군가는 반복된 실패를 이겨내면서 더욱 극적인 스토리를 만들어갈 것이다. 스토리를 다른 말로 표현하면 로직인데, 스토리 안에 '타인이 공감할 만한 논리와 타당성을 담보해야 한다'는 뜻이다.

비단 기업뿐 아니라, 우리 인생에도 스토리가 있어야 한다. 스토리가 있어야 감동을 주고 공감을 이끌며, 위기에 빠지더라도 대중의 지지를 받는다. 한 사람의 스토리가 통했다는 건 그 시대적 배경에서 많은 사람이 그를 인정했다는 뜻이다. 개인이든 기업이든 국가든 남다른 스토리를 갖춰야 성공한다. 똑똑하고 잘난 사람도, 기업도 시대를 관통하는 스토리로 대중이 열광하는 가치를 파악하지 못하면 성공을 장담 못 한다. 과거에는 자신에게 주어진 일만 열심히 하면 그럭저럭 성공하고 남부럽지 않은 삶을 살 수 있었다. 20~30년 전만 해도 성실과 근면이 성공의 만능열쇠였다. 그러나 불과 20~30년 만에 세상이 참많이 변했다. 100년 동안 변해도 놀랄 일들이 1세대 만에 이뤄졌으니 격세지감隔世之感이란 말이 딱 맞다.

주식 투자자라면 오늘의 종가가 궁금하고 일주일 후 내 주식이 오를지 내릴지 알고 싶겠지만 그건 중요하지 않다. 알고 싶어도 우리가 알 수 있는 영역이 아니다. 근시안적인 생각을 버리고 흐름을 미리 읽을 줄 아는 지혜를 키워야 한다. 늘 짧은 생각이 습관으로 굳으면, 습관에 휘둘려 큰 세상이 눈에 안 들어온다.

필자는 중국, 한국, 미국, 일본, 영국 등을 오가며 경제, 금융 분야를 연구했다. 세계 각지에서의 경험 덕분인지 세상의 변화를 이끄는 가치, 대중이 열광하는 스토리에 기회가 숨어 있고 미래 먹거리가 그 스토리 안에 존재한다는 걸 깨닫게 되었다. 지금도 필자는 누군가가 들려주는 새로운 스토리에 관심이 많다. 우리는 새 아이템에 주목하고 남다른 스토리를 하나씩 만들어가는 기업과 국가에 주목해야 한다. 새 스토리를 만들며 흐르는 시대적 기운을 남보다 빨리 알아채야 한다.

시대흐름을 외면한
사람들의 투자 심리

우리의 심리가 투자에 미치는 영향을 알아보는 것도 의미 있는 일이라 생각한다. 그래서 이번에는 흔한 투자 심리 이야기를 해볼 참이다. 『이기는 투자의 심리법칙』이라는 책이 있다. 경제학 박사이자 행동금융과 금융시장 심리 전문가인 미카엘 망고가 저술한 책으로, 필자가 흥미롭게 읽은 유익한 책이다. 그래서 필자가 진행하는 독서토론회에서도 일독을 권하는 추천 도서 중 하나다.

자·타칭 경제 전문가, 투자 전문가라는 사람들 그리고 대형 금융회사에서 일하는 분석가들은 투자하면 모두 성공을 거둘까? 정답은 아니다. 그들 머릿속에는 여러 가지 투자이론과 성공의 방정식이 가득

차 있지만, 투자 결과는 사실 생각보다 저조하다. 왜냐하면 인간은 자신이 아는 이론을 투자에 적용하기보다 심리에 더 휘둘리기 때문이다. 스스로 심리를 통제할 수 있다면, 자산을 관리하고 불리는 데 시장 분위기가 호황이든 불황이든 상관없지만, 나도 잘 모르는 나의 심리를 제어한다는 건 참 어려운 일이다.

이 책에서 저자는 "사람은 자신에게 익숙한 것에 투자한다"라고 지적한다. 필자도 충분히 공감하는 이야기다. 가령 부동산을 사고팔아 돈을 크게 번 경험이 있다면 '시대흐름' 같은 이야기가 귀에 안 들어온다. 거대한 변화가 찾아와도 오직 부동산 투자만 한다. 많은 사람이 주식으로 돈을 버는 시기에도 그의 머릿속에는 부동산 투자가 1순위다. 당연히 주식은 아예 외면한다.

반대로 오랫동안 주식 투자만 해온 사람은 어떨까? 그 역시 주요 관심사가 주식이다. 더군다나 그 투자자는 그간 자신이 경험한 섹터와 종목만 골라 반복 투자한다. 그뿐만 아니라 친구나 지인 등 타인에게 얻은 정보에 기대어 검증되지 않은 종목에 투자해서 손실을 입는 사람도 많다. 그럼에도 불구하고 그런 투자가 몸에 배면 그것만 반복한다. 즉 자신에게 익숙한 투자만 하는 사람들의 공통점은 실패를 경험하면서도 반복 투자에서 벗어나지 못한다는 것이다. 유용한 투자이론을 잘 알아도 실상 자신의 투자에는 적용하지 못한다. 이것이 바로 쉽게 고쳐지지 않는 고지식하고 어리석은 우리의 투자 심리다. 책의 내용 중 관련된 목차 몇 가지를 공유한다.

- 왜 구글의 성공은 당신에게 하이테크에 투자하고픈 욕구를 주는가?[*]
- 왜 당신은 포트폴리오에 외국 주식을 포함시키지 않는가?[**]
- 왜 당신은 수익 종목보다 손실 종목을 더 오래 보유하는가?[***]

위의 내용에서 미카엘 망고는 익숙한 것에 안주하고 안심하는 심리가 우리 내면에 있다고 강조한다. 필자 역시 그 말에서 결코 자유롭지 못하다. 필자도 익숙한 투자를 해본 경험이 있다. 물론 대부분 실패로 끝났다. 우리에게 익숙하지만 실패한 투자였다면 똑같은 방법으로는 절대 수익을 기대할 수 없다.

우리가 투자에서 경계해야 하는 건 나만 옳다고 생각하는 편향이다. 편향은 의심을 낳아 기른다. 다른 가능성의 문이 열려 있더라도 의심의 눈으로 그 가능성의 문을 닫는다. 남보다 더 많이, 잘 아는 전문가라는 타이틀 역시 새 가능성을 외면하는 편향을 만들어낸다. 이런 심리에서 벗어나야 한다. 즉 잘못된 투자 습관을 버려야 할 것이다. 투자가 직업인 사람이라면 더 말할 것도 없다.

스스로 냉정하게 어떤 투자 습관과 편향을 가졌는지 돌아봐야 한다. 투자에서 평정심을 유지하기란 쉬운 일이 아니다. 힘들더라도 편향을 내려놓고 그 자리를 평정심으로 채워 넣어야 한다. 내가 투자하

---

[*] 미카엘 망고 저(하태환 역), 『이기는 투자의 심리법칙』, 궁리출판, 2010년, 22쪽.
[**] 위의 책, 53쪽.
[***] 위의 책, 100쪽.

면 이유도 없이 왠지 모르게 잘될 거라는 근거 없는 희망에 빠지면 안 된다. 익숙한 투자 습관에서 벗어나는 팁을 하나 말하자면, 세계적인 투자 대가들의 투자 경험을 나의 투자에 반영하고 그들의 실패담을 반면교사反面教師로 삼는 것이다. 나름 검증된 방법이기에 신뢰할 수 있다. 또한 투자 대가들의 말하는 성공 경험치는 공통적으로 시대적 흐름을 관통하고 있다.

필자는 직업 특성상 "어떤 주식에 투자해야 좋을까요? 종목 추천 좀 해주세요!"라는 질문을 많이 받는다. 이런 질문을 받으면 여러 가지 생각이 든다. 내일의 종합지수 종가를 맞힐 확률도 50%밖에 안 되는데, 종합지수보다 변동성이 심하고 세부적인 종목 추천이 가당키나 할까? 종목을 알려달라고 부탁하고 매달리는 것도 투자자가 고쳐야 할 심리, 편향 중 하나다. 물론 누군가가 선심 쓰듯 알려주는 종목 추천을 믿어서는 안 된다.

표 1-1은 미국의 노던 트러스트라는 투자회사가 인간의 행동경제학적 관점에서 살펴본 8가지 편향을 정리한 것이다. 이 중 손실 회피 편향은 왜 우리가 가격이 떨어지는 주식을 보유하고 가격이 올라가는 주식은 먼저 팔아서 수익을 실현하려는지를 잘 설명한다. 나머지도 저마다 나름 똑똑하다고 생각한 우리가 얼마나 비효율적인 투자 편향을 가졌는지 보여준다.

자신에게 익숙한 투자가 오히려 더 위험하고 수익도 형편없다면, 생각과 행동을 바꿔야 할 것이다. 자기 내면에 굳건히 자리 잡은 편향(심리)이 실패하는 투자로 이끈다는 걸 인정해야 한다. 그래서 추락하

표 1-1. 행동경제학 관점에서 나타난 편향의 종류

종류	내용
최근성	최근에 관찰된 현상에 더욱 중요성을 부과
통제의 환상	이벤트나 이슈 발생과 관련한 개인의 통제력을 과신
사후과잉 확신	과거의 예측 가능하지 않았던 이벤트들을 예측 가능하다고 인지
손실 회피	수익 창출보다 손실 회피를 더 선호
친숙성	친숙한 시장을 선호(예: 국내시장을 글로벌시장보다 더 선호)
심리 계좌	경제적 의사 결정 시 자신이 정한 주관적 기준으로 계정을 설정하고 손익을 계산
보유	보유한 자산에 더욱 가치를 둠
기준점	임의의 가격 수준, 기준점에 집착

출처: 노던 트러스트

는 마차를 이끄는 말의 머리를 돌리거나 당장 멈춰 세워야 한다.

실패를 인정하고, 익숙한 투자를 반복하는 편향에서 벗어나라!

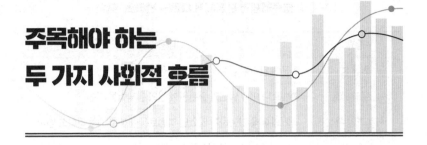

주목해야 하는 두 가지 사회적 흐름

미래흐름을 알기 위해서 반드시 세계가 현재 직면한 두 가지 사회적 변화를 주목해야 한다. 첫 번째가 고령화 사회 진입, 두 번째가 MZ세대의 부상이다. 현재 세계경제를 이끌어가는 주요 국가에서 공통으로 나타나는 현상이다.

고령화 사회 진입

먼저 고령화 사회* 진입부터 알아보자. 세계적으로 고령화 사회로의 진입이 점점 빨라지고 있는데, 잘 알려진 것처럼 일본은 세계에서 최초로 고령화 사회로 진입한 나라다. 한국과 중국 역시 고령화 사회를 넘어 초고령화 사회를 눈앞에 둔 상황이다. 한국 통계청 자료에 따르면 2023년 기준, 한국 전체 인구 중 약 18%인 910만 명이 65세 이상인 것으로 나타났다. 다른 OECD^{Organization for Economic Cooperation and Development}(경제협력개발기구) 국가와 비교해도 유독 한국의 고령화 속도가 상대적으로 매우 빠르다. 전문가들은 20년 후에는 한국의 고령화율이 일본을 앞설 것이라는 전망도 한다. 참고로 인구가 약 14억 명인 중국은 65세 이상 인구가 2억 6,700만 명을 넘어섰다.

인구 고령화가 경제에 미치는 영향은 크게 두 가지다. 생산성이 떨어지고 소비가 둔화한다. 즉 인구 고령화는 일할 수 있는 노동력이 감소하는 동시에 쓸 돈이 부족한 사람이 많아졌음을 의미한다. 이 문제는 뒤에 서술할 국가 경쟁력 약화와 밀접한 연관이 있다.

세계적으로 고령화 국가가 많아질수록 글로벌 생산성과 소비 역시 떨어진다. 필자도 예전처럼 소비하면서 느끼는 즐거움이나 감흥이 지금은 별로 없어, 소비 욕구가 많이 사라졌다고 느낀다. 사람들은 나이가 들어갈수록 소비라는 행위에서 즐거움을 잘 못 느낀다. 이 말은 고령화 인구가 많을수록 시장 수요가 줄어든다는 뜻이며, 고령화 리스크에 노출된 기업의 주식은 당기 순이익이 점점 떨어지는 모습을 보

◆ 전체 인구 중 65세 이상 인구 비율이 7% 이상인 사회를 말한다. 초고령화 사회는 65세 이상 인구 비율이 20% 이상인 경우다.

인다. 이를 투자, 특히 주식 투자에 적용하면 투자자가 주식을 고를 때 고령화 리스크에 노출된 산업과 해당 종목을 고르면 안 된다는 말이다. 반대로 고령화가 심화될수록 고령 인구와 관련된 섹터는 주목해야 할 것이다. 예를 들면 건강과 고품질 음식 및 운동이다.

MZ세대의 부상

두 번째 사회적 변화는 MZ세대의 부상이다. MZ세대는 대한민국의 신조어다. 1981년부터 2012년까지 출생한 사람들을 통칭하는 용어이며, 밀레니얼 세대와 Z세대를 합친 말이다.

밀레니얼 세대는 1981년부터 1996년까지 출생한 사람들로, 베이비붐 세대의 자녀들이며, 밀레니엄 세기 전환점에서 성장한 세대다. 이 세대는 인터넷 시대의 첫 세대로서 디지털기술에 친숙하고, 세계화와 다문화주의에 개방적이며, 사회적 가치와 정의에 관심이 높다. 그뿐만 아니라 밀레니얼 세대는 대학 교육과 직장 생활을 시작한 이후에 2008년 금융위기와 코로나19 팬데믹과 같은 불황을 겪은 세대다.

Z세대는 1997년부터 2012년까지 출생한 사람들로, 21세기에 태어난 세대다. Z세대는 어릴 때부터 모바일인터넷과 디지털기술을 접하며 성장한 최초의 세대로, '디지털 원주민'이라고 불린다. Z세대는

◆ MZ세대를 가르는 출생 시기 기준은 시각에 따라 다양하다. 밀레니얼 세대, Z세대, X세대도 마찬가지다.

비디오와 이미지로 소통하고, 메타버스 같은 가상 현실에서 활동하며, 개개인의 개성과 창의성을 중요시한다. Z세대는 X세대*의 자녀들이며, 기후 변화와 사회적 불평등과 같은 글로벌 문제에 직면하고 있다.

밀레니얼 세대와 Z세대는 서로 다른 세대이지만, 공통적인 특징도 많이 있다. MZ세대는 인터넷과 스마트폰에 익숙하고, SNS^{Social} Network Service(사회관계망 서비스)로 다양한 정보와 의견을 공유하며, 개인주의적이고 자기표현을 중시하는 특징이 있다. MZ세대는 전 세계적으로 출산율이 감소하고 경제적 혼란이 지속되는 시기에 성장했으며, 이러한 환경에 적응하기 위해 유연하고 창의적으로 생각하고 행동한다. 또한 부모 세대처럼 한 직장에 속해 열심히 일하며 차근차근 승진하는 삶을 살기보다 자유롭고 공간 제약 없는 직장 생활을 선호한다.

MZ세대는 SNS와 인터넷으로 새로운 트렌드를 빨리 받아들이고, 남과 다른 이색적인 경험을 추구하며, 유통시장에서 강력한 영향력을 발휘하는 소비 주체로 떠오르고 있다. 그들은 단순히 물건을 구매하는 데 그치지 않고, 사회적 가치나 특별한 이야기가 담긴 제품을 선호하며, 환경 보호를 위해 리필 제품이나 친환경 제품을 소비하는 데도 관심이 높다. 바야흐로 MZ세대가 시대를 이끄는 주체로 자리 잡고 있는 것이다.

---

* X세대는 1970~1980년 초반에 태어나 1990년대 문화를 이끈 세대나. 넝시 기성세대의 문화를 거부하고 개성과 문화를 중시하면서 '신인류'로 불리기도 했다.

MZ세대와 메타버스

이런 변화를 염두에 두고 투자해야 한다면 어디에 눈을 돌려야 좋을까? 먼저 시대의 중심인 MZ세대가 바라보는 것에 관심을 둬야 한다. MZ세대가 무엇에 열광하고, 어떤 상품을 사려고 지갑을 여는지, 그들의 공통 관심사가 무엇인지 등을 살펴야 한다. 필자는 그것이 메타버스라고 생각한다. 그들의 놀이터가 가상의 세계, 메타버스이기 때문이다. 그래서 2016년부터 필자는 메타버스 연구와 실무에 집중해왔다.

잠시 중국 MZ세대의 특징을 소개하자면, 최근 중국 젊은이를 지칭하는 말 중 '탕핑주의躺平主義'가 있다. 인터넷 뉴스나 유튜브에도 관련 영상이 있고, 사람들 입에 많이 오르내린다. 이 말은 '평평하게 눕다'라는 뜻이지만, 한국말로 바꾸면 '일 안 할래! 배째!'라는 뉘앙스의 표현이다. 비슷한 한국식 표현으로는 'N포세대'가 있다. 중국의 '탕핑주의' 표현에도 '연애 포기, 결혼 포기, 출산 포기, 내 집 마련 포기, 최소 생계비만 벌기'라는 N포세대와 공통의 뜻이 담겨 있다.

- 4포 세대: 연애, 결혼, 출산, 인간관계 포기
- 5포 세대: 연애, 결혼, 출산, 인간관계, 내 집 마련 포기
- 6포 세대: 연애, 결혼, 출산, 인간관계, 내 집 마련, 취업 포기
- 7포 세대: 연애, 결혼, 출산, 인간관계, 내 집 마련, 취업, 희망까지 포기

앞으로 상품을 소유하는 것에 큰 집착을 하지 않는 MZ세대 때문에

실물상품 소비가 축소되는 현상도 나타날 수 있다. 그들이 크게 마음먹고 소비를 하더라도, 현실이 아닌 가상의 공간, 즉 메타버스에서 이뤄지는 소비 활동을 더 선호할 수 있다. 유튜브, SNS, 넷플릭스, 배달의민족, 카카오톡 그리고 온라인 게임만 있으면 현실 세계로 굳이 안 나가도, 실물상품을 굳이 구매해 소유하지 않더라도 충분히 즐거운 일상을 보낼 수 있다. 아마 고성능 컴퓨터나 휴대폰을 손에 쥐어주면 별 어려움 없이 재밌게 생활할 수 있을 것이다. 이 시대의 주요한 흐름 중 하나가 이런 MZ세대의 라이프 스타일이다. 앞으로 그들의 라이프 스타일이 보편화될 테고 그 추세가 빠르게 확대될 것이다. 당연히 미래에는 그들의 취향, 스타일, 습관을 따라잡으려는 비즈니스가 떠오를 것이다.

원고를 쓰는 동안 뉴스에서 흥미로운 기사 하나를 접했다. 한국 전경련(전국경제인연합회)이 한국 MZ세대 직장인의 생각을 알아보기 위해 2023년 4월 10일에 실시한 여론 조사에서, MZ세대가 가장 선호하는 경영자 리더십 유형은 '소통형 리더'였다(응답자 중 88%가 선호했다). 강력한 카리스마를 갖춘 리더가 좋다는 비율은 13.9%, 권한과 자율을 보장하는 리더를 선호하는 비율은 8.2%였다. 기업들은 이런 설문 조사로 미래를 이끌어갈 MZ세대의 생각을 파악해 그들의 요구에 맞춰 기업을 경영해나가야 한다. MZ세대가 많은 월급보다 일과 삶의 균형, 이른바 '워라밸'을 보장해주는 기업에 취업을 원한다는 건 익히 알려졌다. 기성세대와 달리 그들에게는 개인의 삶이 월급보다 중요하다. 바로 이것이 MZ세대의 생각과 의식의 변화를 투자 분야로 끌어와 접목하려는 노력이 중요한 이유다.

MZ세대 중심의 세상이란

시대를 이끄는 세대의 변화도 놓쳐서는 안 된다. 어느새 MZ세대가 주요 소비자 집단으로 자리 잡았다. 필자를 포함해 기성세대는 열심히 일하면 부자까지는 아니더라도 꽤 먹고살 수 있는 시대를 살아왔다. 돈을 벌기 위해 밤샘 작업도 마다치 않았고, 조직에 충성하는 건 당연했다. 높은 자리로 오를 때마다 성취감을 느꼈고 이를 매우 자랑스럽게 여겼다. 익숙하고 당연한 기성세대의 일상이었다.

그러나 MZ세대는 돈을 더 벌자고 열심히 일하지 않는다. 승진의 기대나 욕구도 기성세대와 비교하면 덜한 편이다. 하기 싫은 일을 억지로 한다거나, 남의 눈치를 보지도 않는다. MZ세대는 현재 자신이 누리는 행복이 가장 중요한 가치다. 이런 MZ세대의 생각, 취향, 라이프 스타일을 인정해야 한다. 그들이 세상의 중심이기 때문이다.

MZ세대는 온라인에서 많은 시간을 보낸다. 쇼핑, 놀이, 인간관계 등의 일상생활을 온라인에서 해결한다. 메타버스, 챗GPT, 코인, AI 등의 산업 모두가 온라인과 밀접한 연관이 있다. 발 빠른 기업들은 주요 소비자인 MZ세대 기호에 맞춘 상품과 서비스를 제공하기에 이르렀다.

그런데 아직도 기성세대는 MZ세대의 생각, 행동, 그들이 열광하는 트렌드가 낯설다. 기성세대의 눈으로 보면 절대 그들을 이해할 수 없다. 그들의 라이프 스타일을 인정하는 것부터 시작해야 한다. MZ세대는 기성세대와 다를 뿐 틀린 건 아니다. 기성세대 이전 세대도 현 기성세대를 이해하기 힘들었을 것이다. 흐름이 그렇다. 인간사가 그렇게 흘러갈 뿐이다.

시대흐름 공부에 게으르면, 딱 그만큼만 산다

경제 상황과 시장은 항상 변한다. 수많은 정책과 사건, 그리고 변수까지 모두 경제에 반영되어 생물처럼 움직인다. 인간 삶의 기초인 의식주 문제와 분리하기 힘든 분야가 경제인데, 눈에 안 보이는 긍정적·부정적 이슈도 실시간 반영되어 경제에 영향을 미친다. 다른 분야도 마찬가지겠으나, 유독 경제 분야는 과거 지식으로 현재 상황을 정확히 진단하기에는 역부족일 때가 많다. 정확한 이해와 진단이 선행되어야 올바른 대응이 가능하다. 똑똑한 전문가도 과거 지식과 경험으로는 복잡한 구조 속에서 움직이는 경제를 이해하기 어렵다. 따라서 경제를 잘 알고 싶다면, 경제에 큰 영향을 미치는 여러 가지 이슈를 객관적으로 냉정하게 미래흐름 속에서 해석하는 작업이 뒤따라야 한다. 필자는 그 말을 강조하고 싶다.

경제 이야기를 쉽게 풀어 대중에게 설명하는 전문가 집단은 공부를 참 많이 한다. 경제 공부뿐 아니라, 흐름을 바꿀 새 이슈가 등장할 때마다 열심히 공부한다. 설령 한 가지 주제라도 늘 같은 이야기만 할 수는 없다. 그때그때 이슈로 떠오른 국내외 상황, 정책, 이슈 등을 분석해 새로운 시각을 전달하려면 그저 공부하는 수밖에 없다. 특별하고 새로운 이야기를 듣기 바라는 분들에 대한 최소한의 예의가 공부라고 생각한다. 미래 이슈를 쉽게 해석하는 작업은 흥미로우면서도 두려운 일이다. 공부로 알게 된 새 지식과 과거 지식을 융합해 색다른 스토리를 만들어가는 재미가 있는 반면에, '과연 대중에게 유익한 정보를 제공했는가?'라는 두려운 생각도 든다. 일종의 양가감정이 생긴다. 어쨌든 오랜 시간 공부하며 깨우치고, 새롭게 알게 된 지식을 공유하는 일이야말로 필자가 가장 의미를 두는 일이다. 그래서 지금도 짬이 날 때마다 책도 읽고 공부도 한다. 급변하는 시대에 적응하려면 시대흐름을 공부하는 게 항상 중요하다.

필자는 주말, 휴일을 안 가리고 늦은 시간까지 강의를 듣는 분들을 만날 때마다 놀랍고 또 고마운 생각이 든다. 남녀노소 할 것 없이 더 행복한 미래를 만들려고 자신에게 투자하는 분들이 부쩍 늘었다. 그런 분들을 지켜보면서 반성할 때도 있다. '젊음'을 단지 나이가 많고 적은 기준으로 정의해서는 안 될 것이다. 생물학적 나이가 젊다고 다 젊을까? 아니다. 새로운 이야기, 지식을 삶에 반영하는 사람이야말로 젊은 사람이라고 할 수 있다. 변하지 않으면 뒤처질 수밖에 없는 시대를 살고 있다. 당연히 공부하지 않으면 도태될 수밖에 없다. 공부에는 남녀노소가 없다고 했다. 새 지식을 배우려는 학구열 앞에 나이 따위는 장애가 될 수 없다.

길어진 평균 수명과 은퇴 이후의 삶

여기에서 재미있는 자료를 함께 살펴보도록 하자. 표 1-2는 UN에서 발표했다고 알려진 '100세 시대 생애주기별 연령' 자료다. 고령화 영향으로 인간의 생애주기가 과거보다 뒤로 엄청 밀려났음을 강조한 듯하다. 40세 이상이 중년, 60세부터 노년이라는 과거 기준보다 나잇대가 훨씬 높아졌다는 말인데, 나이가 절대적 기준이라는 생각을 버리도록 만드는 흥미로운 자료다.

표 1-2. 100세 시대 생애주기별 연령(2015년)

청소년	~17세
청년	18~65세
중년	66~79세
노년	80~99세
장수 노인	100세 이상

출처: UN

표 1-2에서 보듯 청년부터 중년까지의 시기가 무려 60년이다! 길어진 평균 수명 앞에서 자산관리와 커리어 설계 측면에서 우리는 어떤 통찰력을 얻어야 할까?

- 어느 정도 자산이 있어야 편한 노후를 보낼 수 있다.
- 20대 초중반까지 받은 교육으로 평생을 살아가기는 역부족이다. 시대 흐름을 공부해 적시에 지식을 업데이트해야 한다.
- 현재 인기 직업군이 미래에도 존재할 거라는 보장이 없다.

한마디로 투자로 많은 노후 자산을 만들어야 하고, 날로 변해가는 시대에 적응하기 위한 지식을 업데이트해야 하며, 넓은 눈으로 세상을 살펴야 한다.

일반적으로 한국에서 대학교를 졸업하면 20대 중반이 된다. 남성들은 군 복무를 마쳐야 하니 20대 후반의 나이가 될 수도 있다. 그러므로 청년들이 대학 교육을 마친 후 직업을 가지면 평균 25세 전후라고 가정하겠다. 보통 정년이 65세이니, 그들의 생애 근로 기간은 아무리 길게 잡아도 40년이 채 안 된다. 어쩌다 운 좋게 40년간 일을 해서 돈

◆ 2009년 UN은 〈세계 인구 고령화〉 보고서에서 100세 인간이라는 의미의 '호모 헌드레드'라는 말을 처음 사용했다. 이 보고서에는 2020년 기준 약 30개 나라 국민의 평균 수명이 80세가 넘을 것으로 전망했는데, 그 전망은 현실이 되었다. 그래서 기존보다 훨씬 고령화된 생애주기 자료(이 자료에 대한 진위 여부 이슈가 있기는 하다)가 회자되는 것 같다. 참고로 한국 통계청 자료에는 2021년 한국인 평균 수명이 83.6세(남성 80.6세, 여성 86.6세)인 것으로 나타남으로써 한국 또한 '100세 시대 사회'로 진입했음을 알 수 있다.

그림 1-6. 생애 소득과 소비 개요도

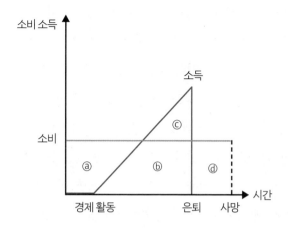

을 벌고 은퇴했다고 해보자. 파릇파릇했던 청년의 나이는 어느새 65세다. 그런데 앞서 소개한 것처럼 지금은 100세까지 사는 시대다. 은퇴 후 약 35년을 품위 있고 풍요롭게 지내게 해줄 자산이 있어야 한다. 그럼 얼마를 어떻게 준비해야 할까?

그림 1-6을 살펴보자. 그림에서 ⓐ는 경제 활동을 할 수 없는(빚을 지는 금액) 시기다. 대학 졸업 전까지의 소비는 부모에게 빚져서 생활한다. 그리고 직업을 얻으면 그때부터 돈을 벌기 시작하는데 ⓑ + ⓒ가 한 사람이 평생 버는 총소득이다. ⓓ는 은퇴 후 저축으로 살아가는 소비액이다. 여기서 한눈에 파악되는 정보가 있다. 소비는 평생 고르게 이뤄지지만, 소득은 흐름이 고르지 못하다는 점이다. 경제 활동을 시작한 후 시간이 지날수록 소비보다 소득이 커지면서부터 저축이 가능해진다. 그런데 자신이 번 돈을 오롯이 자기 혼자서 쓸 수만은 없다. 부모

에게 도움을 받은 것처럼 자녀를 먹이고 입히고 가르쳐야 한다. 이런 저런 상황을 다 고려해서 건강하게 100세까지 버텨내야 한다. 은퇴 후 수입이 끊긴 시기에 어디 몸이라도 아프면, 그런데 돈마저 부족하다면 난감하고 아찔하다. 일반인이 평생 노동으로 벌 수 있는 근로 소득은 다 엇비슷하다. 누구나 유명한 스포츠 스타, 연예인이 될 수는 없는 노릇 아닌가. 대학을 졸업해 취업 후 열심히 40년간 일해 번 돈으로 은퇴 후 35년까지의 삶을 충당한다는 건 불가능한 일일 수도 있다. 방금 밝혔듯 자신이 번 돈을 자신에게 다 쓸 수 있는 것도 아니다. 따라서 사람은 누구나 미래에 대해 불안함을 안고 살아간다.

의료기술이 발달해 인간의 평균 수명이 크게 늘었지만, 고정 수입 창출의 기회가 제한적인 노년기를 품위 있게 보내고 싶은 바람이 누구에게나 있다. 또한 누구든 지출하는 데 망설임 없는 삶을 살고 싶을 것이다. 그리고 대기업 총수나 재벌 같은 부자가 아니더라도 스스로 중산층*에 들고 싶다는 바람이 있다. 이러한 것들이 투자로 이끄는 강력한 동인이 되고 있다. 즉 사람들이 달갑지 않은 리스크를 짊어지면서 투자에 나서는 이유가 바로 미래에 대한 불안한 마음 때문이다. 길어진 수명, 불안한 미래를 앞에 둔 지금은 바로 누구나 투자에 나서야 하는 시대다.

◆ 한국인이 생각하는 중산층의 기준은 안정적인 주거지를 제외하고 예·적금, 주식 등을 포함해 약 10억 원의 현금 보유라고 알려져 있다.

어떤 직업을 가지고 살아야 할까?

필자 역시 유튜브 채널을 즐겨본다. 그러다 우연히 방송이나 강의에서 소개해도 괜찮을 양질의 콘텐츠가 눈에 띄면 반갑다. '앗! 저 이야기다!'라는 느낌이 오는 것이다.

얼마 전 '미래채널 MyF'라는 유튜브 채널의 콘텐츠 중 '직업의 미래◆'라는 50분짜리 영상을 봤다. 평소 필자가 말하고 싶은 이야기를 담고 있었다. 간략히 소개하면 이렇다. 평생직장에 대한 생각의 변화, 단순한 일자리 말고 시대가 바라는 일거리 개발, 새로운 직업 창출, 나만 해낼 수 있는 일거리 개발, 인생을 소모품으로 살지 말고 작품으로 살아야 한다는 이야기였다. 흥미롭고 신선했다. 똑같은 사물, 환경, 사건이라도 새로운 눈으로 바라보는 연습을 해야 새 의미가 덧붙는다. 영상 마지막 부분에 소개되는 앨빈 토플러의 이야기는 곱씹어볼 만하다.

> "21세기의 문맹은 읽고 쓸 줄 모르는 사람이 아니라,
> 배우고 잊어버리고 또 배울 줄 모르는 사람이다!"
>
> – 앨빈 토플러

필자는 나이를 기준으로 노년을 구분하는 것을 별로 선호하지 않는다.

◆ '미래채널 MyF' 유튜브 영상을 참고하라(www.youtube.com/watch?v= Yv7EPda Wfnk).

끊임없이 배우고 성장하려는 마음이 없는 사람이라면 나이와 상관없이 노인이라고 말하고 싶다. 요즘 20대 젊은이들을 보면 허무주의가 넘쳐나고 자살률도 높다. 이들에게 젊음은 젊음이 아니다. 반면에 90세가 되어도 끊임없이 독서하고 산업 현장에서 일하는 장수 노인들도 요즘 많이 보이기 시작한다. 그들은 청년의 삶을 살고 있는 것이다.

코로나19 팬데믹을 겪으며 우리 삶에 큰 변화가 있었다. 누군가는 생계를 위협받았고 다른 누군가는 그 와중에도 흐름을 파악해 이익이 되는 투자 아이템을 선점함으로써 부를 만들었다. 준비하지 않으면 변화된 환경에 휘둘려 속수무책 당하지만, 넓은 시야로 공부하고 대응하면 남들이 생각지도 못한 기회가 눈에 들어오기도 한다. 그럭저럭 적응하는 게 능사가 아니다. 공부에 답이 있다. 특히 혼란한 시기에는 거짓 정보와 달콤한 유혹에 휘둘리지 않도록 중심을 잡는 게 중요한데, 흔들림 없는 중심 잡기에는 공부만 한 것이 또 없다. 복잡한 경제, 금융 정책 및 이슈를 미래흐름 속에서 파악하기 위한 공부를 게을리하지 말자. 단기적인 변화만 보지 말고 중장기적 흐름을 읽어내려고 공부하자. 과거 지식에 만족하지 말고 시시각각 미래 지식을 업데이트하자. 더욱 복잡해진 세상은 미래흐름에 대한 새로운 지식으로만 이해할 수 있다. 미시적인 파도가 아닌 거시적인 바람이 어디서 불어오는지 파악하자는 말이다. 그리고 이 모든 작업을 스스로 해내야 의미가 있다. 남의 도움을 기대하거나 남의 말을 맹목적으로 믿는 건 바보 같은 생각이다.

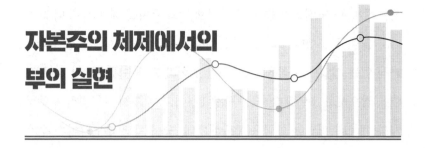

자본주의 체제에서의
부의 실현

필자는 중국에서 일할 당시 농산물 파생상품 투자를 주로 해왔던 경험이 있었고, 서울에서 공부를 시작하기 바쁘게 한국에서 주식 투자를 시작했다. 당시 삼성전자 주식을 30만 원대에 매수했고, 2007년쯤에 거의 80만 원 가까운 가격에 매도했다. 2배 이상 수익을 남긴 셈이다. 당시 한국에 처음 왔을 때, 한국인들이 별로 주식 투자를 하지 않는다는 사실이 의외였다. 주로 부동산 투자를 하고 있었고, 돈을 좀 벌었다는 부자 대부분도 부동산 부자였다. 부동산도 자산 포트폴리오를 구성할 때 중요한 선택지 중 하나이지만, 주식 또한 중요한 투자 자산이다.

2016년 성균관대학교 교수로 재직 당시 투자론을 강의했는데, 학생들에게 A+ 학점을 받는 것보다 실제 주식 투자를 해보는 게 더 값지다고 많이 강조했다. 그리고 오늘이라도 당장 주식 계좌를 개설하고 관심 있는 기업의 주식을 단돈 50만 원이라도 매수해서 투자 실무 경험을 쌓으라고 조언했다. 그중 학생 1명이 집에 가서 부모님한테 주식 계좌 개설에 필요한 자금을 부탁했는데, 당시 학생 부모님이 교수가 주식 투자를 권유했다는 사실에 굉장히 부정적으로 반응했다고 한 기억이 난다. 필자는 그 이야기를 듣고 굉장히 놀랐다.

만약 북한에서 태어났다고 가정해보자. 북한의 기업은 모두 국유 기업이기에 무조건 국유회사에 취직해야만 한다. 국유 기업이기에 월급은 국가에서 주는데, 그 금액의 수준은 기본적인 의식주 생활만 가능하다. 즉 북한 주민들은 아무리 똑똑하고 능력이 뛰어나도, 재테크로 부를 축적할 기회조차 없다. 만약 북한경제가 나쁘면 월급도 보장받지 못해 경제적으로 극도로 어려운 삶을 살아야 할 것이다. 1994년에 김일성 사망 후 북한경제가 극도로 악화되었던 시기에 '고난의 행군'이라는 구호가 나온 이유이기도 하다.

북한처럼 자본시장이 없는 국가에서 자기 스스로의 노력으로 부를 실현하는 것은 불가능하다. 하지만 한국인들은 태어날 때부터 자본주의 체제 속에서 살아왔기에 주식 투자 같은 투자 기회가 있다는 것이 얼마나 소중한지 모른다. 필자는 어쩌면 한국인들은 자본주의 사회에서 어떻게 살아가야 할지 모를 수 있다고 필자는 생각한다.

필자는 학생들에게 늘 이런 말을 한다. "자본주의 사회에서 '자본가'로 살아가야 한다." 한국의 대학생들은 4학년이 되면 취업에만 매달린다. 대기업, 공기업에 취업하거나 공무원이 될 생각만 한다. 근로 소득자가 되어 안정적으로 월급을 받는 것도 좋지만, 꼭 잊지 말아야 할 게 있다. 바로 근로 소득의 일부분을 주식과 같은 금융자산에 투자해야 한다는 것이다. 주식 투자는 회사 창업자와 같은 주주가 되는 것이며, 자본가가 된다는 의미다. 자본가가 된다는 것은 일하지 않아도 24시간 내내 현금흐름을 확보해줄 자산을 갖고 있다는 뜻이다.

부동산을 예로 들어보겠다. 5억 원에 매수한 아파트에 거주한다면 5억 원의 자산을 보유한 것에 불과하지만, 매수한 아파트를 임대해 150만 원의 월세를 받는다고 하면 자본가가 되는 것이다. 주식 투자도 마찬가지다. 근로 소득자이지만 월급의 일정 부분을 주식에 투자하면 매년 배당금을 받을 수 있으므로, 주식을 매수한 월급의 일부는 수익을 창조하는 나의 '자본'이 되는 것이다. 즉 나는 회사원이면서 자본가가 되는 것이다.

현재 몇몇 국가를 제외한 대부분의 나라가 자본주의 체제다. 특히 경제와 금융은 자본주의 체제를 기반으로 성장했다. 자본주의는 시대를 관통해온 오랜 흐름으로 당분간 지속될 체제다. 먼 미래에 다른 경제 체제가 생겨날지 모르지만, 현 체제에서 자산을 불리려는 노력을 하지 않는 건 자본주의를 부정하는 것과 같다. 자본주의 체제에서 살아간다면 녹록지 않더라도 자산 불리기에 힘써야 한다. 중국, 베트남 등 사회주의를 따르는 몇몇 국가도 체제의 약점을 인정하고 자본주의 체제를 일부 도입해 시장경제에 편입된 지 오래되었다.

마중물이 있어야 우물에서 많은 물을 퍼낼 수 있다. 만약 여러분에게 자산을 불릴 종잣돈(마중물)이 없다면 만사 제쳐두고 종잣돈 마련부터 시작하는 게 좋다. 하지만 MZ세대는 돈이 별로 없어 보인다. 한국이나 중국이나 MZ세대의 사정은 비슷하다. 그들은 투자가 중요하다는 건 알지만, 종잣돈 마련이 힘들다고 말한다. 그러나 냉정하게 말해 종잣돈 마련은 상황이나 환경의 문제라기보다 의지의 문제다.

만약 여러분의 월급이 300만 원이라고 가정해보자. 우선 소비부터 최대한 줄여 매월 50만 원씩 저축해야 한다. 50만 원을 1년간 모으면 600만 원이다. 이 돈이면 충분히 재테크를 할 수 있는 종잣돈이 된다.

예를 들어보겠다. 출근길에 비싼 커피를 손에 들고 있는 회사원들을 종종 볼 수 있다. 중국에서 가장 많은 특허를 보유한 기업이 있는데, 주식 가격이 한화로 1,500원 정도다. 5,000원짜리 커피를 마신다고 가정하면 1잔 마실 때마다 3주를 구입할 기회를 맞바꾸는 셈이다. 매일 5,000원 커피를 마시는 대신 주식 3주씩 매입한다고 생각해보자. 한 달이면 60주, 1년이면 720주를 소유하게 된다. 10년이면 7,200주다. 또한 10년 사이 주식 가격이 3,000원으로 올랐다고 가정하면 매년 평균 20% 복리를 실현하게 된다. 이는 내가 투자한 자산을 2배로 불리는 데 걸리는 시간이 '72법칙'*에 의해 3년 6개월밖에 안 걸린다는 뜻이다. 빡빡한 월급으로 종잣돈 모으기 힘들다고 말하지만, 사실 커피 소비 방법만 바꿔도 돈 나올 구멍이 만들어진다.

◆ 보통 투자 금액이 2배로 증식되는 데 걸리는 기간을 계산할 때 유용하게 쓰인다. 계산은 간단하다. 먼저 투자액에 대한 연리를 정한 다음에 72를 해당 연리로 나누면 된다. 나눈 값이 투자 금액이 2배로 증식되는 걸리는 기간이다.

어떻게 투자할 것인가

종잣돈을 좀 모았다면, 어떤 투자가 좋을까? 가장 쉽게 접근할 수 있는 방법이 주식 투자다. 예전에는 주식을 일종의 투기라고 생각했던 게 사실이다. 그러나 코로나19 팬데믹 기간을 지나면서 주식을 바라보는 대중의 시선이 매우 긍정적으로 변했다. 2021년에 발표한 금융투자협회 자료에 따르면, 놀랍게도 한국 주식 계좌 수가 4,000만 개를 넘었다. 6개월 동안 한 번이라도 거래한 적 있는 주식 계좌가 4,000만 개라는 건 경제 활동을 하는 거의 모든 한국인이 주식 투자를 한다는 이야기다. 이러한 현상에는 근로 소득만으로는 경제적 자유를 이루기 어렵다는 인식도 깔렸을 것이다.

투자로 버는 소득은 근로 소득 이외의 또 다른 수입 원천이 된다. 그런데 주식을 포함해 금융상품에 투자하는 일도 일종의 소비 행위라고 볼 수 있다. 소비자라면 물건을 잘 골라야 한다. 시장에서 신중하게 물건을 고르듯 다양한 금융상품 중 나에게 맞는 걸 골라 투자해야 한다. 그런데 현실은 그렇지 않다. 옷이나 신발은 입고 신어보고 디자인을 고려하는 등 꼼꼼히 따진 후 구매하는 데 반해, 금융상품을 고를 때는 옷 1벌 고를 때보다 쉽게 결정하는 사람이 많다. 힘들게 벌고 모아 마련한 종잣돈인 만큼, 금융상품을 소비할 때는 더욱 신중하게 접근해야 한다. 잃어도 괜찮은 돈은 세상에 단 1푼도 없다.

그다음 나에게 적당한 투자가 주식일지 채권일지 ETF일지 골라야 한다. 개개인의 투자액과 투자 성향에 따라서도 투자상품 선택이 달라져야 한다. 가령 주식에 투자하고 싶은데 주변 사람들의 투자 실패를 보고 들어 투자가 망설여진다면 간접 투자인 펀드도 괜찮다. 똑똑한 펀드 매니저가 내 돈을 관리하니까 한결 마음이 편해진다. 사실 미국 주식시장은 대부분 기관 투자가 모여서 노는 간접 투자 시장이다. 직업이 있는 사람은 투자에 집중하며 수익을 창출하기 쉽지 않다. 금융 전문가, 투자 전문가가 모두 모여 수익을 내고자 치열한 전략 싸움을 벌이는 시장에서 개인이 전문가들을 이겨내기가 어디 쉬운 일인가. 그래서 큰 부자들은 개인적으로 자산관리사에게 투자를 맡긴다.

이런 방법이든 저런 방법이든 간에 다들 치열하게 자산을 불리고자 노력해야 하는 시대다. 자본주의가 허락한, 정당한 자산 불리기에 동

그림 1-7. 인적 자산과 금융자산의 가치흐름

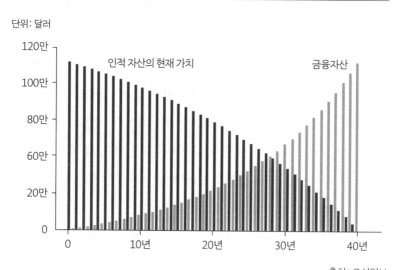

단위: 달러

출처: 조선일보

참하지 않는 건 주어진 선물을 놓치는 것과 같다. 투자 방법은 나중에 고민해도 될 문제다. 일단 투자할 종잣돈 마련부터 하자.

지금 우리는 돈이 돈을 버는 시대에 살고 있다. 60세에 은퇴한다고 가정하면 나의 근로 소득은 60세 이후에는 없다. 100세를 산다고 하면 나머지 40세는 결국 자산 수익으로 버텨야 한다. 투자하지 않으면 은퇴 이후의 삶을 절대 버틸 수 없다. 설령 60세 이후에 재취업을 한다고 해도 당신의 인적 자산가치는 전성기 때보다 많이 떨어진 상태다. 우리 주변에 그토록 투자를 강조하는 사람이 많은 것도, 꼭 투자해야 한다고 백 번, 천 번 강조하는 것도 다 이유가 있는 것이다.

자본주의 체제에서 산다는 것, 그리고 이 체제 흐름 속에서 100년을 살아야 한다는 것이 우리 현실이다. 그렇다면 응당 현명한 자산 불리기와 똑똑한 자산관리가 동반되어야 한다. 뼈아픈 이야기를 반복하자면, 이 시대를 살면서 투자하지 않는 사람은 바보다.

물가 상승률을 이겨야 하는 자산관리의 중요성

왜 자산관리가 중요할까? 여러 가지 이유가 있다. 우선 물가 상승률을 이겨야 하기 때문이다. 1980년대 초반 국립연구소 3년 경력 연구원의 월급이 약 10만 5,000원이었다. 2020년 기준 같은 경력 연구원의 월급을 400만 원이라고 가정하자. 40년 전에 비해 거의 40배 오른 금액이다. 매년 연평균 9.66%* 오른 것이다. 반면에 물가 상승률은 얼마일까? 그림 1-8을 보면 지난 50년간 시내버스 기준 120배 올랐다. 대중교통은 직장인이 이용하는 교통수단 중에 가장 저렴하다. 물가가 50년 전보다 120배 상승했다면 연간 기하 평균 증가율은 10.05%** 다. 다시 말해 연구원 기준 매년 소득이 0.39% 줄어든다는 의미기도

그림 1-8. 50년간 변화한 생활물가

	1970년	2020년	
시내버스(1회 편도)	10원	1,200원	120배
담배(1갑 기준)	50원	4,500원	75배
택시 기본 요금	60원	3,800원	63배
자장면(1그릇)	100원	4,771원	50배
휘발유(1L)	30원	1,489원	49배
돼지고기(500g)	208원	10,000원	48배
쌀(40kg)	2,880원	96,200원	33배
소주(1병, 360mL)	65원	1,260원	20배
초코파이(1개)	50원	332원	6.6배

출처: 한국물가정보, 충청투데이

하다. 이는 40년 전에 100만 원의 소득이 있었다면, 연평균 0.39%의 속도로 소득이 줄어, 2023년에는 85만 5,300원***밖에 안 된다는 의미다.

◆ CAGR^{Compound Annual Growth Rate}(연평균 성장률)은 투자 또는 지표가 일정 기간 동안 성장한 평균 비율이다. 이 경우 월급이 40년 동안 연간 2.78% 증가했다는 것을 의미한다.

$$CAGR = \left(\frac{40}{1}\right)^{\frac{1}{40}} -1 = 9.66\%$$

◆◆ 이 경우 50년 동안 연간 3.44%씩 물가가 올랐다는 것을 의미한다.

$$CAGR = \left(\frac{120}{1}\right)^{\frac{1}{50}} -1 = 10.05\%$$

이 사례에서 알 수 있듯이 성실한 월급쟁이 생활을 했음에도 소득은 물가 상승에 따라 계속 줄어들고 있었다. 그러므로 반드시 인플레이션 헤지ʰᵉᵈᵍᵉ자산에 투자해야 한다. 예를 들어 물가 상승률이 연 2%이고 투자 수익률이 연 3%라면, 실질적인 소득은 연 1% 증가하게 된다. 즉 물가 상승을 고려할 때 투자 수익으로 실질적인 소득이 증가하게 되는 것이다.

물가 상승에 따른 자산 소득의 실질적인 감소를 헤지하기 위한 투자에는 다양한 방법이 있다. 주식, 채권, 부동산, 원자재 등에 투자할 수 있다. 그러나 어떤 투자가 가장 좋은 투자라고 말할 수는 없다. 왜냐하면 투자 수익률은 시장 상황에 따라 달라지고 개인별 차이도 크기 때문이다. 한마디로 물가 상승에 따른 자산 소득의 실질적인 감소를 헤지하기 위해서는 다양한 투자로 위험을 분산하는 것이 중요하다.

'사람이 아무리 오래 산다고 해봤자 기껏 100년 남짓인데, 200년간의 투자 결과가 우리에게 어떤 도움이 될까?'라고 생각한다면 그림 1-9를 참고하자. 굳이 길게 200년까지 들여다볼 것도 없다. 30년 동안의 투자 결과만으로도 투자에 참고할 만한 지혜를 얻을 수 있다. 그림 1-10은 주식, 장기국채, 단기국채에 각각 1년, 2년, 5년, 10년, 30년 동안 투자했을 때의 수익률을 비교한 그림으로, 그 결과가 놀랍다.

그림 1-10에서 보듯 1년간 보유했을 때 변동성이 가장 큰 투자군은 주식 수익률(+66.6~-38.6%)이다. 주식은 1년 동안의 투자로 많이 벌 수

♦♦♦ 100×0.9961^40 = 85만 5,300원

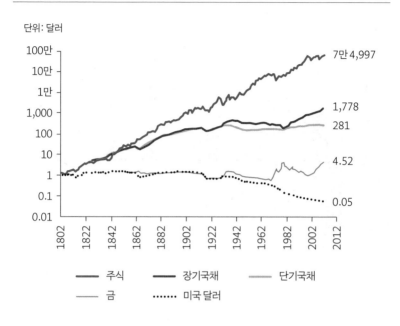

그림 1-9. 210년간의 다양한 자산 유형의 실질적인 수익률

단위: 달러

7만 4,997

1,778

281

4.52

0.05

— 주식   — 장기국채   — 단기국채
— 금   ······ 미국 달러

자산 유형	주식	장기국채	단기국채	금	미국 달러
연 수익률	6.6%	3.6%	2.7%	0.7%	-1.4%

※ 인플레이션 고려

출처: 제러미 시겔 저, 『주식에 장기투자하라』, 이레미디어, 2015.

도, 거꾸로 큰 손해를 볼 수도 있다. 그러나 투자 기간이 5년이 넘어가면서부터는 상황이 달라진다. 즉 장기국채와 비슷한 마이너스 수익이 발생하고 10년간 주식에 투자할 경우 단기국채 투자보다도 주식이 한결 더 유리하다는 것을 자료에서 알 수 있다. 그리고 만약 주식에 20년간 투자한다면 놀랍게도 마이너스 수익이 절대 나지 않는다. 국채에

그림 1-10. 보유 기간별 최고 연 수익률과 최저 연 수익률 비교

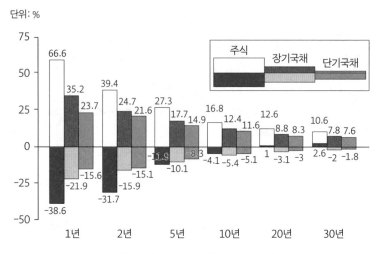

단위: %

출처: 제러미 시겔 저, 『주식에 장기투자하라』, 이레미디어, 2015.

장기간 투자하면 인플레이션 등의 영향으로 마이너스 수익이 날 수도 있다. 이 자료는 '주식은 도박'이라고 믿는 사람들에게 깨달음을 줄 것이다. 무엇보다 투자에서는 편견을 버려야 한다는 일깨움도 얻을 수 있다. 버크셔 해서웨이의 CEO 워런 버핏의 절친 찰스 멍거는 우리에게 귀감이 되는 이야기를 들려주기도 했다.

세상은 어리석은 도박꾼들로 가득 차 있으며
이들은 인내심 있는 투자자만큼
좋은 성과를 올리지 못할 것이다.
– 찰스 멍거

그림 1-11. 코카콜라 주가 추이

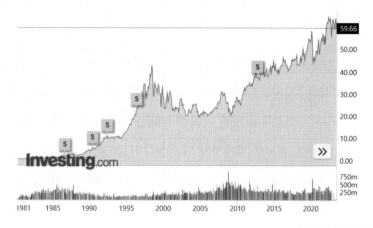

출처: 인베스팅닷컴

매일 주식시장을 들여다보고 경험해보면 왠지 위험이 커 보인다. 그러나 장기적인 시각으로 접근하면 주식이야말로 유망한 투자처가 된다. 전 세계인의 입맛을 사로잡은 코카콜라는 1919년에 상장된 이후 연평균 15%씩, 100년간 무려 171만 배나 성장했다. 장기 투자를 고려하지 않는다면 투자의 대가 워런 버핏이 코카콜라와 같은 소비주를 골라 높은 수익을 올리는 걸 이해할 수 없을 것이다.

고무적인 이야기를 하나 더 살펴보자. 1944년 앤 세이벨은 미국 국세청에서 근무하다 은퇴하면서 주식에 5,000달러를 투자했다. 그리고 1995년 101세의 나이로 사망했는데, 그녀가 처음 주식에 투자한 5,000달러가 50년 만에 2,200만 달러의 재산으로 늘었다. 앤 세이벨의 중개인은 그녀가 코카콜라를 비롯한 쉐링-플라우 등 프랜차이즈를 보유한 성장주에 집중해 장기 투자했다고 밝혔다. 성장 가능성이 높은 기업에 투자한 후 장기간 보유한 그녀의 연평균 수익률은 18%를 상회했다.

　동서양을 막론하고 성공적인 투자자들의 공통점은 장기 투자를 했다는 점이다. * 장기적으로 투자하고 인내심을 갖는 것이 투자의 핵심이다. 이는 시대흐름에 대한 정확한 이해를 바탕으로 해야만 가능한 일이기도 하다. 훌륭한 투자자가 되고 싶다면 끊임없는 공부가 필수라는 걸 다시 한번 강조한다. 그렇다면 늘 주식에 100% 투자하는 것이

그림 1-12. 투자 기간에 따른 최소 위험 주식 비중

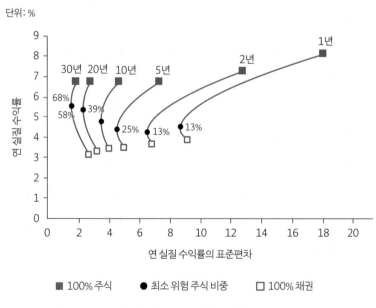

출처: 제러미 시겔 저, 『주식에 장기투자하라』, 이레미디어, 2015.

정답일까? 이 질문에 대한 답은 투자 기간에 따른 최소 위험 주식 비중을 보여주는 그림 1-12를 보면 알 수 있다.

만약 1~5년 정도 주식에 투자한다면 전체 투자액 중 주식 투자 비중을 10~20% 선으로 잡고, 나머지는 채권이나 예·적금에 넣는 것이 유리하다. 금전적으로 여유가 있어 당장 사용하지 않아도 되는 투자금이라면, 가령 20~30년 후 노후자금 목적으로 사용할 장기 투자라면 주식 투자 비중을 60~70% 정도로 높이는 전략이 위험을 최소화하는 포트폴리오가 된다.

직장인들은 시장 밖에서 월급으로 돈을 벌고, 주식시장 안에서 돈을 키워가야 한다. 설령 월급이 얼마 안 된다고 생각될지라도, 단돈 1만 원일지라도 저축하고 그 돈으로 주식 1주라도 사자. 필자는 강연을 할 때마다 우리가 가볍게 생각하는 1만 원으로도 중국에서 살 수 있는 주식이 많다고 강조한다. 주식시장은 돈을 벌라고 존재하는 시장임을 기억하자. 자본주의가 잘 돌아가려면 많은 자본가가 필요하다. 그런 자본가들을 부자로 만들어주는 기계가 주식시장이라는 사실을 알아야 한다.

◆ 돈의 시간 가치의 중요성을 강조한 유명한 이야기가 있다. 1971년 6월 1일 〈포브스〉에 실린 기사로, 재무론 교재의 첫 페이지에 소개되는 내용이기도 하다. 페터 미노이트가 인디언 원주민들로부터 뉴욕 맨해튼을 사들이며 지불한 대가는 24달러였다(그가 원주민에게 땅을 받고 내준 건 유리구슬과 장신구였다). 만약 원주민들이 24달러를 연 6%의 이율로 1971년까지 저축했다면 약 130억 달러에 이르는 돈이 되었을 것이다. 130억 달러는 1971년 당시 맨해튼 전체를 다시 사고도 20억 달러나 남는 엄청난 돈이다. 이 기사는 화폐의 시간 가치의 중요성을 다시 한번 상기시킨다. 메이어 로스실드는 시간이 흐를수록 돈에 돈이 붙는 복리를 두고 '세상의 8번째 불가사의'라고 말하기도 했다. 복리는 투자 기간에 따라 금액이 기하급수적으로 증가한다.

뒤늦게 깨달은 성공의 전제, 위험을 기꺼이 감수하는 삶

만물이 시드는 때가

만물이 다시 태어나는 시기다!

꽃이 시드는 시기와 만물이 다시 태어나는 시기가 겹친다는 말이다. 쇠퇴와 시작은 같은 시간 속에 존재한다. 지금까지 반복해서 밝혔듯이 이 말은 위기 속에서 기회를 찾고 지혜롭게 그 투자시계에 올라타자는 필자의 생각을 대변한다. 이에 독자 여러분에게 용기를 줄 만한 어느 초등학교 교훈을 하나 소개한다. 서울 마포의 한 국제초등학교 교훈인데, 아주 특이한 내용이 포함되어 있다.

- 상대방을 존경하라!
- 차분하고 침착하라!
- 정직하라!
- 좋은 경청자가 되어라!

처음부터 네 번째 내용까지는 어린 초등학생이 지켜야 할 덕목들이다. 아마 다른 학교에서도 위와 같은 이야기를 교훈으로 삼을 것 같다. 그런데 인상 깊고 특이한 내용이 마지막 다섯 번째다.

- 위험을 감수하라!Be a risk taker

아이들에게 '위험을 감수하라!'라고 강조하는 서구식 교육 결과가 '우주여행을 가겠다!'고 공언한 일론 머스크 같은 사람이 나타난 문화적 배경이 되었을 것이다. 사실 한국이나 중국의 교육에서는 '위험'이라는 단어 자체를 외면하기에 급급하다. 학교 선생님과 부모님이 아이들에게 가장 많이 하는 말이 "조심하라"일 것이다. 그러나 누구나 위험을 감수하고 도전하지 않으면 새로운 경험을 하고 기회를 발견할 수 없을뿐더러, 자신감과 사고의 탄력성을 가질 수 없다. 개인의 성장과 발전도 기대하기 힘들다. 시쳇말로 아무것도 하지 않으면 아무 일도 벌어지지 않는다. 편안한 공간, 익숙한 생각에서 벗어나야 우리의 잠재력이 발휘되고, 미처 몰랐던 강점과 능력도 드러난다. 물론 위험을 감수할 때는 실패나 좌절에도 대비해야 한다. 하지만 실패나 좌절이

꼭 나쁜 것만은 아니다. 우리가 겪는 실패와 좌절이 큰 경험으로 학습됨으로써 장기적으로 더 큰 성공과 행복을 만드는 데 도움이 된다.

일찍부터 우주여행 시대를 열기 위해 도전해온 일론 머스크를 보면서 그와 필자의 본질적 차이를 온몸으로 느꼈다. '왜 나는 우주에 갈 생각조차 못 하고 살았을까?' 생각의 차이가 바로 필자와 일론 머스크의 인생 차이를 만들었다. 위험은 더 큰 세상을 향해 전진하고 꿈을 이루고자 도전하는 과정에서 발생한다. 어릴 때부터 '위험을 감수하라'고 교육받은 사람의 시야는 지구를 벗어나 이미 우주를 향하고 있었다.

금융을 하는 사람이라면 하이리스크 하이리턴High Risk High Return의 의미를 잘 알고 있다. 이는 '투자 위험이 높은 금융자산을 보유하면 시장에서 높은 운용 수익을 기대할 수 있는 관계'를 이르는 말이다. 필자는 2003년부터 금융 박사학위 공부를 하고 교수까지 하면서 학생들을 오랫동안 가르쳐왔지만 솔직히 위험을 감수하는 투자를 주저해왔다. 솔직히 지금까지 특별히 큰 위험을 감수하며 도전하는 인생을 산 것 같지도 않다. 그런데도 세계적인 부자가 되겠다는 욕망을 내려놓지 않았다. 그러나 아이들에게 기꺼이 위험을 감수하라고 교육하는 초등학교 교훈을 보며 큰 깨달음을 얻었다. 단언컨대 세상에 공짜 점심은 없다.

금융의 본질, 투자의 본질이 바로 리스크 테이킹 아니던가. 위험을 떠안지 않고 경제적 자유를 이루겠다는 바람은 불가능한 꿈이다. 돈 버는 기술은 하다 보면 늘게 되어 있다. 용기를 내어 투자에 나서고 시대적 흐름에 과감하게 베팅해야만 밝은 미래가 있다.

아쉬운 것은 우리 사회는 살아가면서 가장 중요한 투자지식을 가르치지 않는다는 사실이다. 사람이 살아가면서 시간을 가장 많이 쓰는 것이 소득 창출이다. 그런데 자기 생활을 잘 꾸려가기 위해 어떻게 돈을 잘 벌고 잘 관리해야 하는지 아무도 가르쳐주지 않는다. 반대로 돈을 이야기하면 천박하게 본다. 돈 버는 일을 사회적으로 악마화한다. 마치 돈이 많은 사람들은 모두 나쁜 짓을 해서 돈을 번 것처럼 비춰질 때가 많다. 이건 매우 잘못된 일이다.

자본주의 체제의 장점은 누구나 큰돈을 벌 기회가 있다는 것이다. 많고 적고의 차이일 뿐이다. 또한 유튜브에 가면 성공한 투자자들의 노하우도 많다. 세계에서 주식으로 가장 돈을 많이 번 투자자인 워런 버핏은 자신이 어디에 투자하는지 모두 공개한다. 투자에 대해 모른다면 그의 포트폴리오를 따라가도 된다. 안 하는 것보다 낫다.

우리 아이들에게 투자에 대해 가르쳐야 한다. 당신의 아이가 춤을 추건, 공부를 하건, 그림을 그리건 존중해줄 필요가 있다. 그러나 무슨 일을 하든 투자는 꼭 하라고 가르쳐야 한다. 투자는 아이가 하고 싶어 하는 일을 더 잘하게 할 수 있다. 필자는 우리 모두가 투자 생활을 잘할 수 있도록 함께 노력하고 싶다. 이 또한 내가 세상에 기여하는 방식이다. 찰스 멍거의 유명한 어록 한마디를 독자들에게 드리고 싶다.

> 워런,◆ 좀 더 생각해보게. 자네는 똑똑하고 나는 옳으니까!
>
> – 찰스 멍거

◆ 투자 파트너 워런 버핏을 지칭한다.

ROE에 숨어 있는
시대흐름과 투자 방향

THE FLOW

THE FLOW

Intro

흔히 ROE^Return On Equity라고 부르는 자기자본이익률을 이해하는 것이 왜 중요할까? 산업흐름을 파악하고 방향을 알 수 있기 때문이다. 이는 2부의 핵심 내용이다.

1부에서도 소개했지만, 인구 고령화 문제가 우리에게 전하는 메시지는 생산성 감소와 소비 둔화다. 고령화 인구가 늘수록 시장 수요가 줄어든다. 본문에서 밝히겠지만 수요 감소는 ROE 공식 중 분자에 들어간다. 기업이나 국가의 주요 목표는 수요를 늘려 시장을 활성화하는 것이다. 이런 수요 확대 정책을 수요 측 개혁이라고 한다. 시대흐름, 주도 산업의 변화는 수요 측 개혁에 포함되는 매우 중요한 이야기다.

한편 공급 측 개혁도 존재한다. 공급 측 개혁이란 쉽게 말해 자본을 조금만 들여 기존과 똑같은 생산 규모 내지는 더 좋은 산출을 만드는 일이다. 더 적은 돈으로 똑같은 결과가 만들어졌다면 이익률이 높아진다. 이 역시 기업이든 국가든 그들이 추구하려는 자원 절감 및 친환경 방향과 큰 관계가 있다. 따라서 공급 개혁 측면에서는 주로 기술혁신 이슈가 핵심이다.

정리하면 자기자본이익률, 즉 ROE 개념으로 기업뿐 아니라 한 국가의 미래흐름까지도 우리가 파악할 수 있다. 또한 어느 곳에 투자 기회가 있는지도 예측할 수 있다. 예시로 든 중국의 흐름, 국운이 어떤 방향으로 옮겨갈지 ROE 측면과 비교해 살펴보는 일도 재미있는 주제다.

재무론 전공으로 경영학 박사학위를 받은 필자로서 투자에 대해 한마디로 요약하자면 ROE에서 시작에서 ROE에서 마무리된다고 말하고 싶다.

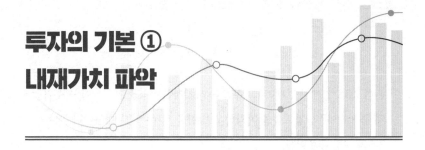

투자의 기본 ①
내재가치 파악

투자 가능한 자산에는 여러 종류가 있다. 우리가 머릿속에 가장 먼저 떠올릴 수 있는 것들에는 예·적금, 부동산, 주식, 채권 등이 있다. 당신이 사업가라면 자신이 운영하는 사업체도 큰 투자처다. 만약 당신이 일반 투자자라면 시간을 쪼개가면서 경제·금융 공부, 투자 공부를 하는 행위가 큰 틀에서 보면 모두 투자에 해당한다. 주식이나 부동산에 투자하든, 사람에 투자하든, 자신에게 투자하든, 어떤 프로젝트에 투자하든 모든 투자에는 공통점이 있다. 투자는 시간을 들여야 하는 동시에, 현재의 소비를 줄임으로써 미래 소득을 확대하려는 모든 행위와 노력이라는 점이다.

돈의 목적은 교환이 아니라 기회다.

내가 가진 돈의 크기는 물질로 교환하는 데 목적이 있는 것이 아니라

교환한 물질이 가져올 가능성에 목적이 있다.

– 김종봉, 제갈현열, 『돈 공부는 처음이라』

내재가치 파악하기

먼저 투자에서 반드시 알아야 할 '내재가치intrinsic value'에 대해 살펴보겠다. 내재가치를 알면 '과연 지금 투자하기 적절한 가격인가?'라는 물음에 답할 수 있다. 재무학에서 정의하는 내재가치란 '자산의 미래, 현금흐름의 현재 가치'다. 이는 투자 대상의 실제가치를 나타내는 말로서 시장 가격과는 별개로 자산의 잠재적 가치를 반영한다.

예를 들어 알아보겠다. Y라는 기업이 있는데 부채를 제외한 순자산이 200억 원이고, 사업으로 매년 20억 원씩 벌어들인다고 가정하자. Y기업의 가치는 어떻게 측정되어야 할까? 결론적으로 현재의 자산가치인 200억 원과 미래에 벌어들이는 모든 수익의 현재 가치의 합이 될 것이다. 즉 특정 기업의 자산가치와 수익가치의 합, 그것이 바로 내재가치다.

내재가치란, 그 자산의 현재 가치와

미래에 가져다줄 모든 현금흐름의 현재 가치의 합을 말한다!

그림 2-1. 내재가치와 시장 가격에 따른 고평가와 저평가

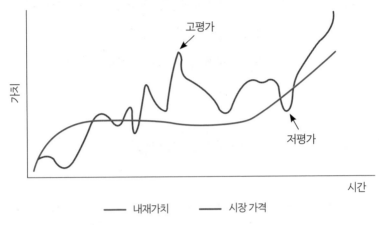

출처: 트루마인드캐피털

그림 2-1에서 보듯이 시장에서 거래되는 자산의 가격은 내재가치를 중심으로 위에 놓일 수도 있고 내재가치 아래로 떨어질 수도 있다. 내재가치보다 가격이 위에 놓이면 고평가, 내재가치 아래에 가격이 놓이면 저평가되었다고 말한다. 즉 내재가치가 투자의 기준이 된다.

투자자들은 내재가치가 높은 투자 대상을 찾아내고, 시장 가격보다 낮은 가격으로 매수해 장기적으로 이익을 얻는 것을 목표로 한다. 그렇다면 이 기준을 어떻게 구할까? 재무이론에는 기업의 고유 내재가치를 파악하기 위한 여러 가지 모델이 있다. 절대가치평가법인 현금흐름할인모델Discounted Cash Flow Models, DCF 이외에 배당할인모델Dividend Discount Models, DDM과 잔여소득모델Residual Income Models, RIM이 있다. 배당할인모델은 배당금을 기반으로 주식의 내재가치를 산출하는 방법이고, 잔여소득모델은 주당 순이익과 주당 장부가치의 차이를 기초로 내재가치를 산정하는 방법이다.

　아래 주식과 부동산 투자 시 널리 활용하는 현금흐름할인모델의 공식을 보면 분모에 위험조정할인율Risk-Adjusted Discount Rate 'r'이 들어가 있다. 어렵게 느껴지면 r을 일단 은행의 금리[**]로 봐도 무방하다. 따라서 기업가치와 금리는 역관계다. 즉 정부에서 금리를 올리면 부동산이나 주식 및 채권 등 자산가치는 하락한다. 작년 3월부터 FED는 지속해서 기준 금리를 높였다. 이는 미국 주식시장뿐만 아니라 신흥국들의 자산시장까지 크게 하락한 중요 원인이다.

금리를 올리면 기업의 내재가치는 하락한다.

$$DCF = \frac{CF_1}{(1+r)^1} + \frac{CF_2}{(1+r)^2} + \frac{CF_3}{(1+r)^3} + \cdots \frac{CF_n}{(1+r)^n}$$

※ CFn=n 기간 동안의 현금흐름, r=위험조정할인율

　현금흐름할인모델로 기업의 내재가치를 추정하려면 분자에 있는

◆ 주식의 내재가치는 기업의 미래 배당과 같은 현금흐름을 현재의 시점에서 적정 금리로 할인한 가치를 말한다.

◆◆ 워런 버핏은 적정 할인율을 장기국채 수익률이라고 말했다. 따라서 투자자는 투자 국가 장기채의 시장 금리 변동을 확인해야 한다. 그러나 많은 신흥국의 장기채 수익률은 참고 가치가 떨어질 정도로 신뢰성이 부족할 때가 많다. 그러므로 세밀한 검토가 필요하다. 무난하게 미국 장기채의 시장 금리 변동을 참고할 수 있지만 국가별 위험프리미엄을 적정하게 고려해야 할 것이다.

미래(일정 기간) 현금흐름을 추정할 수 있어야 한다. 하지만 미래는 아무도 모르기 때문에 사실 정확한 내재가치를 추정하는 것은 불가능한 일이다. 따라서 내재가치의 본질적 개념에 집중하는 것이 더 중요하다. 재무학에서 기업은 '영속기업'을 전제로 한다. 기업은 영원히 존속한다는 의미다. 선진국에는 실제로 100년 이상 존재한 훌륭한 기업이 많다. 그럼 이런 기업이 100년 동안 창출해온 현금흐름이 얼마나 될까? 그리고 그 현금흐름의 가치는 지금으로 따지면 얼마가 될까? 바로 이것이 내재가치다. 여기에서 100년 동안 매년 벌어들인 현금흐름을 추정해야 한다.

가장 큰 변수는 기업의 성장률과 적정 할인율이다. 워런 버핏은 현금흐름에 적용되는 적정 할인율은 장기국채 수익률로 보고 있다. 그는 기업의 장기 성장률도 보수적으로 잡고 있다. 사실 매년 10% 혹은 15% 성장하는 기업은 많지 않기 때문에 워런 버핏은 GDP 성장률에 배당률을 더하고 거래 등 마찰비용 1.5% 정도를 차감해서 추정한다. 예를 들면 인플레이션이 3%이고 실질 성장률이 3%이면 GDP 성장률은 6%가 된다. 이 정도가 바로 기업의 성장률이며 여기에 배당률 1~2%를 더하면 약 연 7~8%가 된다. 여기에서 마찰비용 1.5% 정도를 차감하면 연 5.5%에서 6.5% 성장률이 된다. 따라서 간단하게 미래 기업의 성장률을 그냥 GDP 성장률로 봐도 무난하다.

종합하면 DCF 모형을 사용해 기업의 내재가치를 추정할 경우 투자자가 해야 할 일은 다음과 같은 세 가지다. 첫째, 미래의 현금흐름을 추정한다. 둘째, 적정 할인율을 적용한다. 셋째, 미래 현금흐름 증가율(즉 영구 가치 증가율)을 예측한다. 그런데 사실 투자기업의 사업을 이해하지 못하면 미래 현금흐름을 추정할 수 없으므로 기업을 많이 연구해야 한다. 그러므로 투자자는 자신이 가장 잘 이해할 수 있는 산업에서 가장 익숙한 소수의 기업에만 집중해서 투자해야 할 것이다. 워런 버핏은 "우리는 유능하고 정직한 경영자가 운영하는 훌륭한 기업을 적정 가격에 인수합니다"라고 말했다. 그리고 훌륭한 기업이란 비교적 적은 자본으로 많은 현금을 창출할 수 있는 기업, 기업이 하는 사업 영역에서 가격 결정력이 강한 기업, 건전하게 경영되는 기업으로 추가 설명했다.

똑똑해지는 투자 상식

주식에서 말하는 가치투자란?

'내재가치'란 말에 포함된 '가치'라는 단어 때문에 주식 투자 방법의 하나인 '가치투자'와 헷갈릴 수도 있을 듯하다. 내재가치는 쉽게 말하면 기업이 마지막 날까지 창출할 수 있는 현금흐름을 적정 금리로 할인한 현재 가치다. '현재 가치'라는 개념을 처음 듣는 독자들은 어렵게 느낄 수 있지만 사실 쉬운 개념이다.

우리는 친구들에게 이런 질문을 할 수도 있다. "내가 너한테 1,000만 원을 준다고 할 때, 지금 받겠느냐 아니면 3년 이후에 받겠느냐"라고 말이다. 대부분은 지금 1,000만 원을 받으려고 할 것이다. 미래 받을 수 있는지 없는지 확실하지도 않고, 지금 받으면 당장 사고 싶은 것을 바로 살 수 있기 때문이다. 이것이 현재 가치의 원리다. 만약 그중 한 친구가 "3년 뒤의 1,000만 원은 지금으로 따지면 어느 정도의 금액일까?"라고 질문한다면 어떻게 말해줘야 할까? 이를 계산하는 것이 현금흐름할인 모형이다. 투자에서 중요한 것은 기업의 내재가치에 대한 적절한 범위를 추정할 줄 알아야 한다.

주식에서 가치투자란, 기업의 내재가치에 기준을 둔 주식 투자전략을 말한다. 여기에서 가장 중요한 요소는 안전마진으로 회사 주가와 실제 기업가치의 괴리율이다. 괴리율이 높으면 안전마진이 커지는데 이는 가치투자자들의 투자 실패율을 크게 줄여준다. 워런 버핏은 "내가 잘 이해하는 회사를 내재가치의 40%에서 사면 안전마진이 확보된다"라고 말했다. 다시 말해 실제가치보다 40% 싸게 샀기 때문에 주가가 크게 오르지 않더라도 내재가치 정도까지 회복되면 40% 수익률을 실현할 수 있다는 뜻이다.

가치투자의 시초는 벤저민 그레이엄*이다. 벤저민 그레이엄은 영국 태생의 미국의 투자가이자, 경제학자, 교수다. 증권분석의 창

---

* 벤저민 그레이엄은 '가치투자의 아버지'라는 수식어가 뒤따르는 투자의 대가다. 증권 분석의 개척자라고 알려진 그는 가치투자 개념이 없던 시절 세계 최초로 "투자로 성공하려면 실제가치보다 가격이 저렴한 주식을 사야 한다"라고 말했다. 우리 귀에 익숙한 '가치투자의 개념'을 바로 그가 만들었다.

시자이자 가치투자의 아버지로 널리 잘 알려져 있다. 투자업계에서 많이 알려진 저서 『현명한 투자자』는 워런 버핏이 읽고 그를 찾아갈 생각까지 할 정도로 명저다. 투자업계에 벤저민 그레이엄이 나타나기 이전에는 주식은 그냥 시세차익이나 벌어들이는 투기 대상일 뿐이었지만, 이후에는 수많은 가치투자 추종자가 생기면서 가치투자가 주류로 떠올랐다.

- 기업의 가치 = 내재가치
- 주식의 가격 = 내재가치 + 심리(수요)

가치투자자 중에는 회사 지분의 일부를 사서 회사를 소유한다는 정신으로 투자하는 사람이 많고 비교적 장기 투자를 영위하는 투자자가 많다. 한마디로 위의 공식에서 내재가치가 주식의 가격보다 높게 형성되어 있다면 훌륭한 투자가 될 수 있다. 이런 방법의 투자를 가치투자라고 한다. 보통 이런 상황은 경제위기가 발생하거나 변동성이 큰 상황에서 발생한다. 이런 경우 투자자들의 공포심리가 확산하면서 주가가 낮게 형성되기 때문이다. 이때 주식을 묻어두고 기다리면 수익이 난다. 왜냐하면 결국 주가는 내재가치에 회귀하기 때문이다.

세계적인 투자자 워런 버핏, 그보다 한 세대 앞선 투자자 벤저민 그레이엄은 가치투자로 세계적인 성공을 이뤘다.

기업의 실제가치가 반드시 주가와 연계되어 일치하지는 않는다. 그래서 시장에서 현재 평가받는 주가가 적절한지 아닌지를 몇 가지 지표로 살펴보기도 한다. 초보 투자자도 들어봤을 법한 EPS^{Earning Per} Share(주당 순이익, 순이익을 주식 수로 나눈 지표), PER^{Price Earning Ratio}(주가수익비율, 주가를 주당 순이익으로 나눈 지표), PBR^{Price Book value Ratio}(주가순자산비율, 주가를 1주당 자산가치로 나눌 때는 몇 배인지 알려주는 지표), ROE가 대표적인 지표들이다. 이들 지표는 일반적으로 가치투자를 할 때 투자 판단의 근거로 활용되며 보편적인 평가 툴로 여겨진다. PER, PBR, EPS 등은 모두 주식의 적정가치를 살피는 지표지만, 2부 이야기의 핵심인 'ROE'가 투자의 본질이라고 말해도 전혀 과분하지 않을 정도로 중요하다. 또 한 국가의 경쟁력을 살피는 데도 ROE 자료를 활용해 판단할 수 있다.

한편 모든 자산의 가격은 장기적으로 내재가치에 수렴하며 움직이게 마련이다. 만약 현재 가치가 비싸서 더 오를 것처럼 보여도 결국 가격이 내재가치에 수렴해 떨어질 테고, 반대로 가격이 낮다면 언젠가는 내재가치에 수렴하면서 높아질 것이다. 투자자는 당연히 내재가치보다 현재 가격이 낮은 구간에서 투자해야 한다.

투자자가 내재가치를 파악하는 이유는 기업(또는 부동산과 같은 자산) 가치가 저평가인지 고평가인지 가늠하려는 데 있다. 당연히 가치가 저평가되었다면 매수, 반대로 고평가라면 매수를 유보하는 전략을 취한다. 말로는 참 쉽고 단순한 이야기로 들린다. 그러나 저평가와 고평가를 판단하는 것은 어렵다. 그럼에도 불구하고 투자성공률을 높이려면 다음 벤저민 그레이엄의 말을 철저히 따라야 할 것이다. 즉 철저한 분석을 해야 하고, 투자 원금의 안전을 확보하는 것이 우선이고, 적절한 수익을 추구해야 한다.

가치투자란 '철저한 분석에 근거해서,
투자 원금의 안전과 적절한 수익을 추구하는 행위'다.
– 벤저민 그레이엄

여기에서 철저한 분석이라고 하는 것은 기업의 내재가치를 먼저 파악하는 일이라고 할 수 있다. 기업이 현재 보유한 자산가치와 미래에 벌어들일 수익가치를 철저히 분석한 이후 절대가치평가법을 이용해 내재가치를 산출해야 한다는 뜻이다. 그러므로 투자의 기본 출발점은 기업의 사업 분석이다. 사업 분석은 그 기업이 속한 산업에 대한 이해가 바탕이 되어야 할 것이다.

다음으로 투자 원금의 안전을 확보해야 한다는 말은 주식 투자에서 위험관리의 중요성을 의미한다. 시장의 미래는 누구도 예측할 수 없다. 이를 재무이론에서는 '랜덤 워크Random Walk'라고 한다. 투자자라면 이 사실을 인정하는 것부터 출발해야 한다.

왕들이 양의 창자로 미래를 예측하려던 옛날과 마찬가지로,
시장 예측가의 말에 귀 기울이는 행위는 지금도 여전히 미친 짓이다.
– 워런 버핏

우리는 일반적으로 경제를 공부하면 흐름을 예측할 수 있다고 생각한다. 필자도 이를 엄청나게 강조하고 있고, 지금 이 책을 쓰는 이유이기도 하다. 그러나 이는 깊은 뜻이 있다. 그냥 경제 공부를 하면 흐름이 예측되는 것이 아니기 때문이다. 필자가 강조하고 싶은 포인트는 흐름을 예측하는 것이 아니라 흐름의 본질에 초점을 맞추라는 것이다. 그 결과가 왜 발생했는지, 그 뒤의 본질적 배경이 무엇인지를 알아야 답을 찾을 수 있다. 더 쉽게 설명하면 주식시장을 예측하려 들지 말고 그냥 지켜보라는 것이다.

흐름의 시각에서 단기 주가를 예측하려는 것은 처음부터 없는 답을 쫓는 것과 같다. 미래 사업성이 확실한 기업이라면 지금의 주가 등락은 무시해도 된다. 따라서 주식의 가격 등락보다 사업성 분석이 중심이 되어야 한다. 주식 투자는 처음부터 해당 기업의 사업 분석부터 시작해야 하고, 매도하는 시점도 사업의 미래성에 관한 판단 아래 진행되어야 한다. 다음 워런 버핏의 명언을 깊이 음미해보자!

나와 찰스는 사업 분석가다. 우리는 시장 분석가도,
거시경제 분석가도, 심지어 증권 분석가도 아니다.

사업을 정확하게 판단하는 것과 동시에 무섭게 확산하는
시장 심리에 휩쓸리지 않을 때 성공할 것이다.
– 워런 버핏

우리는 큰 흐름을 알아야 한다. 전문가가 이야기하는 것이 흐름의 내용인지 아니면 결과의 예측인지 판단할 수 있어야 한다. 경제를 공부하면 흐름을 알 수 있다. 하지만 예측은 아니다. 당신은 물의 흐름을 그냥 바라볼 줄 알아야 한다. 그 흐름에 확신이 든다면 기다리는 시간은 문제가 안 된다.

많은 투자자는 유튜브에서 늘 전문가가 시장을 예측해줄 것을 기대한다. 내일 당장 주가지수가 어떻게 될지, 시장이 오를지 내릴지를 설명해주는 사람들의 동영상을 보면서 아까운 시간을 소모한다. 그것은 자기가 한 투자에 자신이 없고 불안하기 때문이다.

그런데 이런 생각을 해야 한다. 미래를 예측할 수 있다고 확신하면 어떤 문제가 생길까? 시장이 상승한다고 예측했는데 만약 시장이 하락할 경우 투자자는 예측을 기정사실로 여기고는 현실을 받아들이지 않는다. 반드시 예측대로 올라야 하는데 주가가 떨어지는 것은 있을 수 없는 일이라고 생각한다. 이런 심리 때문에 결국 하락하는 장세에 대응하지 못하고 무작정 상승하기만을 기다리면서 돈을 더 크게 잃게 된다. 아니면 추가 매수를 해서 손실 규모를 더 키우는 것이다.

가치에 대한 확고한 신념이 있어야만
수익이 발생하지 않는 기간을 버텨낼 수 있다.
– 하워드 막스

강물이 흐르는 데는 이유가 없다. 그냥 높은 곳에서 낮은 곳으로 흘러간다. 그 운명에 몸을 맡기지 않고 거스를수록 고통만 있을 뿐이다. 고통에서 벗어나는 방법은 그저 흐르는 강물을 바라보며 소리를 듣는 것이다. 시대흐름의 소리가 어디로 향하는지를 들어라! 돈을 잃지 않는 데 집중해야 평생 투자자로 남을 수 있고 순풍이 올 때 돛을 올려 돈을 벌 수 있다.

투자란 몇 군데 훌륭한 회사를 찾아내어
그저 엉덩이를 붙이고 눌러앉아 있는 것이다.
– 찰스 멍거

그는 강으로부터 무엇보다도 경청하는 법,
그러니까 고요한 마음으로 기다리는 영혼, 활짝 열린 영혼으로,
격정도, 소원도, 판단도, 견해도 없이 귀 기울여 듣는 것을 배웠다.
– 헤르만 헤세, 『싯다르타』

투자의 기본 ②
ROE 개념 알기

기업이 자신의 자본으로 돈을 얼마나 버는지 알려주는 숫자가 있다. 자기자본이익률, 바로 ROE다. 주주들의 투자금으로 얼마의 수익을 냈는지가 궁금하다면 ROE를 계산하면 된다. ROE는 순이익을 자기 자본으로 나눈 값으로, 기업의 실질적 소유주인 주주들이 투자한 자본이 벌어들이는 수익성을 나타내는 지표다. 이는 주식에 투자하는 투자 자들의 입장에서 볼 때 가장 중요한 재무비율이다. 구하는 방법은 당기 순이익을 자기자본으로 나눈 후 100을 곱한다. 예컨대 어떤 기업이 1억 원을 투자했는데 ROE가 20%라면, 1억 원으로 2,000만 원 수익을 냈다는 말이다.

조금 더 쉽고 직관적으로 설명하자면 1억 원의 밑천을 가지고 사업을 한다고 하자. 그럼 무슨 사업을 할지, 그 사업을 할 때 얼마나 더 돈이 필요하고, 그래서 은행에서 얼마나 더 돈을 빌려야 하며, 그러면 한 해 동안 이자나 월세 등을 낸 뒤 내가 버는 돈은 얼마인지, 그럼 1억 원으로 몇 % 수익을 내는 것인지를 자연스럽게 알 수 있다.

주식을 투자할 때도 마찬가지 고민을 해봐야 한다. 이런 것을 하나의 수치로 보여주는 것이 바로 ROE다. 그러니까 ROE가 높을수록 주주들의 투자금을 잘 운영해 많은 수익을 냈다고 생각하면 된다. ROE는 적어도 은행예금 이자율보다 높아야 할 것이다. 지금 은행에 돈을 적금하면 5% 이자율을 받을 수 있는데 만약 ROE가 4.5%이면 주주들은 경영자에게 책임을 물을 것이다. 워런 버핏은 '적어도 ROE가 15% 이상인 기업에 투자하라'고 했다.♦ 물론 산업별로 기준이 다르겠지만 적어도 15%도 하나의 참고 기준으로 잡아보는 것도 좋다. 또한 ROE는 이익과 배당의 성장률(=ROE×내부유보율)을 결정짓는 기본요인으로 ROE가 높게 평가된다는 것은 기업이 수익성이 좋은 새로운 투자 기회들을 계속 확보한다는 것을 의미한다.

ROE를 참고할 때 염두에 둬야 할 내용이 몇 가지 있다. ROE를 구하는 공식 중 분자에 해당하는 당기 순이익에는 자기 돈으로 번 영업이익뿐 아니라, 영업 이외의 손익과 부동산 임대로 번 수익처럼 일회

♦ 벤저민 그레이엄이나 워런 버핏도 기업 분석의 기본적인 척도로 ROE를 중요시했다. 기업이 주주의 몫인 자기자본을 활용해 많은 수익을 내는 것이 비즈니스의 출발이기 때문이다.

성 수익이 모두 포함된다. 따라서 ROE를 구하는 공식에서 분자에 들어갈 순수 영업이익 말고도 혹시 다른 조건이 보태져 숫자가 높게 나타났는지를 확인해야 한다.

한편 분모에 들어가는 자기자본이 낮아져도(적은 투자금으로 수익을 냈다는 의미니까) ROE가 높아진다. 흔한 사례가 주주들에게 이익을 배당해 자본이 줄어든 경우다. 또 기업의 부채가 늘어나도 ROE가 높아진다. 이에 몇몇 기업은 시장을 향해 'ROE가 높아졌으니 우리를 좀 봐주세요'라고 말하고 싶어서 부채를 끌어다 쓰기도 한다. 이것이 숫자에 가려진 함정에 빠질 수 있으니 꼼꼼하게 살펴봐야 하는 이유다. 겉으로 보이는 ROE 숫자 말고 내면에 숨은 진실을 알아야 한다는 이야기다. ♦

$$\text{ROE} \atop \text{(자기자본이익률)} \quad = \quad \frac{\text{당기 순이익}}{\text{자기자본}} \times 100$$

♦ 일반적으로 ROE를 훼손하는 가장 큰 상황은 기업들의 유상증자다. 유상증자로 자기자본이 증가하면 그만큼 ROE가 낮아지게 된다. 더구나 전략적으로 투자를 유치하는 경우가 아니라면 유상증자는 취약한 재무상황을 대변하는 경우가 많아서 주주들에게는 우려가 될 수밖에 없다. 그러나 회사가 점차 성장하면서 자기자본의 한 구성항목인 이익잉여금의 규모가 확대되고, 재무적으로도 부채에 대한 의존도가 감소하면 전체 이익의 규모는 성장하더라도 불가피하게 ROE는 감소하게 된다. 이는 기업이 자연스럽게 성장주에서 가치주로 변화하는 과정이라고 볼 수 있다. 삼성전자도 ROE가 10% 이하로 하락하면서 배당을 조금 더 적극적으로 실시하고 있다. 삼성전자의 지난 5년 평균 ROE는 약 15% 정도로 계산된다. 물론 엄청난 성장에도 불구하고 여전히 ROE가 20%가 넘는 아마존과 같은 기업도 있다. 그만큼 높은 경쟁력을 가지고 있다는 의미다. 그래서 삼성전자보다 훨씬 높은 기업가치 평가를 받고 있다.

남과 차별화된 투자성과를 기대한다면 우선 ROE부터 살펴보기를 강력히 추천한다. ROE가 낮다는 것은 기업이 주주가 투자한 자금을 비효율적으로 사용하고 있다는 것을 보여준다. 1억 원을 투자해 창업한 치킨가게에서 연 300만 원밖에 벌어들이지 못한다면 사업을 시작하면 안 되는 것이다. 기본적으로는 ROE가 높아야 좋은 모습이고 긍정적이다. ROE가 높아지는 경우는 딱 두 가지다. 당기 순이익이 높아지는 경우와 자기자본이 낮아지는 경우다.

쉬운 예를 들어 설명하면 이렇다. K라는 기업이 자본금 1억 원으로 순이익 2,000만 원을 남겼다면 K기업의 ROE는 20%이다. 그런데 만약 K기업이 재무상황을 개선하고, 방만했던 구조를 조정하거나 기술개발 활동을 벌임으로써 ROE 공식 중 분모의 자기자본을 줄여 5,000만 원으로 똑같은 2,000만 원의 순이익이 났다면, K기업의 ROE는 2배 높아져 40%로 올라간다.

이처럼 ROE는 어떤 기업의 이익 창출 수준을 숫자로 확인할 때 독립적인 지표로 쓰이기도 하지만, 주식 투자에서는 PER, PBR, EPS를 자주 함께 활용한다. ROE가 높게 나왔더라도 PER, PBR, EPS 자료를 함께 살펴야 해당 기업의 주가가 적정한지를 정확히 알 수 있다. ROE를 다른 산식으로 정리하면 EPS/BPS^{Book value Per Share}(주당순자산가치)가 되고, 이는 곧 PBR/PER이 되는 셈이다. 복잡해 보이지만 결과적으로 단순한 곱하기와 나누기를 하면 된다(그림 2-2 참조).

일반적으로 기업가치 평가가 PER로 측정되든 PBR로 측정되든 상장기업의 가격은 다른 기준 대상으로만 측정되며 동일한 추세가 있어

그림 2-2. 다양한 주식 투자지표

$$ROE = \frac{당기\ 순이익}{자기자본}$$

$$BPS = \frac{자기자본}{주식\ 수} \qquad PBR = \frac{현재\ 주가}{BPS} = \frac{시가총액}{자기자본}$$

$$EPS = \frac{당기\ 순이익}{주식\ 수} \qquad PER = \frac{현재\ 주가}{EPS} = \frac{시가총액}{당기\ 순이익}$$

즉 ROE=EPS/BPS=PBR/PER

야 한다. 하지만 실제로는 '낮은 PER, 높은 PBR' 또는 '높은 PER, 낮은 PBR'의 두 가지 상황이 종종 있으며 실제로 PER과 PBR은 서로 싸우고 있다. 왜 이런 일이 발생할까? PER과 PBR 사이의 불협화음의 원인은 무엇일까? 이때 지표를 활용해 가치를 어떻게 판단해야 할까? 이 모든 것의 핵심 이유는 변수 ROE에 있다.

$$PBR \quad = \quad ROE \quad \times \quad PER$$

$$\frac{시가총액}{자기자본} = \frac{당기\ 순이익}{자기자본} \times \frac{시가총액}{당기\ 순이익}$$

위의 식을 보면 PBR은 ROE와 PER로 결정된다. ROE가 높아지면 PBR이 높아지고 ROE가 하락하면 PBR도 낮아진다. 위의 식에 따라

그림 2-3. PER과 PBR에 따른 네 가지 영역

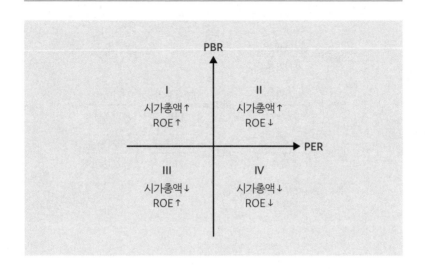

주식시장에서 PER과 PBR의 네 가지 조합에 대한 상황과 이유를 나열할 수 있다. 그림 2-3에서 II 영역은 과대평가된 경우이고 III 영역은 저평가된 경우라고 보면 된다.

우리는 단순히 낮은 PER, 낮은 PBR을 선호하는 경우가 있다. 투자자마다 성향 차이도 있지만 개인적으로는 저PBR를 선호하지는 않는다. 모든 저PBR 주식이 다 좋은 주식은 아니다. 좋은 투자 대상은 PBR이 낮은 상태이면서 동시에 ROE가 높은 기업이다. PER도 마찬가지다.

기업의 수익 창출 능력이 하락해서 ROE가 낮아지면 PBR도 낮아진다. 그런데 주가가 하락하는 속도가 이익이 하락하는 속도보다 높아서 시가총액이 크게 줄어드는 경우가 발생한다. A기업의 이익 하락에

표 2-1. 순이익과 주가 상승에 따른 기업가치 변화

			순이익 증가		20% 주가 상승
순자산(자본)	100억 원		100억 원		100억 원
순이익	10억 원	→	20억 원		20억 원
시가총액	150억 원		150억 원	→	180억 원
ROE	10%	→	20%		20%
PER	15	→	7.5	→	9
PBR	1.5		1.5	→	1.8

대해 주가가 예민하게 반응하는 부분이다. 그림 2-3에서 IV 구간이다. 이는 상승할 때도 마찬가지다. 그림 2-3에서 I 구간이다(표 2-1 참조). 어쩌면 이 부분에서 투자 기회를 찾을 수도 있다. 물론 이익 하락이 A기업의 본질 가치와는 무관한 경우에 한해서다.

표 2-1을 보면 A라는 기업의 현재 자본이 100억 원, 순이익 10억 원이다. 이에 시장은 시가총액을 150억 원으로 평가하고 있다. 이때 A기업의 ROE는 10%, PER 15배, PBR은 1.5배가 된다. 올해 A기업의 순이익이 20억 원으로 증가했는데, 시장이 아직 A기업의 실적이 증가한 것을 알아채지 못하고 시가총액(주가)이 150억 원으로 변함없다고 가정한다면, ROE는 20%로 증가하고 PER은 7.5배로 줄어든다. 바로 지금이 투자 기회다. 그러므로 투자자들이 A기업의 실적 증가를 알아차리고 투자에 나설 것이다. 주가가 20% 정도 상승한다고 가정하면 시가총액은 180억 원 정도가 되고 PER은 9배, PBR은 1.8배로 증

그림 2-4. 미래 10년 연평균 15% 수익 실현을 위한 목표 PBR과 PER

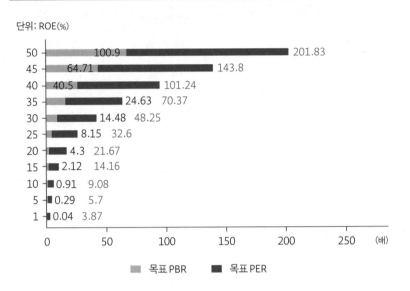

단위: ROE(%)

가한다. 이런 과정을 반복하면서 결국 주가는 내재가치에 수렴한다.

필자가 어떻게 저평가 및 고평가를 측정할 수 있는지 기준을 판단하는 사례를 설명하고자 한다. 그림 2-4는 주식을 매입하고 10년 보유한 이후 PER 14배로 매도한다고 가정할 때, 평균 연 수익률 15%를 실현(투자금액이 10년 동안 4배 증가)하기 위해 매입해야 하는 목표 PBR 수준과 목표 PER 수준이다. 관심 있는 기업이 있을 경우 그림 2-4를 참고해 해당 기업의 PBR과 PER 수준을 확인해서 표준의 값과 비교해 높은지 낮은지를 판단하고 매입할지 매도할지 검토할 수 있다. 예를 들어 목표기업의 ROE가 20%일 경우 목표 PBR 수준은 4.3배, 목표 PER은 21.67배여야 한다. 관심 있는 기업의 PBR 혹은 PER를 확인했을 때 저평가되었으면 매수하고 고평가되었으면 매도하면 된다.

여기서 필자가 사용한 PBR-ROE 분석모델은 재러드 윌콕스가 1984년 발표한 논문 「The PBR-ROE Valuation Model」에서 처음 제안했다. 이 모델은 회사의 현재 PBR에 내재된 ROE가 예상 ROE보다 낮으면 회사가 저평가되었고 투자 가치가 있다고 판단한다. PBR-ROE 모델은 실제 투자에 적용하는 두 가지 방법이 있다. 첫 번째는 수직적 역사 차원에서 다른 요소를 제외하고 ROE가 동일한 경우 PBR이 낮은 회사는 투자 가치가 있다고 본다. 두 번째는 수평적 비교 차원에서 다른 요소를 제외하고 PBR이 동일한 경우 ROE가 높은 회사는 투자 가치가 있다고 본다.

그림 2-4에서 연평균 15% 수익률을 실현할 때 10년이면 투자금액이 4배 증가하는 목표 PBR과 PER을 확인했다. 만약 배당 성향을 d, 지속가능한 순이익 성장률을 g라고 하면, g=ROE×(1-d)라는 식이 나온다. 그럼 매년 ROE가 15% 성장한다고 가정하고 배당을 하지 않는다고 가정하면 기업의 지속가능한 성장률 g도 15%가 된다. 다른 말로 ROE를 15%로 유지하려면 성장률이 15% 필요하다는 이야기다. 즉 sROE$^{\text{sustainable ROE}}$(지속가능한 ROE)는 'g'가 된다. 이것이 투자의 장기 수익률이 그 기업의 지속가능한 ROE 수준과 같아지는 이유다. 자본이 성장하는 만큼 시가총액도 같이 성장한다. 현재 시가총액이 100(자본 100, PBR =1)인 기업이 현재의 상황을 꾸준히 유지한다면 주가는 1년에 15% 상승한다. 그리고 10년 이후 기업의 가치는 4배가 된다. ROE가 높은 회사의 투자 수익률이 높을 수밖에 없다.

PER에 나타난 숫자, 믿을 만한가?

흔히 주식에서 PER이 높으면 고평가, PER이 낮으면 저평가라고 말한다. 기본적으로는 맞다. 하지만 그렇지 않은 경우도 더러 있다. PER이 낮은 주식을 매수했지만, 오히려 낮은 PER이 발목을 잡는 일들도 흔하다. 주가가 안 오르는 것이다. 이럴 때 숫자에 드러나지 않은 주식이 저평가된 원인을 찾아야 한다. 몇몇 사람만 공유하는 지배구조 리스크가 있거나, 미래흐름에 역행하는 사업을 하는 기업일 수 있음을 체크해야 한다.

PER은 그 기업이 속한 섹터, 해당 기업의 성격에 따라 달리 나타나기 때문에 사실 높고 낮음을 측정하는 절대적 기준을 잡기가 어렵다. 일례로 에코프로비엠(247540)은 2차 전지 관련주로, 2023년 1월 초만 해도 9만 원대 주가에 머물렀으나 2023년 4월까지 꾸준한 매수세가 눈에 띈다. 어느새 20만 원대 중반의 주가를 기록 중이며 PER이 무려 96이다. 상식을 따르자면 고평가된 주식이니까 사면 안 된다. 하지만 이 기업이 속한 2차 전지 섹터는 가장 뜨거운 섹터다. 현재 시장흐름을 주도한다. 게다가 전기 자동차 수요가 계속 이어질 전망인지라 2차 전지 관련 기업의 주가 상승 여력이 강하다는 것이 업계 컨센서스다. 다시 말해 앞으로 주가 상승 속도가 기업의 이익 증가율보다 높으면 PER이 계속 올라가기 때문에 투자자는 그에 따르는 자본차익capital gain을 실현할 수 있다.

반대로 PER이 낮기 때문에 저평가되었다고 판단해 매수하면 수익을 만들 수 있을까? 어떤 주식은 10년이 지나도 주가가 크게 변동이 없는 경우가 있다. 이런 주식은 이익 증가에 따른 배당 수익률 외에는 자본차익이 거의 없다고 봐야 한다. 또 다른 사례로 바이오주의 PER도 타 업종보다 대부분 높게 나타난다. 사람들은 성공 가능성이 희박하다는 걸 잘 알지만, 새로운 신약이 만들어지면 대박이 날 거라는 희망이 주가에 반영되어 PER이 높다. 이처럼 PER은 때때로 실적과 상관없이 미래 성장 가능성이 크다는 컨센서스에 따라 높게 나타나곤 한다.

현재의 주가가 높은지 낮은지 기준을 잡는 데 PER을 활용할 수는 있겠다. 하지만 실전 투자에서는 PER이 높고 낮음이 해당 주식을 매매하는 절대적인 기준이 될 수는 없다. 그저 참고지표 역할을 한다는 것만 알아두자.

ROE는 주주들의 입장에서 기업의 이익을 평가하는 가장 핵심적인 지표다. 산업의 성격과 자본구조에 따라 ROE의 의미가 달라지기에 적정 ROE가 얼마라는 것은 별로 의미가 없지만, 일반적으로 ROE가 10~20%(가장 이상적인 것은 15% 이상)라면 주식으로 투자할 만하다고 말한다. ROE는 PER, PBR과 연결되어 있다. PER은 기업의 수익가치 척도고 PBR은 자산가치 척도다. ROE는 수익가치와 자산가치 모두와 연결되는 지표다. PER이 30배 이하 혹은 PBR이 5배수 아래인 종목은 저평가 가능성이 있으므로 유심히 살펴볼 종목이다. ROE도 높고 PER도 낮다면 주가가 저평가되어 있다는 의미가 될 수 있다. ROE가 좋아지는데 주가가 떨어지는 경우는 쉽게 생각하기 힘들다. 그래서 업종 내에서 높은 ROE를 유지하는 기업, 과거보다 ROE가 개선되는 기업은 투자의 우선순위가 높을 수밖에 없다. 다만 ROE가 개선되고 있다고 해도 주가가 더 큰 폭으로 상승해 있다면 기업가치 평가 매력은 이미 사라진 후일 수 있다.

자본시장의 오랜 역사 속에서 오랫동안 높은 ROE를 유지한 기업은 많지 않다. 현재의 ROE가 유지된다면 PER도 유지될 가능성(실제로는 더 올라갈 가능성)이 매우 높다. 따라서 장기적으로 투자자가 얻는 수익률은 ROE와 같아진다.

PBR 혹은 PER이 낮은 회사보다
ROE가 지속적으로 높은 회사를
투자의 대상으로 삼아야 한다!

ROE에 숨겨진
국운과 흐름

투자 시 우리가 참고하는 여러 가지 자료와 지표가 있다. 증권 전문가 뿐 아니라 투자 콘셉트를 만들어 소개하는 유튜브 채널에도 많은 내용이 소개된다. 사실 대부분 크게 신경 쓰지 않아도 될 내용이다. 복잡하고 이해하기 힘든 지표를 우리가 다 알 필요는 없다. 다만 내재가치 개념과 ROE만큼은 꼭 기억하자. 어떤 투자든 ROE에서 출발해 ROE로 끝난다고 보면 된다. 투자의 본질이 ROE에 다 들어 있기 때문이다. 다른 보조지표는 말 그대로 보조해주는 지표다. 본질과 핵심이 담긴 정보인 ROE가 진짜 의미 있는 자료다.

시대를 관통하는 흐름은 기업뿐 아니라 국가에도 존재한다. 즉 한

국가의 흐름 또한 ROE로 대략 짐작해볼 수 있다. 내가 관심을 가지고 투자하고 싶은 나라의 거시적 경제흐름이 어떻게 흘러갈지, 즉 국운을 가늠하는 데도 이 지표가 유용하게 쓰인다.

기업이나 국가는 공통적으로 ROE를 높이기 위한 여러 가지 정책을 만들어 실행한다. 여기서 분모 부분의 개혁(자기자본을 낮추려는 시도, 공급 측 개혁)과 분자 부분의 개혁(순이익을 높이려는 시도, 수요 측 개혁)이 이뤄진다. 어떤 국가든 그들이 펼치는 수많은 정책은 공급 또는 수요 부분을 개혁함으로써 ROE 경쟁력을 높인다.

$$\underset{\text{공급 측 개혁}}{\overset{\text{수요 측 개혁}}{\text{ROE} \underset{\text{(자기자본이익률)}}{} = \frac{\text{당기 순이익}}{\text{자기자본}} \times 100}}$$

일례로 중국은 미래 산업에 대한 청사진을 그려가며 개혁을 추진 중인데, ROE의 분모인 공급 측 개혁, 즉 기술개발로 생산효율성 개선에 초점을 맞춘 정책을 펼치는 것이다. 그리고 2020년 코로나19 팬데믹 이후 시장에 자금을 풀어온 통화 정책과 첨단산업에 대한 재정 확대 정책 모두 생산제품의 수요를 높여 기업의 이익을 높일 수 있다. 그래서 중국 투자에 관심이 있다면 이런 영역에 주목해야 할 것이다.

기업이 ROE를 높이는 방법

기업이 어떤 상품을 만들 때 사람이 하던 일을 로봇에 맡겼다고 해보자. 그 결과 불량률이 크게 떨어지고 생산성에 변화가 없으면서도, 사람 대신 로봇에 일을 맡겼으니까 인건비가 눈에 띄게 줄어 효율성이 높아졌다면, 공급 측 개혁의 결과가 긍정적으로 나타난 것이다. 공급 측 개혁에는 기술개발 이슈가 늘 따라다닌다. 어떤 국가(기업도 마찬가지다)가 기술개발을 많이 진행한다면 당연히 ROE가 높아질 거라고 쉽게 예상해볼 수 있다. 투자 방향을 읽을 수 있다는 이야기다.

그럼 ROE를 높이는 또 다른 방법 '수요 측 개혁'이란 무슨 말일까? 당기 순이익을 높이면 ROE가 높아진다는 말이 이제는 자연스럽게 떠올라야 한다. 기업이든 국가든 그들이 운영하는 모든 산업에는 마진율이 있다. 그런데 마진율은 짧은 시간 안에 변할 수 없는 구조다. 가령 패션 산업의 마진율은 30%라고 알려져 있다. 옷을 만들고 홍보해서 판매하면 30% 이윤이 생긴다. 그런데 옷을 만들어 파는 회사가 어느 날 갑자기 50%의 이윤을 남기는 게 가능한 일일까? 갑작스러운 마진율 20% 상승은 달성하기 힘든 목표다. 질이 떨어지는 값싼 재료로 옷을 만들어야 할 것이고, 그런 옷이 잘 팔릴 리 없다. 마진율을 높이려다 오히려 망한다. 그럼 이 회사가 마진율을 높이는 효과적인 방법은 무엇일까?

단순히 생각하면 답이 보인다. 마진율이 거의 정해진 상황에서 분자(당기 순이익)를 높이고 싶다면 무조건 많이 팔아야 한다. 그리고 물건을 많이 팔려면 당연히 시장이 더 커져야 한다. 그래야 옷을 사려는 고객이 늘어난다. 여기서 우리는 시장의 수요가 ROE 공식 중 분자에 들어가는 요소임을 알 수 있다. 그런데 시장 수요는 기업 혼자 노력한다고 만들 수 있는 간단한 문제가 아니다. 이제 여기서 필자가 강조해온 시대흐름을 다시 떠올릴 필요가 있다.

시장의 수요는 시대흐름과 밀접한 연관이 있다. 해당 시대를 살아가는 사람들이 즐겨 찾고 선호하는 흐름이 수요를 만들어낸다. 당연히 시대흐름이 좋아야 기회도 생긴다. 기업은 시대흐름을 타는 물건을 만들어 공급할 때 성장한다. 참고로 시장을 확대하는 또 다른 방법은 시대 수요에 맞춰진 광고와 홍보 수단 활용이다. 최근에는 자신이 경험한 제품의 장단점을 입소문으로 알리는 바이럴마케팅(자발적 입소문 마케팅)이 주요 마케팅 기법으로 활용된다. 이렇듯 광고와 홍보가 잠재수요를 끌어내는 방법이며 시장 수요가 커지도록 돕기도 한다.

- 수요 측 개혁: 시대흐름, 주도 산업의 변화 이슈를 포함한다.
- 공급 측 개혁: 기술혁신, 기술개혁 이슈를 동반한다.

국가가 시장 수요를 높이는 방법

이제 개인이나 기업의 손을 떠나 국가 차원에서 진행할 수 있는 시장 수요 확대 정책을 살펴보자. 지난 코로나19 팬데믹 시절, 기축통화국 미국이 보여준 통화 정책은 양적 완화였다. 미국은 많은 양의 달러를 찍은 뒤 시장에 풀었다. 돈을 풀어 돌지 않는 경기를 어떻게든 순환시키려 했다. 미국 국민에게 돈을 줌으로써 가처분 소득을 높이고자 한 것인데, 코로나19 팬데믹 여파로 경기가 침체한 상황에 몰려 호주머니에 돈이 부족한 사람들이 국가가 지급한 돈을 사용했다. 경기 침체로 돌지 않는 경기를 순환시키고, 수요를 일으키는 데 양적 완화 정책이 역할을 한 것이다.

그러나 시장에 돈이 너무 풀리면 물가 상승, 인플레이션 압력이 발생하는 등 부정적인 영향이 뒤따른다. FED는 코로나19 팬데믹 시절에 풀린 돈을 금리 인상으로 다시 회수함으로써 인플레이션을 억제하는 중이다. 이에 따라 이머징 국가는 물론 미국도 많은 은행이 파산하면서 경제위기가 대두되고 있다. 당연히 시장 수요도 위축된다. 중국은 중앙은행이 지급준비율 인하 같은 적극적인 통화 정책을 펼쳐도 소비가 좀처럼 살아나지 않고 있다. 결국 국민의 소비능력을 향상시키려면 돈을 풀어서 해결할 수 있는 것이 아니라 기술개혁으로 고부가가치 산업을 육성함으로써 소득 증가를 실현해야 한다.

우리는 이런 본질적 개혁을 진행하는 기업과 국가에 투자를 해야 할 것이다. 하나만 기억하자. 한 국가에서 기업이 벌어들이는 이익률이 금리 수준보다 높으면 위기는 절대 오지 않는다.

어쨌거나 한 국가의 통화 정책은 ROE 측면에서 봤을 때 부진한 수요를 일으켜 시장 수요를 높이려는 정책으로 이해하면 된다. 투자자라면 한 국가가 펼치는 정책이 여러 분야에 영향을 미치는 얽히고설킨 상호 역학관계를 파악할 줄 알아야 한다. 주식 투자자는 ROE가 높은 기업을 찾아 베팅해야 높은 확률로 수익을 본다. 이 말은 투자하려는 기업의 섹터가 국가의 지원을 받는지, 정부가 해당 사업에 예산을 많이 책정했는지, 해당 섹터의 수요를 확대하기 위한 정부의 노력이 무엇인지를 알아야 한다는 말이다. 정부가 계획하고 진행 중인 정책만 살펴도 흐름이 눈에 들어온다.

ROE로 보는 중국의 흐름

중국을 예로 들어 ROE에 흐름이 어떻게 반영되는지 살펴보겠다.

중국은 2001년 11월 WTO World Trade Organization(세계무역기구)에 가입했다.[*] 이를 계기로 중국경제는 글로벌 공급망에 편입되면서 눈부신 성장을 구가했고 전 세계의 이목을 끌었다. 세계은행이 발표한 중국 경제 성장률 자료에서도 보듯, 중국은 WTO 가입 이후 10년간 연평균 10%가 넘는 경이로운 경제 성장률을 보였다. 그리고 지난 시절 경제 변방국 지위에서 벗어나 세계의 생산공장으로 자리를 잡았다. 더군다나 2008년 중국에서 개최한 베이징 올림픽은 전 세계에 중국의 부활을 알리는 신호탄 역할을 했다. 이는 2001년 중국의 WTO 가입과

---

[*] WTO 가입으로 중국은 세계경제체제로 본격 편입되었고, 엄청난 크기의 땅과 14억 명의 인구에 힘입어 2010년 일본의 명목 GDP 5조 7,000억 달러를 추월하기에 이르렀다(2010년 중국의 명목 GDP는 6조 달러). 2010년 이후 중국은 '천조국'이란 별칭의 미국과 함께 'G2'로 불리기 시작한다.

함께 '21세기에 기억할 만한 역사적 사건'으로 기록될 것이다.

미래 중국의 국운을 결정하는 두 가지 흐름이 있다. 바로 기존 전통산업 부문의 구조조정과 신흥 첨단산업 부문에서 나타난 눈부신 발전과 기술개발이다. 우선 중국 기존 전통산업의 핵심축은 농업, 석탄, 철강 등 1~2차 산업에 집중되었다. 그런데 넓은 땅과 노동력을 기반으로 한 1~2차 산업의 성장에 한계가 왔다. 이들 산업을 대하는 중국정부의 속내는 '어차피 도태될 산업이라면 정부는 시장에 맡겨 지켜본다'는 것이다. 예컨대 중국 내 석탄 산업을 영위하는 기업이 50개라면, 1~5등까지만 남기고 나머지는 자연스럽게 도태하도록 정부가 개입하지 않는 것이다.

앞서 소개한 ROE 측면과 연결해 이 문제를 바라보면, 수요 측 개혁이라고 말할 수 있다. ROE의 분자에 해당하는 것으로, 50개 석탄회사 중 5개만 남기면 기업들의 시장이 커져 분자인 당기 순이익이 높아지는 효과가 발생한다. 또한 무차별적인 경쟁으로 인한 자원 소비도 줄어들어 국가의 ROE가 높아진다. 중국 전통산업 부문에서 진행 중인 변화의 핵심은 살아남을 기업과 도태할 기업을 자연스럽게 시장에 맡기는 작업이다.

중국은 새로운 산업, 즉 미래 첨단산업에 대한 투자를 점점 확대하는 정책을 펴가고 있다. 중국정부는 신기술개발을 적극적으로 권장한다. 최근 중국이 반도체와 같은 4차 산업에도 많은 돈을 투자하는 중이다. 적극적인 기술개발로 이뤄낸 공급 측 개혁은 ROE 공식에서 분모에 들어가는 개념으로 더 적은 투자로 더 많은 산출을 만든다. 우리는 이를 더욱 유심히 지켜봐야 한다.

    지금까지 설명한 내용을 바탕으로, 투자할 때는 기준이 있어야 한다. 투자 대상의 가격이 높은지 낮은지, 성장 가능성이 있는지 없는지, 투자 기간을 얼마나 잡을지 등 고려할 내용이 많다. 이런 기준을 무시하고 진행하는 무작정 투자, '묻지마'식 투자는 위험하다. 절대 수익이 날 수 없다.

    그리고 앞에서 설명한 마진율 30%도 기억하면 좋다. 어떤 산업이든 마진율이 30%에 못 미치면, 투자하기 전 신중하게 따져봐야 한다. 기술개발에 들어가는 투자 비중이 높은 기업들은 매출의 10% 이상까지 기술개발에 투자하기 때문이다. ROE가 지속적으로 높아지려면 결국 기술개발의 공급 측 개혁이 핵심인데 충분한 마진율이 있어야 가능하다. 기업의 아이템이든 한 국가의 정책이든 ROE 개념을 적용해 살펴보는 연습을 해보자. 이를 알고 투자하면 결과가 달라진다.

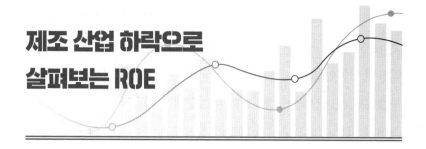

제조 산업 하락으로 살펴보는 ROE

당기 순이익과 자기자본의 흐름 변화를 파악하는 데 유용한 자료가 있다. 글로벌 제조업 성장률이 훌륭한 참고가 된다. 제조 산업은 오랜 시간 세계경제의 한 축으로 여겨졌다. 그러나 최근 제조 산업의 상황은 전반적으로 떨어지는 추세다. 거의 모든 국가의 제조 산업 상황이 취약한 모습을 보여준다. 제조 산업의 취약성은 부가가치는 하락하고 리스크 부담이 높아졌다는 뜻이기도 하다. 이는 어느 한 나라만의 문제가 아닌 세계적으로 공통적인 현상이다.

제조 산업의 하락은 ROE 공식 중 분자 부분의 수익 하락을 의미한다!

기존 제조 산업의 하락 추세는 세계 성장엔진이 점차적으로 꺼져감을 알 수 있다. 사실 과거 마오쩌둥 주석이 말한 것처럼 '동쪽이 밝지 않으면 서쪽이 밝다东方不亮西方亮, 黑了南方有北方◆' 식으로 선진국의 경제가 주춤하면 이머징 경제 성장으로 세계경제는 지속적으로 성장해왔다. 그러나 지금은 대부분의 국가들의 성장세가 떨어지고 있다. 왜일까? 1492년에 콜럼버스가 아메리카 대륙을 발견한 이후부터, 영국이 1차 산업 혁명을 계기로 '해가 지지 않는 나라'로 남극을 포함한 세계 거의 모든 대륙에서 식민지를 확장할 때부터, 그리고 이어지는 2차, 3차 산업 혁명을 거치면서 세계경제는 그동안 끊임없는 기술혁신에 힘입어 지속적으로 성장해왔다. 하지만 사실 본질적으로 보면 생산요소 투입형 경제로 성장해왔다. 여기서 생산요소는 기술, 자본, 토지, 노동을 말한다. 특히 2000년 이후 세계화가 급속하게 확산되면서 서방의 선진기술과 자본이 이머징 국가로 옮겨갔고, 저렴한 노동력 공급 확산에 힘입어 지속적인 생산요소 투입형 경제로 세계경제는 성장해왔다. 이 과정에서 한국은 '한강 기적'을, 중국은 G2로 성장할 수 있었다. 그러나 생산요소 투입형 경제의 가장 큰 특징은 생산요소 한계 생산력◆◆이 떨어진다는 것이다. 특히 2008년 금융위기 이후 미국을 필두로 한 대

◆ 종종 한쪽이 부족하거나 열세인 반면 다른 쪽은 우월하거나 성공적인 상황이나 비교를 묘사할 때 사용되는 표현이다.

◆◆ 특정 생산요소의 추가적인 투입량에 따라 증가하는 성능의 변화를 의미한다. 즉 특정 생산요소의 추가 투입량이 증가함에 따라 생산량이 증가하지만, 그 증가율은 초기에는 높아지다가 점차 감소하는 경향을 보인다.

부분의 국가는 자본이라고 하는 생산요소를 무지막지하게 투입하면서 사람이 진통제를 먹고 연명하듯이 기술의 특별한 혁신이 없이 주로 금융으로 경제를 연명해왔고, 결국 현재 대부분의 지역경제는 하락세를 이어가고 있다. 고부가가치 산업 성장에 따른 소득 성장이 없는 상황에서 금융으로 떠받친 경제는 실물경제와의 괴리로 결국 하락하게 되어 있다. 지금의 세계경제는 전통산업에 대한 구조조정을 거쳐 미래 산업의 주도적 성장을 이룩해야만 성장할 수 있다. 이는 대부분 국가의 가장 시급한 과제다.

한국은 전통적으로 제조 산업에 강한 나라로 인식되었다. 석유화학 산업, 자동차 산업, 전자기기 산업, 디스플레이 산업, 반도체 산업이 차례대로 한국 제조 산업을 이끌었다. 그런데 미·중 갈등이 확대되면서

그림 2-5. 한국과 일본의 제조업 부가가치 추이(1995~2021년)

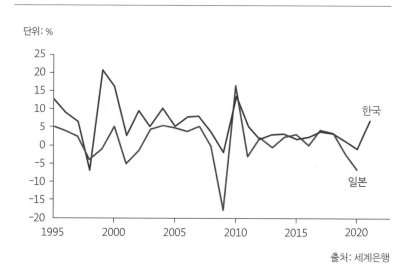

단위: %

출처: 세계은행

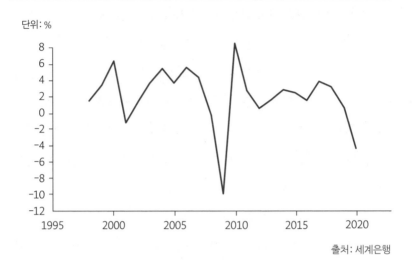

그림 2-6. 글로벌 제조업 부가가치 추이(1995~2021년)

단위: %

출처: 세계은행

유럽을 포함해 국가별로 공급망 안전을 우선순위로 내세우고 있다. 즉 새로운 시대흐름이 만들어지는 중이다.

　제조 산업에 주력해 수출로 큰 부를 만들어낸 한국은 전통 제조 산업의 부가가치 하락에 따른 리스크가 커지고 있다. 그림 2-5에서 볼 수 있듯이 한국과 일본의 제조업 부가가치 흐름은 유사한 모습이다. 물론 한국보다 제조업이 먼저 발달한 일본의 하락세가 더 눈에 띄는 대목이다. 범위를 넓혀 동일 기간 내 글로벌 제조업 부가가치 추이를 함께 비교해보자. 그림 2-6을 보면 마찬가지로 분명한 하락세를 보인다. 글로벌 제조업 부가가치 추이도 제조 산업의 현 주소를 알려준다. 확연한 하락 국면이다.

　이 산업이 전반적으로 떨어진다는 건 ROE 공식 중 분자가 떨어지는 단계라는 뜻이다. 기존의 산업흐름이 점점 빠르게 도태되어 우리 머릿속에서 잊힌다는 의미이기도 하다. 얼마 전까지만 해도 제조 산업으로 많은 사람이 먹고살았고 부자가 될 수 있었다. 그러나 앞으로도 그럴까? 그래프에 나타난 방향에서 답을 짐작할 수 있다. 그렇다면 우리는 어떤 인사이트를 얻어야 할까? 당연히 미래 산업에 눈을 돌려야 한다. 이미 한국의 주요 기업은 미래 먹거리 산업 찾기에 나섰고, 그 방향으로의 투자를 날로 확대하는 중이다.

한국, 일본뿐 아니라 지난 20년간 제조 산업 강국으로 군림해온 중국도 이제 제조 산업 대신 서비스 산업의 성장세가 눈에 띄게 드러나는 중이다. 여기서 확실히 알 수 있는 것은 한국은 이제 기존의 제조 산업에만 기대서는 안 된다는 사실이다. 점점 많은 중국기업이 한국기업의 시장을 잠식하고 있을뿐더러 세계적인 기술경쟁력까지 갖추고 있다. 투자자의 입장에서는 이런 흐름들을 정확하게 체크해 위험관리에 들어가야 할 것이다.

시간이 지날수록 과거 한국기업이 잘하고 있었지만, 부가가치가 떨어지는 산업에 희망을 걸고 계속 투자하는 건 어리석은 판단이 될 공산이 크다. 과거 1등을 했던 영역이 지금도 1등이라는 보장이 없다. 앞으로는 1등 자리를 잃을 영역이 많아질 확률이 높다. 그 기업과 국가가 초격차 기술개발에 전력을 하지 않는다면 말이다.

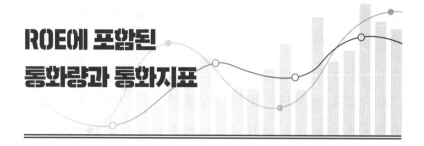

ROE에 포함된
통화량과 통화지표

ROE 공식을 다시 간략히 설명하면, 공식에서 분모는 자기자본이, 분자는 당기 순이익이 자리를 차지한다. 만약 ROE 수치가 오른 모습을 보였다면 그 원인을 파악해야 한다. 분모인 자기자본에 변화가 생겼는지(공급 측 개혁인 기술개발 이슈가 있었는지)를 살펴보고, 만약 큰 변화가 없다면 분자 부분의 시장 수요 확대(수요 측 개혁이 발생했는지) 이슈가 있었는지를 알아보고 판단을 내려야 한다.

이제 통화량과 통화지표 이야기를 해야 하겠다. 이 책의 독자를 고려해 학교 수업과 달리 간략하게 요점만 정리해 설명하는 것이 좋을 듯싶다. 통화량과 통화지표는 ROE 공식 중 분자 부분인 유동성 확대

표 2-2. 통화의 종류

M0 통화	M1 통화	M2 통화
화폐발행액(민간 보유 현금 +은행 보유 시재금♦) + 금융기관의 중앙은행 예치금♦♦	현금 + 요구불예금♦♦♦(수시입출식 저축예금)	M1+ 기간물 정기예금 및 적금 + 양도성예금증서CD, 환매조건부채권RP 등 시장형 금융상품 + 실적배당형금융상품+ 종금사발행어음, 투신증권저축,금융채
시장에서 순환하는 순수 현금	수시입출식으로 언제나 현금화 가능한 예금	현금화 가능 유동성 자금

로 수요를 결정하는 정책이다. 우선 통화의 개념을 알아야 할 텐데, 통화란 한 국가의 공식 화폐를 말한다. 쉽게 돈이라고 생각하면 된다.

국가가 통화 정책을 펼쳐갈 때는 M1보다 폭넓은 통화 M2를 기준으로 삼는다. M2가 증가하면 돈이 풀려 유동성이 커지면서 물가가 오르는 인플레이션 가능성이 크다. 반대로 M2 통화량의 축소는 흔히 금리 인상으로 조절한다. 금리 인상은 경기 침체를 유발하는 것으로 인식한다. 시중에 돈이 풀리면 M1, M2 모두 증가하는데(유동성 증가), 정책 당국은 이를 근거로 금리를 높여 통화를 흡수함으로써 시중의 통화량을 조절한다. 현재 시장에 돈이 얼마나 풀렸는지를 가늠할 때 M1, M2 지표 등을 활용한다.

♦ 시재금時在金, valut cash, 은행금고에 보유한 현금을 말한다.

♦♦ 지급준비금을 말하며, 이는 필요지급준비금과 초과지급준비금으로 구성되어 있다

♦♦♦ 요구불예금이란 예금주가 원하면 언제든 받을 수 있는 초단기 예금으로 수시 입출금이 가능하다.

- M0 통화(본원통화): 이는 각국 중앙은행이 화폐발행의 독점적 권한으로 공급한 통화를 의미한다. 화폐발행액(민간 보유 현금+은행 보유 시재금)과 금융기관의 중앙은행 예치금의 합계로 측정되며 본원통화는 모든 통화공급의 기초가 된다. 본원통화의 변화는 그 변화의 승수乘數[*] 혹은 배倍만큼 통화공급을 변화시킨다.
- M1 통화(협의통화): M0 통화를 포함해 은행에서 바로 지급해줄 수 있는 예·적금을 말한다. CMA, MMF, 수표를 포함하며 지급수단으로서의 화폐의 기능을 중시한 통화지표다.
- M2 통화(광의통화): M1보다 더 넓은 의미를 지니는 통화다. 광의통화라 불리는데 경제뉴스에서 통화량 지표로 많이 쓰인다. M1 통화에 만기 2년 미만의 정기 예·적금, 외화예금, 양도성예금증서CD, 환매조건부채권RP, 표지어음 등 시장형 금융상품과 금전신탁, 수익증권 등 실적배당형 금융상품 그리고 금융채, 발행어음, 신탁형 증권저축 등을 포함한다. 시중에 돈이 얼마나 풀려 있는지를 알려주므로 M2는 인플레이션을 예측하는 데 사용되는 핵심 경제지표다.

코로나19 팬데믹으로 미국은 달러를 엄청나게 찍어 정부지원금 형식으로 시장에 유동성 확대를 모색했다. 경색된 경기를 살리려고 한 것이다. 짧은 기간 내에 너무 많은 돈이 풀려 인플레이션 압력이 심상

---

[*] 통화승수money multiplier=M2/M0, 즉 중앙은행이 본원통화 1원을 공급했을 때 이의 몇 배에 달하는 통화를 창출했는지를 나타내는 지표다.

그림 2-7. 미국 M2 규모

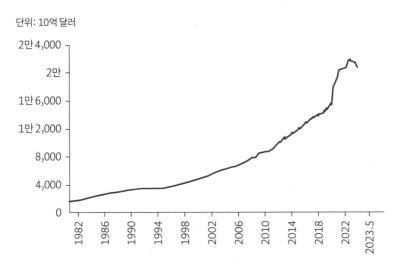

단위: 10억 달러

자료: 미국 연방준비은행 경제 데이터

치 않자, 결국 FED는 2022년 한 해에만 빅스텝 2회, 자이언트스텝 4회[*]라는 전무후무한 금리 인상을 단행했고 지금도 진행 중이다. 그림 2-7에서 미국 M2 규모 추이를 보면 2022년에 최고점을 달성하고 하락하고 있지만 아직도 역사적으로 가장 높은 단계에 머물고 있다.

ROE를 분석하면 기업의 성과를 결정짓는 요인들을 수익성을 나

---

[*] 기축통화인 달러는 시장에 미치는 영향력이 막강해 금리 인상 또는 인하 폭에 따라 각 정부의 통화 정책에도 큰 변화가 이어진다. 금리 인상률 0.5%가 빅스텝, 금리 인상률 0.75%가 자이언트스텝이다. 코로나19 팬데믹 당시 4조 달러를 시장에 푼 미국은 2022년 6월부터 11월까지 4회 연속 0.75% 자이언트스텝을 실시했나. 책을 집필 중인 2023년 5월 기준, 미국의 금리는 5.25%디. 힌구 중앙은행 기준 금리(3.5%)와 역전되어 1.75%나 벌어진 상황이다.

타내는 매출액 영업이익률과 자산이용의 효율성을 나타내는 총자산 회전율, 자기자본의 구성비율 및 세금부담률 등으로 구분할 수 있다. ROE가 나타내는 의미는 다음과 같은 산식으로 다시 이해할 수 있다. 매출의 효율성과 자산의 회전율, 부채 레버리지가 결합되어 나타나는 것이 ROE다. 이 식을 토대로 보면 결국 ROE가 높다는 것은 생산성과 마진이 높다는 것이고 또 부채를 활용해 레버리지 효과가 클 수도 있음을 의미한다.

$$ROE = \frac{순이익}{납세\ 전\ 순이익} \overset{①}{} \times \frac{납세\ 전\ 순이익}{영업이익} \overset{②}{} \times \frac{영업이익}{매출액} \overset{③}{} \times$$

$$\frac{매출액}{총자산} \underset{④}{} \times \frac{총자산}{자기자본} \underset{⑤}{}$$

① 기업 세금부담률의 크기(세금부담률=1-순이익/납세 전 순이익)

② 기업 이자부담률의 크기(이자부담률=1-납세 전 순이익/영업이익)

③ 영업 활동의 수익성을 나타내는 매출액 영업이익률

④ 자산이 얼마나 효율적으로 활용되었는가를 나타낸 총자산회전율

⑤ 총자산에서 자기자본이 차지하는 비율의 역수(부채 사용의 정도)

즉 총자산/자기자본 = (자기자본+부채)/자기자본 = 1+부채비율

자기자본 대비 총자산은 부채비율에 따라 달라지고 정부의 금리 인

하 정책은 기업의 대출을 촉진시켜 부채비율이 높아지게 한다. 따라서 통화 정책 완화 국면에서 ROE가 높아지는 경우가 많이 발생할 수 있다. 또한 금리 인상은 기업의 이자부담률을 높게 하므로 ROE가 낮아지게 한다. 아무튼 금리 인상 또는 인하 정책은 시장에 뿌려진 돈을 회수하거나 풀기 위한 대표적인 통화량 조절 정책임을 기억하자. 또 국가는 통화량 조절로 ROE를 높이고자 하는 공통의 목표를 가지고 있다는 것도 알고 가자. 더불어 최강대국 미국뿐 아니라 중국의 금리 및 통화 정책도 세계경제에 미치는 영향력이 크므로 중국의 통화 정책 방향에 대해서도 항상 확인해야 할 것이다.

중국정부는 2021년 하반기부터 미국과 반대로 금리를 계속 낮췄

그림 2-8. 중국 M2 규모

단위: 10억 위안

출처: 트레이딩 이코노믹스

다. 그리고 통화량을 조절할 때 주요 정책으로 사용하는 지급준비율*
역시 지속적으로 인하했다. 이는 시장에 돈을 풀어 수요를 확대하겠다
는 의도다. 3년간 코로나19 팬데믹을 겪으며 이동 제한 등 강력한 봉
쇄 정책을 시행한 중국이 자국민의 소비를 진작시키려는 정책, 그러니
까 소비 확대에 초점을 맞춘 것이라고 이해할 수 있다. 마찬가지로 이
정책을 ROE 공식에 대입하면 분자 부분이 커지는 효과가 발생한다.
시장 수요를 확대하려는 정책이라고 이해하면 된다.

**유동성 확대는
주식시장을 활성화하고 수요를 확대한다.**

중국을 예로 들었지만, 만약 여러분이 그 밖의 나라에 투자할 계획
이라면 해당 국가가 펼치는 재정 및 통화 정책이 어느 방향으로 초점
을 맞췄는지 알면 많은 도움이 된다. 국가 유동성이 확대되면 기업들
의 투자도 확대되지만 소비시장도 활성화되면서 영업이익 확대로 인
한 ROE가 높아질 수 있다. 그러나 해당 국가가 거시경제 혹은 산업
측면에서 구조적 문제가 있으면 단순한 유동성 확대는 기업의 ROE를
장기적으로 상승시키는 데 한계가 있다.

---

* 줄여서 '지준율'이라고도 부른다. 고객이 은행에 맡긴 돈을 찾을 때를 대비해 은행이 의무적으로 보
유해야 하는 돈의 비율을 일컫는다. 지준율은 정부의 금리 정책과 함께 시장의 통화량을 조절하는 역할
을 한다. 지준율을 높이면 시장에 풀린 돈이 은행으로 들어오고, 반대로 지준율이 낮아지면 시장으로
돈이 풀려 유동성이 확대된다.

부채비율과 ROE의 관계

부채비율이 다른 두 기업의 ROE가 어떻게 다르게 나올까?
두 기업 모두 총자산이 1,000이고 수익률도 5%로 동일하다. 하지만 왼쪽 기업은 부채 800, 자기자본 200으로 자본이 구성되어 있고, 오른쪽 기업은 부채 900, 자기자본 100으로 구성되어 있다. 두 기업의 ROE는 각 13%와 23%로 차이가 크다. 그래서 ROE를 활용할 때는 부채비율과 이자보상비율 등을 확인해 자본구조의 안정성도 함께 봐야 한다. 또한 순이익에는 일회적인 요인이 반영되는 경우가 많기에 최소 몇 년간의 ROE를 보는 게 좋다.

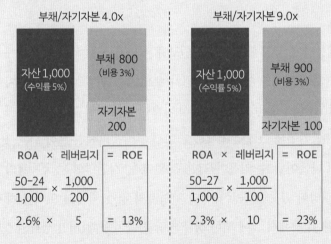

부채/자기자본 4.0x

자산 1,000
(수익률 5%)

부채 800
(비용 3%)

자기자본
200

ROA	×	레버리지	= ROE
$\frac{50-24}{1,000}$	×	$\frac{1,000}{200}$	
2.6%	×	5	= 13%

부채/자기자본 9.0x

자산 1,000
(수익률 5%)

부채 900
(비용 3%)

자기자본 100

ROA	×	레버리지	= ROE
$\frac{50-27}{1,000}$	×	$\frac{1,000}{100}$	
2.3%	×	10	= 23%

※ ROA: 총자산순이익률로, 당기 순이익/(자기자본+부채)다.

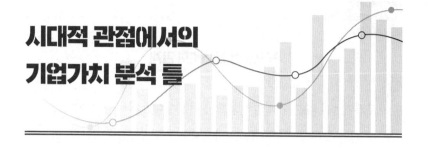

시대적 관점에서의
기업가치 분석 틀

오랫동안 중국경제와 금융을 연구해온 필자는 늘 하나의 질문에 정확히 답하지 못하고 있다. 바로 '월가(월스트리트)'의 투자은행들이 자주 사용하고 있는, 혹은 재무이론에서 나오는 대표적인 기업가치 평가 이론을 중국기업에 그대로 적용해도 현실 투자성과에 도움이 되는 결과를 과연 만들어낼 수 있을까?라는 질문이다. 시진핑의 '중국특색의 현대화' 개념이 있듯이 '중국특색의 기업가치 평가 체계'가 있어야 하지 않을까? 이 책에서 그에 대한 정확한 답을 줄 수는 없지만 생각의 실마리를 던져보려고 한다.

우선 기존 자산가치 평가 방법에 대해 앞에서 DCF, DDM, PER,

PBR, PSR 등이 있다고 언급했다. 그리고 ROE가 기업의 핵심 평가 지표며 이는 PBR과 PER 지표와 함께 봐야 투자 기회를 찾을 수 있음을 방법론 차원에서 소개했다. 남과 차별화된 수익률을 실현하려면 가치평가에 있어서 반드시 남과 다른 시각을 가지고 분석할 줄 알아야 한다. 특히 중국 주식시장에서 말이다.

일반적으로 새로운 이론을 정립하기 위해서 우리는 전통 재무이론에 내재한 가정들을 먼저 짚어보고 이러한 가정을 완화했을 때 새로운 시각을 찾아 깊게 분석하는 방법을 쓸 수 있다. 두 가지 측면에서 가정을 완화해볼 수 있다. 재무성과를 우선순위에 두지 않는 전략적 투자자로서의 내부주주가 존재하는 경우와 정치경제학적으로 외부성 영향이 존재하는 경우다.

전략적 투자자가 있는 경우

우선 전통 재무이론에서는 투자자(주주) 구성원 모두가 단지 돈을 많이 벌기 위해(학술적 표현은 '주주 가치 극대화'라고 한다) 주식에 투자하고 다른 목표는 없다고 가정한다. 그런데 현실에서는 모든 투자자가 재무적 투자자는 아니라는 것이 분명하다. 특히 중국 같은 사회주의 국가에서 국유기업들의 행위는 돈을 벌기 위한 것 이상이다. 이처럼 재무성과 이외의 다른 목표가 있는 투자자를 전략적 투자자라고 부르자.

2006년과 2007년 주식시장이 강세장일 때 중국 중앙급 국유기업*

인 중국알루미늄공사는 지방에 있는 많은 기업을 인수합병했는데 목적은 중국알루미늄공사가 중국정부의 중요한 전략과제인 해외자원 인수 및 통합 작업을 담당했기 때문이었다. 이러한 전략적인 인수합병은 PER와 PBR를 활용한 가치평가 방식으로 해당 자산의 가치가 얼마나 저평가 또는 고평가되었는지를 크게 따지지 않는다. 해당 자산의 수익성이 얼마나 강한지도 크게 묻지 않는다. 주가가 얼마나 높은지도 사실상 그렇게 중요하지 않다. 이러한 인수합병 투자를 평가할 때는 당연히 다른 시각으로 평가해야 할 것이다. 중국정부가 현재 진행하고 있는 일대일로 국가들에 대한 인프라 투자와 전략적 자원 투자는 모두 이런 전략적 측면이 강하다.

사실 자본시장에서 이뤄지고 있는 많은 거래가 전략적 의미에 더 큰 가치를 둔다. 예를 들면 2015년 중국 최대 여행서비스 업체인 씨트립은 당시 시장 2위인 바이두가 투자한 온라인 여행사 취날 주식을 주식교환방식으로 45% 취득했다. 바이두는 씨트립 주식 25%를 취득했다. 당시 메이퇀에 앞선 중국 최대 여행 서비스 업체는 씨트립이었고, 취날은 당시 재무제표로 취날의 가치를 평가하기는 불가능했다. 씨트립은 뚜렷한 전략적 목표를 가지고 인수를 진행했으며 실제로 높은 가치를 부여했다. 2등이 1등과 인수합병할 경우 보통 재무적 목표보

◆ 중국의 중앙관리기업(중앙직속기업)은 중앙기업이라는 약칭을 가지고 있는데, 국유기업의 일종으로 지방 인민정부가 소유하고 있는 일반 국유기업과 다르게 2003년에 설립된 국무원 국유자산감독관리위원회에 출자자의 직책을 위임하고 있으며 중요 국가 기간 산업들을 경영하고 있어서 국가안보와 인민경제의 여러 분야에 엄청난 영향을 끼친다.

다 시장을 장악하려는 전략적 목표가 더 크다. 우버 중국도 규제 때문에 차량공유 서비스 기업인 디디에 매각했다. 이런 거래에 대해 PER, PBR로만 평가하기에는 한계가 있다.

이처럼 지배주주에 의한 전략적 투자행위에 대해 전통적인 가치평가 잣대를 대면 본질을 놓칠 수 있다. 투자자의 측면에서 이러한 배경을 읽을 수 있어야 한다. 우리는 종종 PER, PBR은 매우 낮고 거액의 배당금도 있어 자주 30%의 배당 수익률을 내는 주식을 볼 수 있다. 재무투자자의 측면에서는 좋은 투자 기회임이 분명하다. 그러나 이런 기업은 주가조작 세력이 들어가 있는 경우가 대부분이다. 대주주가 주가가 낮을 때 매수해 주가를 띄우는 수법으로 소액주주의 이익을 침해한다. 이런 부도덕한 대주주가 존재하는 한 이들 기업에 대해 PER와 PBR 등 전통적인 가치평가를 하면 오히려 큰 실수를 할 수 있다. 이런 경우를 우리는 보통 '평가 함정'이라고 한다. 한마디로 우리가 투자하는 주식시장에는 재무적 투자자만이 있는 것이 아니기 때문에 전략적 투자자 혹은 지배주주나 세력이 존재하는지를 우선 판단하고 기업가치 평가 척도를 대야 한다.

정치경제학적 외부성 영향이 있는 경우

이번에는 정치경제학적으로 외부성 영향이 존재하는 경우를 보자. 전통 재무이론에서는 외부성의 문제를 고려하지 않는다. 즉 기업의 상품

시장은 완전경쟁시장이라고 가정한다. 그러나 모 기업의 상품경쟁력이 무기화할 정도라면 결코 시장원리로만 돌아가지 않는다. 지금의 대만 반도체기업 TSMC가 이 상황에 해당한다. TSMC가 칩 생산을 해주지 않으면 아무리 뛰어난 세계적인 설계기업이라도 돌아가기 힘들다. 칩 하나를 못 사서 스마트폰을 못 만들 수 있다. 화웨이가 미국의 제재로 결국 TSMC의 칩 공급이 끊기면서 스마트폰 영역에서 완전히 밀려났다.

TSMC의 전략적 외부성은 바로 여기에서 두드러진다. 해당 칩을 얼마에 팔아 총이익률을 얼마나 높일까의 문제가 아니다. 미국의 제재는 외부성이 매우 강하다. 원래 충분히 자유로웠던 상업경쟁 행위는 이런 외부성 문제 때문에 기업의 기도가 막혀 목숨을 앗아갈 수 있다. TSMC의 평가 가치는 2018년 이래 PER, PBR 등 지표가 줄곧 상승했다. 이는 당연히 업황이 좋았던 원인도 있지만, 미·중 갈등이 확대되면서 TSMC 기업가치가 높아진 부분을 부인할 수 없다. TSMC 제품은 명품시계처럼 비싼 값을 지급하면 마음대로 살 수 있는 제품이 아니다.

또 다른 사례는 2022년 미국 기술주가 전멸하고 유일하게 돈을 버는 트위터다. 일론 머스크가 2021년에 민영화 제안을 했기 때문이다. 사실 일론 머스크는 PER, PBR, 현금흐름 등을 평가 기준으로 삼은 것이 아니라 트위터의 정치적·사회적 영향을 보고 인수한 측면이 강하다. 트위터 같은 기업은 아주 강한 시스템적인 외부성을 가지고 있으며 사회 전체 구성원들에게 막대한 영향을 미친다. 따라서 TSMC와 트위터 같은 기업은 전통적인 가치평가 지표로만 분석하면 큰 흐름을 놓칠 수 있다. 다른 외부성 문제에 노출된 기업에 다른 평가 체계를 적용해야 하는 이유다. 특히 미·중 갈등 시대 외부성의 문제가 더욱 부각되면서 화웨이와 같은 기업들이 언제 어디에서 나올지 모른다.

한마디로 앞에서 서술한 두 가지 가정 완화를 활용한 기업 분석 시각은 필자가 늘 강조하던 큰 틀(전략적 판도 혹은 구조)을 먼저 보고 시대 흐름(혹은 시대적 배경) 속에서 기업가치를 평가해야 한다는 내용과 일맥상통한다.

50년 경제주기와 기술혁신주기의 커플링

THE FLOW

THE FLOW

Intro

우리가 흔히 아는 경기순환주기는 '호황→거품→침체→불황→바닥 →회복'순으로 돌아간다. 주식 투자에서도 파동이론을 대표로 한 주 가의 흐름, 사이클이란 게 있다. 3부의 핵심은 일명 콘드라티예프파동 Kondratiev waves 으로 알려진 50년 경제주기에 그간 인류가 만들어온 기 술혁신을 대입함으로써 미래흐름을 살펴보려는 것이다. 이는 마치 지 도를 들고 지나온 길을 돌아보고 또 앞으로 나갈 길을 계획하는 일과 비슷하다. 50년 주기마다 새로운 신기술이 등장해서 약 50년간 세계 경제의 흐름을 만들었다는 점으로 미뤄 볼 때, 앞으로 새로운 시대흐름 을 이끌어갈 기술혁신이 무엇인지를 알아야 한다.

그리고 지금의 시대흐름과 변화를 이끄는 미·중 두 경제 대국이 현재 경기순환주기상 어디에 놓여 있고, 과거 양국이 어떤 경제흐름 속에서 성장했는지도 살펴볼 예정이다. 결론부터 미리 말하자면, 지난 10년간 미국은 풍부한 유동성 공급을 통해 주식시장이 성장했다면, 중국은 부 동산시장 활성화에 따른 유동성 확대 및 주식시장 상승장을 연출했다 고 할 수 있다. 왜 이런 일이 벌어졌을까? 미래에는 어느 국가에 투자해 야 할까? 3부에서 함께 논리로 풀어보자!

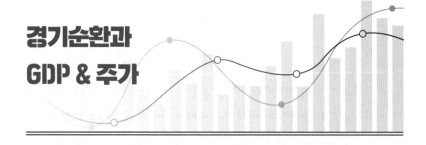

경기순환과
GDP & 주가

경기순환이란 반복되는 경제 사이클이다. 그림 3-1에서 보듯 '호황→거품→침체→불황→바닥→회복'을 반복하며 우상향하는 모습이 일반적인 경제흐름이다.

기본적으로 50~60년 경제 사이클에 국내총생산인 GDP와 주가 데이터 흐름을 함께 그리면 어떤 모습이 나타날까? 대체로 GDP와 주가가 같은 방향으로 흘러갔음을 알 수 있다. 그림 3-2에서 독일 사례를 살펴보자. 독일은 제2차 세계대전을 겪고 난 이후인 1959년부터 2017년까지 거의 60년 이상 꾸준한 GDP 성장을 이뤘다. 같은 기간 동안 주식시장 흐름도 GDP와 연계되어 고속성장한 모습이다.

그림 3-1. 경기순환주기

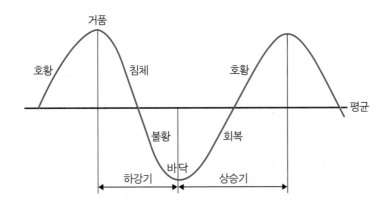

그림 3-3을 보자. 캐나다의 GDP와 주가 상승률 그림이다. 캐나다는 거의 완벽에 가까운 모습이다. 독일과 비교해도 한결 더 이상적인 우상향 그림을 그려갔다. 캐나다는 1961년부터 2017년까지 GDP와 주가흐름이 거의 똑같이 우상향했는데, 이런 그림을 일컬어 동조화, 즉 '커무브먼트comovement'*라고 부른다.

그런데 재미난 건 GDP 성장이 멈춘 나라에서는 주가도 거의 오르지 않았다는 점이다. 대표적인 사례가 일본이다. 흔히 '잃어버린 30년'이란 표현의 주인공으로 잘 알려진 일본의 1990~2020년은 그림 3-4에서 볼 수 있듯이, GDP 성장도 주가도 함께 멈춰 횡보 혹은 하락한 모습이었다. GDP 성장이 없으면 주가 역시 오르지 않는다는 걸 일본을 통해 알 수 있다.

◆ 두 가지 변수가 시간에 따라 같은 방향으로 함께 변화되어 움직이는 현상을 말한다.

그림 3-2. 독일 GDP와 독일DAX지수(1959~2017년)

단위: 억 달러

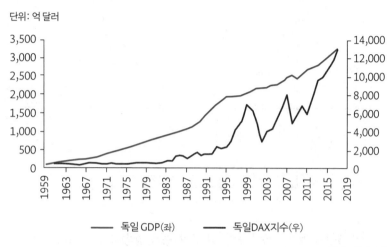

― 독일 GDP(좌)　　― 독일DAX지수(우)

출처: 시나닷컴

그림 3-3. 캐나다 GDP와 토론토300지수(1961~2017년)

단위: 억 달러

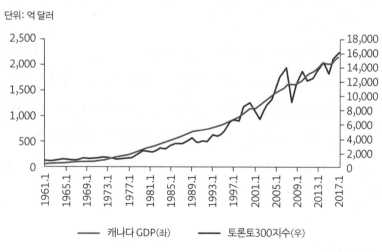

― 캐나다 GDP(좌)　　― 토론토300지수(우)

출처: 시나닷컴

그림 3-4. 일본 GDP와 니케이225지수(1970~2017년)

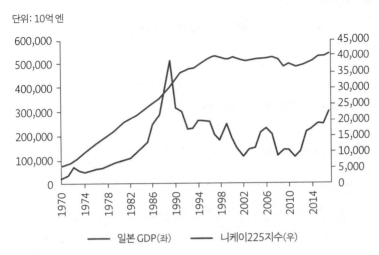

단위: 10억 엔

일본 GDP(좌)   니케이225지수(우)

따라서 어떤 나라에 투자할 때 반드시 우선 고려해야 하는 것이 GDP 장기 성장 여부다. 투자란 그 국가 운명에 대한 베팅이기 때문이다. 만약 어떤 국가의 GDP 성장률이 7%라고 예상한다면, 그 나라에 투자해 기대하는 평균 수익률이 7%라고 생각해도 무방하다. GDP 성장률이 높을 것으로 보이는 나라에 투자해야 하는 이유다. 과거 2000년대 초반 중국에 많은 글로벌 자금이 몰린 이유도 GDP 성장률이 그만큼 높았기 때문이다. 중국은 2001년부터 2010년 이전까지 평균 10% 성장률을 기록했다.

이번에는 미국의 주가흐름을 함께 알아보자. 그림 3-5와 3-6을 보면, 미국은 1951년 이전과 이후의 주가 상황이 확연히 다른 모습이다.

GDP는 어떻게 구할까?

GDP 산출 공식(지출 방법)

$$C(소비) + I(기업투자) + G(정부지출) + X(수출) - M(수입) = Y(GDP)$$

한국의 GDP 산출 공식 중에 각 항에 대한 정보는 KOSIS(국가통계포털)의 '지출항목별 국내총생산'에서 확인할 수 있다. 한국은행의 지출 측면의 GDP 계산에는 '민간최종소비지출' '정부최종소비지출' '순수출' '총고정자본형성' '재고증감'이 포함된다. 여기에서 총고정자본형성은 자본재 신규 투자총액을 의미한다. 그뿐만 아니라 국가별 GDP 구성도 볼 수 있다.

그림 3-5에서 볼 수 있듯이, 1951년 이전의 미국 주가에는 패턴이 없다. 주가가 오르고 내리기를 반복했지만 특별한 흐름이랄 게 없다. 그런데 그림 3-6을 보면, 1951년 이후부터는 이야기가 달라진다. 1951년 이후 현재까지 미국 다우존스지수*의 흐름과 GDP흐름은 과거와 다른 패턴이다. 특히 주목할 내용은 1951년 이후 미국 다우존스지수가

◆ 다우존스지수는 〈월스트리트 저널〉 편집자이자 다우존스앤컴퍼니의 공동 창립자 찰스 다우가 만들어낸 주가지수다. DJIA, Dow 30 또는 비공식적으로 다우지수 등으로도 불린다. 오늘날 다우존스지수는 미국의 증권 거래소에 상장된 30개의 우량기업 주식 종목들로 구성된다.

그림 3-5. 1951년 이전 미국 주가의 패턴

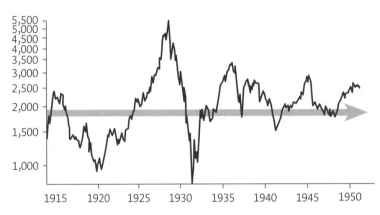

출처: 샌프란시스코 연방준비은행

그림 3-6. 1951년 이후 미국 주가의 패턴

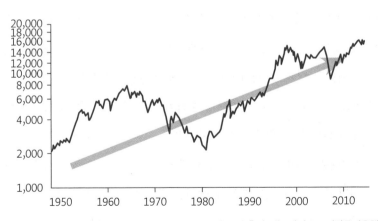

출처: 샌프란시스코 연방준비은행

2,000포인트 아래로 내려온 적이 거의 없다는 점이다. 경기순환주기에 따라 상승과 하락을 반복하면서도 결국 큰 흐름은 우측으로 올라가는 이른바 우상향을 보인다. 이는 1951년 이후에 시장에 들어간 투자자는 상승과 하락 사이클 중 어느 시점에 진입해도 수익을 낼 수 있었음을 말한다. 당연히 정확하게 저점에 들어가면 수익이 많이 났겠지만, 설령 상승 시기에 진입해도 장기간 보유하기만 하면 수익을 낼 수 있었다.

미국 주식시장의 과거 70년 흐름은 중요한 인사이트를 준다. 전체 흐름으로 볼 때 경제가 장기간 우상향하면 주가흐름도 결국 장기적으로 그 흐름을 따라가게 되어 있으므로, 투자 손실이 생겨도 포기하지 말고 끝까지 믿음을 갖고 보유하면 수익을 실현할 수 있음을 알 수 있다. 다시 말해 한 국가의 장기적 경제 상승 추세 속에서는 많이 버느냐 적게 버느냐의 문제만 있을 뿐 대부분 수익을 낸다. 큰 시대적 흐름을 먼저 읽고 그 흐름에 올라타야 하는 이유다.

우리가 길을 잃었을 때 지도를 보면 도움이 된다. 지도를 펼쳐놓고 나의 현재 위치를 알면 목적지까지 어떻게 가야 할지 한눈에 들어온다. 지도를 보는 건 흐름을 읽는 일과 똑같다. 그러나 투자하겠다는 사람이 지도를 펼쳐 볼 생각은 안 하고 당장 눈앞, 근시안적인 것들에만 매달리는 모습을 종종 목격한다. 시야가 좁으면 작은 변화나 부정적인 뉴스, 이슈에 쉽게 흔들리게 마련이다.

기축통화국 미국의 주식시장은 세계에서 가장 많은 자본이 몰러드는 시장이기도 하지만, 시장에 영향을 주는 변화가 가장 먼저 시작되는 시장이기도 하다. 미국 시장의 변화에 흐름이 잘 나타나는 이유다.

50년 경제주기,
콘드라티예프파동

앞에서 이야기한 시대적 흐름을 읽는 데 가장 도움이 되는 경제주기이론이 있다. 바로 경기순환이 약 50~60년마다 반복해서 나타난다는 구소련 경제학자 니콜라이 콘드라티예프Kondratiev의 경제주기다. 콘드라티예프는 저서 『장기파동론The Long Waves in Economic Life』에서 자본주의 국가에서는 약 50년마다 경기의 순환, 더 정확히는 물가 파동이 일어난다고 말했다. 이런 순환이 반복해서 나타나는 이유는 새로운 기술의 등장이라고 봤다.

경제사에서 한 획을 그은 굵직굵직한 기술혁신이 50~60년마다 나타나 이후 약 반세기 동안 산업과 경제흐름을 주도했다. 지나간 경제

사에서 콘드라티예프파동을 확인할 수 있는 사건을 나열하면 다음과
같다.

- 1800년대(제1순환): 방직, 증기
- 1850년대(제2순환): 철강, 철도
- 1900년대(제3순환): 전기, 중화학
- 1950년대(제4순환): 자동차, 컴퓨터
- 1990년대(제5순환): 정보통신, 인터넷
- 2020년대(제6순환): 바이오, AI

표 3-1. 혁신기술 변화에 따른 경제주기

경제주기	주도 혁신기술	핵심 국가	경제 정점	경제 후퇴	경제 저점	경제 회복
I (63년)	방직, 증기	영국	1782~ 1802년 (20년)	1802~ 1825년 (23년)	1825~ 1836년 (11년)	1836~ 1845년 (9년)
II (47년)	철강, 철도	영국	1845~ 1866년 (21년)	1866~ 1873 (7년)	1873~ 1883년 (10년)	1833~ 1892년 (9년)
III (56년)	전기, 중화학	영국	1892~ 1913년 (21년)	1920~ 1929년 (9년)	1929~ 1937년 (8년)	1937~ 1948년 (11년)
IV (43년)	자동차, 컴퓨터	미국	1948~ 1966년 (18년)	1966~ 1973년 (7년)	1973~ 1982년 (9년)	1982~ 1991년 (9년)
V (44년, 예상)	정보통신, 인터넷	미국	1991~ 2004년 (13년)	2004~ 2015년 (11년)	2015~ 2025년 (10년)	2025~ 2035년 (10년, 예상)

자료: CSAI

표 3-1에서 볼 수 있듯이 1782년 이후 경제와 산업을 콘드라티예프파동에 적용하면 총 5번의 파동을 경험했다. 미국은 사실상 제2차 세계대전 직후인 1948년부터 세계경제 패권 국가로 우뚝 올라섰고 본격적인 미국의 시대가 열렸다. 현재는 1991년부터 미국이 주도해온 5번째 파동을 지나 6번째 파동이 시작되는 지점이다. 5번째 파동의 기술혁신을 이끈 아이템은 정보통신이다. 세계경제를 주도한 빅테크기업들이 'V 경제주기'에 탄생했고 호황을 누렸다. 그리고 현재 세계경제가 여의치 않은 이유도 인터넷과 모바일로 대표되는 주도 정보 기술이 주기상으로 볼 때 성장을 마무리하는 단계이기 때문이다.

다시 말해 굵직굵직한 혁신기술이 나타나 기존의 흐름을 뒤바꾼 주기가 약 50년이다. 이 주기에 따르면, 기존 흐름이 상승 국면에 이르면서 동시에 침체 국면에 접어들기 시작할 때 새로운 기술이 출현한다. 미래 50년 흐름을 좌지우지할 기술 혁명의 새 씨앗이 뿌려지는 일이 반복되는 것이다. 그러므로 콘드라티예프파동으로 세계경제의 큰 흐름을 알아보면 아주 효과적이다.

물론 콘드라티예프파동에 맞춰 정확하게 50년마다 혁신기술이 새롭게 나타나는 건 아니다. 위 이론은 20세기 초반의 주장이고, 지금은 변화와 기술 발전이 몰라보게 빨라진 21세기다. 먼 미래의 일로만 여기던 메타버스가 현실화되었고 그 기술이 일상에 적용되면서 50년 경제주기가 앞으로는 더 짧아질 수도 있을 것이다. 50년은 너무 길고 그보다 더 짧은 순환주기를 적용하는 게 더 현실적일 수도 있다. 그렇더라도 필자는 그간의 혁신기술을 콘드라티예프파동에 넣어 지난 흐름을 살피는 작업에서 많은 통찰을 얻는다.

2035년까지 앞으로 10년 이상은 정보통신기술의 혜택이 이어질 것으로 보이지만, 확실한 건 2035년 이후에는 새로운 기술혁신주기가 시작된다는 점이다. 어떤 혁신기술이 주도할까? 필자는 미래 50년의 흐름을 주도할 기술은 바이오와 AI라고 생각한다. AI는 사실상 1970~1980년대에 이미 기술이 발달했지만, 지금 이 시대에 와서 꽃을 피우는 이유는 '미래 산업의 쌀'이라고 불릴 만한 방대한 데이터가 있기 때문이다. 앞으로 데이터 환경 구비 여부에 따라 국가별 경쟁력이 결정될 것이고 그에 따라 새로운 디지털 빈부격차 세상이 올 것이다. 우리는 이런 세상에 대비해야 한다.

중단기 경기순환주기, 주글라파동과 키친파동

우리가 경험하는 세상 대부분의 일은 반복해서 벌어지곤 한다. 그리고 학자들은 왜 그런 일들이 반복적으로 나타나는지 알기 원한다. 원인을 파악하면 예측이 가능해지고, 다시 비슷한 상황이 벌어졌을 때 더욱 효과적으로 대응함으로써 위험을 줄일 수 있기 때문이다. 경기가 일정 주기로 순환한다는 말은 굳이 전문가가 아니더라도 누구에게나 익숙한 이야기가 되었다. 사람들은 '경기순환'이란 말만 들어도 쉽게 조지프 슘페터를 떠올린다. 그는 아마 경기순환이론과 관련해 가장 유명한 인물일 것이다.

오스트리아 출신의 미국 경제학자 슘페터는 자본주의 체제가 작동하는 원동력의 주체가 기업가라고 생각했다. 따라서 창의적이고 뛰어난 아이디어를 가진 기업가가 등장하면 전통 방식을 과감히 허물고 새로운 사업을 벌임으로써 과거의 균형이 파괴되고, 그 결과 자본주의 경제가 새로운 균형을 찾아가기 위해 진화, 성장, 혁신한다고 했다. 슘페터는 이처럼 혁신을 불러오는 기업가들의 '창조적 파괴'에 주목했다. 슘페터는 '불황'이라는 상황을 '혁신'하는 과정에서 나타나는 일시적인 현상이라고 봤다. 그리고 좀 더 진화하는 경제 상황을 알려주는 신호가 '불황'이라고 말했다. 이 말은 불황을 극복하기 위해 혁신하는 것이 아닌, 혁신을 수행할 때 불가피하게 불황을 겪어야 한다는 뜻이다.

1929년에 발발한 미국의 대공황은 경기순환에 대한 연구를 촉발했다. 전대미문의 미국 주식시장의 붕괴로 많은 사람, 특히 경제학자들이 크게 당황했다. 어느 시대나 학자들은 자의든 타의든 시대가 설명을 필요로 하는 현상, 문제가 발생할 때마다 학문적으로 연구해서 대중이 납득할 만한 대답을 내놓아야 한다는 의무감을 지니고 살아간다. 미국 대공황이라는 불황이 발발하자 경제학자 슘페터는 왜 이런 현상이 발생했고 앞으로 또다시 그와 비슷한 상황이 벌어질 경우 대중이 어떻게 대처해야 할지 설명하고 싶었을 것이다. 결국 조지프 슘페터는 1939년에 출간한 책 『경기순환론Business Cycles』에서 경기순환 관련 이론들을 정리해 소개했다.

- 주글라파동Juglar cycle
- 키친파동Kitchin cycles

- 콘드라티예프파동Kondratiev cycles

- 쿠즈네츠파동Kuznets cycles

경기순환주기를 결정하는 기준, 나타나는 현상은 모두 다르다. 슘페터는 위의 이론을 집대성 및 분석해 대중이 원하는 대로 미국 대공황의 원인을 분석했다.

주글라파동과 키친파동

경기순환이론의 효시라 여겨지는 주글라파동은 1862년에 프랑스 경제학자 클레멘트 주글라가 주창했다. 가장 널리 알려진, 10년마다 경기순환이 반복된다는 중기 경기 사이클이다. 주글라는 1803~1882년 미국과 영국, 그리고 프랑스 경제 현상을 분석했다. 각 나라의 물가와 이자율, 은행 대출액 등의 데이터를 통해 '호황 → 침체 → 파산'의 주기가 약 10년마다 반복됨을 알았다. 주글라파동의 의의는 달갑지 않은 '불황'이 경기가 순환하는 과정에서 반드시 나타나는 자연스러운 현상이라는 시각을 처음 제시했다는 점에 있다. 10년 주기는 살면서 누구나 몇 차례 경험할 수 있으며 그만큼 사람들에게 강력한 인상으로 남는다. 그 결과 주글라파동은 미국을 비롯한 유럽에서 경기순환을 설명하는 대명사로 자리를 잡았다.

영국의 통계학자 조지프 키친은 3~4년마다 경기가 상승, 하락을 반

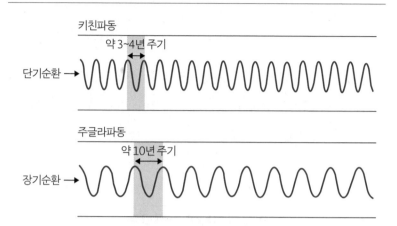

그림 3-7. 키친파동과 주글라파동

키친파동

약 3~4년 주기

단기순환 →

주글라파동

약 10년 주기

장기순환 →

복한다는 키친파동을 주창했다. 주글라파동이 10년 주기의 중기순환이라면, 키친파동은 3~4년 주기의 단기순환이다. 키친은 1890~1922년 영국과 미국의 어음 교환액, 도매 물가, 이자율 변화를 분석했다. 그 결과 10년 주기의 주글라파동에 비해 짧은 주기(약 40개월)로 경기가 순환한다는 사실을 알았다. 키친은 기업가들의 자산, 생산성 제고에 따른 과잉 공급, 시간 지연 등의 이슈가 경기순환을 만든다고 생각했다. 즉 기업들은 자신이 보유한 자산을 토대로 최대한의 생산성을 만들어내려 애를 쓴다. 그런데 많이 만들어진 상품이 생각처럼 팔리지 않으면, 과잉 생산이 되어 창고에 재고가 쌓이기 시작한다. 이제 기업들은 생산을 줄여야 하는 상황에 놓인다. 바로 이 지점에서 '시간 지연'이 발생한다. 시간 지연이란 만들어진 물건이 팔리지 않아 재고로 남는 상황을 기업이 인식하기까지 많은 시간이 걸리고, 또한 생산을 줄이는 데도 시간이 걸린다는 의미다. 그리고 어느 정도 재고가 소진되면 이번에는 역으로 '시간 지연' 현상이 나타난다. 물건이 다 팔려 생산해야 하는 상황을 기업이 인식하기까지의 시간 지연 및 실제 물건을 만들기까지 공급이 부족한 현상이 나타나는 것이다. 키친은 이러한 이슈로 경제가 순환을 반복한다고 봤다.

미국에서는 주글라파동을 주순환이론으로, 키친파동은 소순환이론으로 수용, 활용했다. 사실 키친파동은 주글라파동의 반론이라기보다는 보완하는 이론으로 탄생했다. 두 순환주기는 공통적으로 사이클이 짧다는 점에서 누구나 쉽게 경기순환을 이해하는 데 큰 도움이 된다고 하겠다.

단기와 중기 파동도 중요한 의미를 지닌다.

쿠즈네츠파동

경기순환 이야기를 하나 더 첨언하자면, 쿠즈네츠파동이다. 미국에서 경제학자가 된 구소련 출신의 사이먼 쿠즈네츠는 인구와 건설업의 현황이 경기순환과 밀접한 연관이 있을 것이라고 생각했다. 그리고 경기가 순환하는 원인이 경제가 성장하는 단계에 따라 달라지는 소득 격차에 있다고 봤다. 예컨대 대도시에 사는 사람들의 소득은 지방이나 농촌 거주자의 소득보다 월등히 높다. 그리고 도시와 농촌 간 소득 격차가 늘어난다. 농촌 거주자들은 더 많은 돈을 벌고 싶어 도시로 이주하게 되고, 도시에서는 이들을 수용하기 위한 건물이 늘어나게 마련이다. 이는 부동산 가격을 올리는 결과를 만들어냈다. 부동산 가격의 폭등은 소득 격차를 더욱 심화시켰고, 건설 경기가 침체되면 소득 격차가 줄어드는 현상이 나타났다.

쿠즈네츠는 이와 같은 경기순환이 약 20년마다 반복된다고 봤다. 흥미로운 사실은 쿠즈네츠의 이론이 놀랍게도 중국에서 똑같이 실현되었다는 점이다. 중국은 2001년부터 성장 가도를 달렸는데, 그 와중에 부동산 가격이 크게 상승하면서 중국인의 소득 격차를 더욱 크게 벌리는 결과를 만들어냈다.

그림 3-8. 경기순환이론의 비교

0 2 4 6 8 10 12 14 16 18 20 22 24 26 28 30 32 34 36 38 40 42 44 46 48 50 (년)

—— 콘드라티예프파동　　　—— 쿠즈네츠파동
—— 주글라파동　　　　　　—— 키친파동

주글라파동으로
살펴본 중국경제

주글라파동에 중국경제를 적용하면 중국에 어떤 흐름이 있었는지 머릿속에 큰 그림이 그려진다. 그림 3-9에서 보듯 과거 40여 년간 1979년, 1989년, 1999년, 2009년 총 네 번의 큰 흐름이 보이고, 눈부신 경제 성장을 이끈 주도 산업이 10년마다 변했음을 알 수 있다. 처음에는 제도개혁이 중국경제를 견인했고, 다음에는 개혁·개방과 산업의 규모경제에 의해 부가 창출되었다. 이후 부동산 투자가 중국경제의 큰 성장 동력이 되었고, 2009년부터 정보통신 산업, 서비스업(금융, 부동산), 모바일인터넷 산업이 중국경제의 성장을 이끌었다. 앞으로도 흐름을 주도하는 산업은 기술혁신에 의해 분명히 바뀌어갈 것이다.

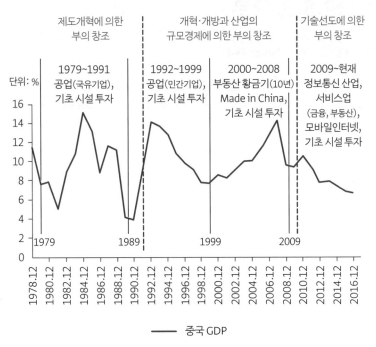

그림 3-9. 주글라파동으로 살펴본 중국의 경제 성장 및 주도 산업

제도개혁에 의한
부의 창조

개혁·개방과 산업의
규모경제에 의한 부의 창조

기술선도에 의한
부의 창조

단위 : %

1979~1991
공업(국유기업),
기초 시설 투자

1992~1999
공업(민간기업),
기초 시설 투자

2000~2008
부동산 황금기(10년)
Made in China,
기초 시설 투자

2009~현재
정보통신 산업,
서비스업
(금융, 부동산),
모바일인터넷,
기초 시설 투자

1979

1989

1999

2009

—— 중국 GDP

출처 : CSAI

개혁·개방 정책

1978년 11월, 중국 공산당은 11기 3중전회에서 덩샤오핑鄧小平의 실사구시實事求是(사실에 근거해 판단하는 태도) 정신을 관철시켜 개혁·개방을 선포하고 시장경제를 도입했다. 그러나 개혁·개방의 향후 발전 경로나 성공을 아무도 장담할 수 없었다. 당시 덩샤오핑의 말처럼 '아무도 건넌 적이 없고 길을 물어볼 사람도 없는 강'을 건너야 하는 중국경제는 부침을 반복했다.

1979년부터 1989년까지 중국 공산당은 지방정부의 자율권을 확대해 중앙정부 통제 없이 지방정부 차원에서 국유기업을 설립하고, 지방별로 독자적인 외국인 투자 유치 정책을 펼치게 하는 제도개혁을 진행했다. 또한 1984년에는 공유제에 기초한 계획적 상품경제 체제를 도입해, 국유기업들이 시장 중심의 기업 생산 활동을 하도록 유도했다. 비록 10년 사이에 14%라는 경제 성장률을 기록하기도 했지만, 공유제에 기반을 둔 부분적 시범개혁은 경제 주체들의 사회주의 제도 방향에 대한 불확신과 함께 경제 혼란을 불러일으켰다. 결과적으로 1989년 GDP 성장률이 다시 4% 급락하면서 1989년 6월 4일 천안문사건天安門事件이 일어났다.* 이 시기의 중국경제는 '돌부리를 더듬으며 강을 건너가는摸着石頭過河' 식이었다.

유례없는 혼란을 잠재우고자 덩샤오핑은 1992년 1~2월 무렵 중국 남부에 자리한 우한, 선전, 주하이, 상하이 등을 시찰한 후 그 유명한 남순강화南巡講話 담화를 발표했다. 이 담화에서 덩샤오핑은 성사성자姓社姓資('자본주의에도 계획이 있고, 사회주의에도 시장이 있다'는 뜻)를 밝혔는데, '성자성사'를 비롯한 사회주의 이념 논쟁을 반박했다.

천안문 사건으로 일시 중단되었던 개혁·개방 정책은 다시 추진되

---

* 천안문 사건은 덩샤오핑의 개혁·개방 정책 실시 10년째인 1989년에 벌어졌다. 그 결과 중국 내부에서는 개혁·개방 정책을 둘러싼 논란이 불거졌다. 중국 공산당 내 보수색을 띤 몇몇 인사는 이른바 '성자성사姓資姓社', 즉 '자본주의냐, 사회주의냐?' 논쟁을 벌이기도 했다. 덩샤오핑은 남순강화 담화를 통해 중국 지도부 내 논쟁을 잠재우려 했다.

었고, 민영기업 육성, 400여 가지의 규제 완화 등 개혁·개방에 속도가 붙었다. 그리고 1992년 이후 주식회사 제도 도입을 중심으로 하는 현대기업 제도를 채택해 통일된 중국 계획경제 체제에서 시장을 간접적인 자원 배분 조절 수단으로 하는 개혁·개방을 확대했다. 1992년 중국 공산당은 '사회주의 시장경제'• 8글자를 헌법에 삽입함으로써 동요하는 민간기업가들의 신심을 북돋았고, 국유기업이 독점하던 많은 영역을 민간에 개방했다. 이러한 중국의 개혁·개방 정책의 성과는 1993년부터 본격적으로 나타나기 시작했고, 2001년 WTO에 가입하기 이전까지 평균 10%를 상회하는 고속 성장을 실현했다.

고속 성장한 중국은 미국과 함께 G2가 되었는데, 중국이 본격적으로 G2로 성장하게 된 가장 큰 계기는 2001년 WTO 가입이다. 중국은 미국 중심의 글로벌 공급망 체제에 적극적으로 편입되면서 조세 제도, 외국 투자 정책, 관리 변동 환율 제도 등 국제 수준에 가까운 제도 도입에 적극적으로 나섰고 국제 관행을 따르고 도입하기 위해 노력했다. 중국정부는 기초 시설과 인프라 투자를 확대해 외국기업들이 투자하기 편한 환경을 조성하고 저렴한 노동력을 앞세워 세계 생산 공장이 되었다. 2001년부터 2010년까지 중국은 10% 성장률을 기록해 결국 2011년 일본을 제치고 세계 2위 국가로 올라섰다.

• 경제학에는 '사회주의 시장경제'라는 용어가 없다. 이는 덩샤오핑이 시장경제를 도입하면서 사회주의 주체인 중국 정치 안정을 도모하기 위한 고민 끝에 탄생한 창의적인 결과물이다. 쉽게 비교하면 사회주의 시장경제를 실시하는 중국경제는 '좌회전 깜빡이를 켜고 우회전 하는 격'이라고 볼 수 있다.

부동산 투자 불패신화

그림 3-9에서 단계별 경제 발전의 공통적인 특징은 기초 시설 투자 확대다. 이에 따라 중국경제는 완벽하게 주글라파동대로 경기 호황과 경기 침체의 대략 10년 주기를 반복해 보여줬다. 이는 기업의 설비 투자와 정부의 기초 시설 투자에 따라 고용, 소득, 생산량이 변화하기 때문에 발생한다. 1978년부터 2008년 글로벌 금융위기가 발생하기 이전까지 30년 동안 중국정부는 토지를 매각해 기업들이 개발하게 했고, 기업들의 설비 투자가 이뤄지면 해당 설비를 생산하는 기업들의 이윤이 증가하고 물가와 이자율 등이 동반 상승했다. 그러나 투자된 설비들의 경제적 수명, 즉 내용 연수가 다하면 설비 재투자가 이뤄지기 이전까지 경제가 다시 하락하는 현상이 반복적으로 나타났다. 이 과정동안 지속해서 상승한 토지 가격은 중국 부동산 투자 광풍을 불러왔고 중국 아줌마大妈(따마)들 사이에서 불패신화가 만들어지게 되었다.

사실 중국 부동산시장은 1998년부터 시작되었다. 그 이전에는 국유기업이 주체가 되어 아파트를 건축하고 집을 나눠줬다. 이는 국유기업의 경영 부담을 가중시켰고 1992년 이후 진행되는 사회주의 시장경제 체제에서 독립된 경제 주체로서의 경쟁력을 크게 하락시키는 요인이 되었다. 이에 중국정부는 1998년부터 본격적으로 부동산시장을 도입해, 직장인들이 스스로 주택을 장만하게 했다. 대신에 기업은 주택공적금 제도*를 실행해 직원들이 부동산을 구매할 때 일정 부분을 부담해주었다. 중국정부의 이런 부동산 제도개혁은 평범한 국민들의 운명을 바꿀 만큼 수많은 부동산 부자를 탄생시켰다.

여기에서 필자 주변의 실제 사례를 소개하겠다. 필자의 지인은 2000년 무렵 베이징에 100만 위안짜리 집을 구매했다. 이 집을 2005년까지 보유하다가 처음 가격보다 꽤 오른 400만 위안에 매도했다. 이후 지인은 400만 위안을 추가로 대출받아 베이징 왕징에 800만 위안짜리 아파트를 다시 구매했다. 당시 필자는 지인을 지켜보며 내심 걱정했다. 당시 지인은 국유기업에 다니고 있었는데, 그의 월급으로 대출금과 이자를 갚기에는 무리라고 생각했기 때문이다. 그러나 걱정이 무색하게 지인은 5년 후인 2013년에 1,300만 위안에 다시 집을 팔아 500만 위안의 수익을 실현했다. 그리고 또 한 번 확보된 자금으로 천진시에 작은 빌딩을 매입해 1층은 커피숍으로 임대하고 2층은 임대용 부동산으로 내놓아 재무적으로 크게 걱정이 없어졌다.

중국 부자가 생긴 이유

이 사례에서 얻을 수 있는 인사이트는 무엇인가? 그렇다. 경제가 고속으로 성장하는 시기에는 부동산 가격 상승 속도가 가파르다. 은행 대출금으로 갚아야 하는 이자율보다 부동산 가격 상승률이 더 높으므로

◆ 주택공적금은 근로자의 주택 구입 지원을 위한 사회 보장 제도의 하나로, 사용자와 근로자가 같은 비율로 매월 기금을 적립하며, 근로자는 주택 구입 시 적립금을 인출하거나, 적립 기간 등 기여도에 따라 대출을 받을 수 있다. 은행 대출보다 금리가 낮다는 장점이 있다.

그림 3-10. 베이징의 주거용지 토지
가격지수 (2003~2010년)

(2003년=100)

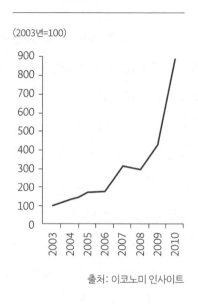

출처: 이코노미 인사이트

그림 3-11. 중국의 신축 민간주택
가격지수 (2000~2010년)

(2000년 1분기=100)

명목주택 가격지수
실질주택 가격지수

출처: 중국 칭화대학 부동산연구소,
이코노미 인사이트

빚을 내서라도 집을 사는 게 유리하다. 만약 그가 월급을 꼬박꼬박 저축해 부동산을 살 생각을 했다면, 아마 그는 지금도 부동산을 구매하지 못했을 것이다. 당시는 중국 국유기업 직원의 평균 연봉이 30만 위안도 안 되던 시절이다. 그때 부동산을 매입하지 않은 지인도 많았는데, 그들은 점점 베이징에서 주변 도시로 밀려나고 있다. 즉 부동산 투자 여부에 따라 빈부격차가 크게 벌어졌다. 그림 3-10과 3-11[•]을 보면

[•] 주거용지 토지 가격지수와 신축 민간수백 가격시수는 품실불번 가격시수(부동산의 위치나 물리적 특성에 일어난 변화를 조정 처리한 뒤의 부동산 가격지수)다.

중국의 수도 베이징의 주택 가격 상승이 얼마나 가파른지 확인할 수 있다.

또 다른 중국 부자의 제조기는 다름 아닌 개혁과 개방이라고 하는 제도개혁이다. 특히 2001년 중국의 WTO 가입이 세계적인 부자를 많이 만들어냈다. 당시에는 전 세계에 공급이 부족한 시기였고, 공급자가 가격을 결정하던 시대였다. 다시 말해 물건을 생산만 하면 잘 팔리던 시절이었다. 세계의 공장인 중국에서 사업을 하면 누구나 쉽게 성공하고 부자가 될 수 있었다. 1부에서 정리했듯이 '시대흐름을 탄다는 건 부의 기회를 만날 확률이 매우 높아진다'는 말이다. 당시 중국의 부자들은 흐름을 미리 알고 올라탔거나, 아니면 운 좋게 시대흐름의 중심에 있었거나 둘 중 하나다. 사실 중국에서 부자가 된 사람들은 한동안 자신의 능력이 남달랐고 열심히 산 대가라고 믿었다.

그러나 2013년 이후 중국경제는 과잉 투자에 따른 대가로 지속적인 하락이 이어졌고, 2018년 미·중 무역 전쟁과 코로나19 팬데믹을 겪으며 드디어 알게 되었다. 사실 자신들의 부는 시대적 운명 때문에 이뤄졌다는 것을! 이것을 경제학적으로 표현하면 '경제주기를 잘 타야만 부자가 된다.' 세계에서 가장 유명한 중국 사업가 마윈의 성공도 2000년대 초반부터 세상을 바꿔간 모바일인터넷과 스마트폰의 보급 및 상용화라는 시대흐름 덕이다. 그도 시대적 흐름 안에서 성공을 거뒀다.

시대흐름을 탄다는 건 부의 기회를 만날 확률이
매우 높아진다는 의미다!

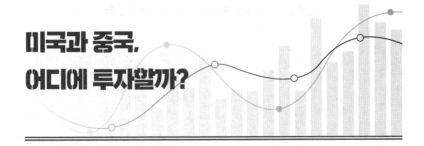

미국과 중국, 어디에 투자할까?

앞에서 장기와 중기 경기순환주기에 세계경제, 중국경제를 대입해 흐름을 파악했다면 이번에는 미국과 중국의 현 경제흐름이 어디에 와 있는지 알아보도록 하자. 그림 3-12와 3-13을 비교하면서 살펴보자. 결론적으로 2019년부터 2022년 초까지 약 3년간의 자료를 분석해본 결과, 중국은 경기 침체기 후반, 미국은 스태그플레이션 단계라고 진단할 수 있다.

먼저 중국의 분기별 GDP흐름은 경제 회복, 과열, 침체 그리고 저점의 모습을 보여준다. 2022년 중국경제가 저점에 놓였음을 알 수 있다. 중국 PPIProducer Price Index(생산자물가지수)도 상당히 낮은 편이다.

그림 3-12. 중국의 경제주기와 주식시장 흐름

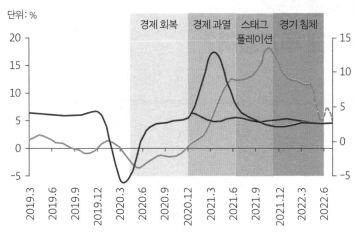

단위: %

경제 회복 | 경제 과열 | 스태그플레이션 | 경기 침체

── 중국 GDP: 분기별 전년 동기 대비(불변가, 좌)
── 중국 GDP: 2년 평균 동기 대비(좌)
── 중국 PPI: 월 기준 전년 동기 대비(%, 우)

경제 회복 | 경제 과열 | 스태그플레이션 | 경기 침체

── CSI300지수(표준화)　　　── 차스닥지수(표준화)

출처: 해동증권연구소(2022년 5월 20일 기준)

PPI가 낮다는 건 경제가 여의치 않다는 의미로, 중국 기업들이 수익을 남기기가 어렵다는 뜻이다. 이는 주식시장에 그대로 반영되었다. 그림 3-12의 두 번째 그림을 보면 중국 대표기업의 주가지수 CSI300은 2021년 7월 이후 크게 하락했고 비슷한 추세가 차스닥지수에서도 나타났다. 대부분 기업의 주가가 하락했다.

지금의 중국은 이미 초고령화 시대에 진입했고 60세 이상 인구가 2억 6,700만 명이다. 또한 중국정부가 장기간 성장에만 치중한 결과 환경 파괴가 심하고 석탄 의존도가 높아 이산화탄소 배출도 세계에서 가장 많다. 더욱이 미국의 중국 기술 굴기에 대한 견제 속도가 빨라지면서 미·중 간 기술 패권 전쟁이 점점 더 치열해지고 있다. 이런 문제들은 중국정부가 앞으로 경제 성장을 실현하면서 동시에 해결해야 할 가장 큰 과제다.

이번에는 미국의 경제주기와 주식시장 흐름을 보자. 그림 3-13을 보면 미국은 중국과 다르다는 것을 알 수 있다. 미국은 경제 저점이 아닌 스태그플레이션 단계다. 인플레이션을 측정하기 위한 대표적인 물가지수인 PCE^{Personal Consumption Expenditure}(개인소비지출지수)가 높고 경제 성장이 낮다. 미국정부는 경제 연착륙을 위해 부채 예산을 확대하고 「인플레이션 감축법^{IRA}」을 실행했다. 이를 통해서 해외 첨단기업을 유치하고 보조금 지원을 확대해, 자국 내에 첨단 제조업 공급망 구축으로 돌파구를 마련하고자 한다. 미국 주식시장은 2022년 1월 이후부터 하락을 이어가고 있으며 지금도 눈에 띄는 상승세를 보이지 못하고 있다.

그림 3-13. 미국의 경제주기와 주식시장 흐름

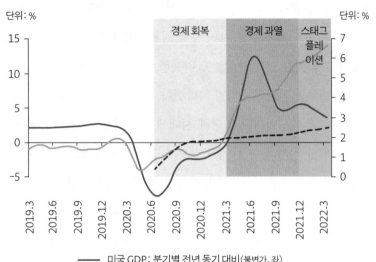

단위: %   단위: %

경제 회복   경제 과열   스태그플레이션

—— 미국 GDP: 분기별 전년 동기 대비(불변가, 좌)

- - - 미국 GDP: 2년 평균 동기 대비(좌)

—— 미국 PCE: 월 기준 전년 동기 대비(%, 우)

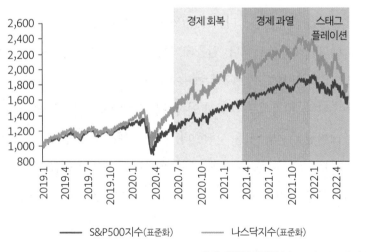

경제 회복   경제 과열   스태그플레이션

—— S&P500지수(표준화)   —— 나스닥지수(표준화)

출처: 해동증권연구소(2022년 5월 20일 기준)

메릴린치 투자 시계로 본 미국과 중국

앞서 정리한 미국과 중국의 최근 경제 상황을 '메릴린치 투자 시계'에 대입해보자. 메릴린치 투자 시계는 미국의 투자 은행 '메릴린치'가 시간대별로 경기와 물가의 부침에 따른 자산 가격의 변화를 나눈 것이다. 투자 시계(3~6시)에 따르면, 미국은 스태그플레이션(저성장, 고물가) 상황으로 보이는데, 이 시기에 가장 좋은 투자처가 예금이다. 얼마 전 필자가 진행했던 '안유화독서투자클럽' 강의에서 한 수강생이 지금 어디에 투자해야 좋을지 물었다. 투자 상식이 풍부하고 공부가 많이 되어 있다면 투자 선택지가 상대적으로 넓지만, 만약 초보 투자자라면 원칙에 맞는, 그러니까 현 투자 시계(경제 상황) 단계에 맞는 예금이 가

그림 3-14. 메릴린치 투자 시계

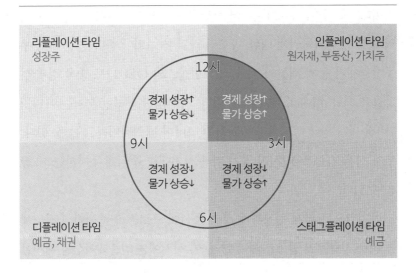

장 좋다고 답했다.

상황이 조금 달라졌지만, 2023년 초만 해도 시중 은행 금리가 5% 선이었다. 저성장 시대에 솔직히 어디에 투자하든 5% 수익을 내기란 쉽지 않다. 불과 2~3년 전 코로나19 팬데믹 상황 당시만 해도, 고정 금리 3%를 제공한다는 상품에 많은 사람이 몰려갔다. 스태그플레이션 상황에서는 골치 아프게 머리 쓸 것 없이 예금하는 게 마음이 편하다.

앞서 중국은 경제 저점 시기를 지나는 중이라고 정리했다. 이를 투자 시계에 대입하면 6~9시, 즉 디플레이션 타임으로, 성장과 물가 둘 다 낮은 상황이다. 중국 상황을 더 세분화하면 필자는 디플레이션 타임 막바지인 9시 근처에 왔다고 생각한다. 이 시기에 매력적인 투자처를 고르라면 자금을 방어해야 하니까 예금과 채권이다.

방금 필자가 중국이 투자 시계에서 9시에 근접했다고 했는데, 디플레이션 타임이 지나면 경기가 회복하는 리플레이션 타임으로 진입할 것이다. 그 시기는 2024년부터 시작될 수도 있다. 문제는 기술혁신 영역의 투자가 기득권에 대한 '창조적 파괴'를 이뤄야 한다는 점이다. 부동산경제가 문제 해결의 키다. 골드만삭스와 OECD도 중국 경제 성장률을 대략 4.6%로 예측한 바 있다. 과거처럼 화려한 숫자는 아니지만, 전 세계 평균 성장률과 비교하면 그나마 매력적이라고 볼 수 있다. 투자 시계 기준 9~12시인 경기 회복 시기에는 주식에 투자하는 게 좋을 수 있다.

마지막으로 경제 성장과 물가가 동시에 오르는 인플레이션 타임에는 더욱 전략적인 접근을 해야 한다. 이 시기에는 인플레이션을 헤지할 원자재, 부동산, 가치주 투자가 확률적으로 더 많은 수익이 날 수 있다.

- 미국: 스태그플레이션 타임, 예금(현금 보유)이 대안
- 중국: 디플레이션 타임 막바지, 예금·채권이 대안, 주식도 눈여겨봐야 함

일반적으로 경기 침체기 후기부터는 주식의 수익률이 조금씩 좋아진다. 따라서 중국 주식에 관심이 많다면 지금부터 투자 적기로 볼 수 있다. 참고로 경제가 안 좋은 시기에는 이른바 '안전주'라 불리는 경기방어주*가 매력적이라는 점도 기억해둘 필요가 있다.

투자 시계 단계별 투자 방향

이제 네 가지 투자 시계 상황별로 어떤 자산을 어디에 투자해야 득실일지 알아보자. 우선 상품시장이다. 상품시장 수익률은 디플레이션 초기와 후기 모두 안 좋다. 경기 침체 상황이니까 상품에 대한 수요가 당연히 떨어질 수밖에 없다. 채권(국채)은 안정적인 수익을 추구하는

◆ 경기 방어주는 경기 상황에 영향을 크게 받지 않고 실적과 주가 수준이 안정적인 주식을 말한다. 경기에 둔감해서 경기 둔감주라고도 한다. 주로 유통업, 전기, 가스, 의료 및 제약, 방송, 엔터테인먼트, 식료품, 주류, 담배, 콘돔회사들의 주식이다. 이제는 IT 소프트웨어와 게임도 여기에 해당된다. 이익은 적지만 그만큼 투자 손실 위험도 적은 편이어서 초보 투자자가 무난하게 선택하는 경우가 많다. 대기업 계열의 에너지, 통신, 식음료, 유통 등이 이 경우에 속한다.

투자자들이 주로 선호하며 경기 침체 초기에는 채권 수요가 증가할 수 있다. 하지만 경기 침체 후기에는 채권 수요가 하락할 수 있는데, 그 이유는 경기가 회복되고 경제가 안정을 찾으면 투자자들이 고수익을 추구하면서 주식 등의 고위험 자산으로의 이동이 증가할 수 있기 때문이다. 주식 투자는 오히려 경기가 안 좋을 때, 특히 경기 침체 후반기부터가 좋다. 이런 시기에 관심 있게 지켜볼 만한 섹터는 소비 관련주, 경기순환주, 금융 관련주, 2차 전지 등 미래기술 섹터다.

중국의 과거 데이터로 검증해보면, 금융위기가 닥친 2008년 당시 중국 주식시장은 엄청나게 떨어졌다. 물론 전 세계가 모두 하락했다. 그때 만약 어떤 주식이라도 매수해서 10년을 보유했다고 가정하면 그림 3-15에서 알 수 있듯이 대부분 섹터에서 20%의 수익률을 실현할 수 있었다.

이처럼 위기가 닥쳐 전반적으로 주식시장이 하락한 시점이 일반적으로 투자하기 좋은 타이밍이다. 이 사실을 PER로 검증해볼 수 있다. 미국시장은 아직도 전반적으로 고점 단계에 와 있다. 그러나 상대적으로 중국은 워낙 많이 빠져서 현재 PER로 봤을 때는 저점 단계다. 물론 주가를 정확히 예측한다는 건 거짓말과 같으니 필자가 말하는 저점이란 의미는 흐름과 추세가 그렇다는 말이다. 오해 없기를 바란다.

최저점을 찾아 들어간다는 건 어리석은 생각이다. 보통 초보 투자자는 저점과 고점을 찾으려 노력하지만, 다 무용지물이다. 결국 흐름 파악이 더 중요하다. 중국 주식은 최저점이 언제인지는 몰라도 지금이 낮은 단계인 것만은 확실하다.

그림 3-15. 금융위기 이후 10년간의 산업별 수익률 비교(2008~2018년)

단위: %

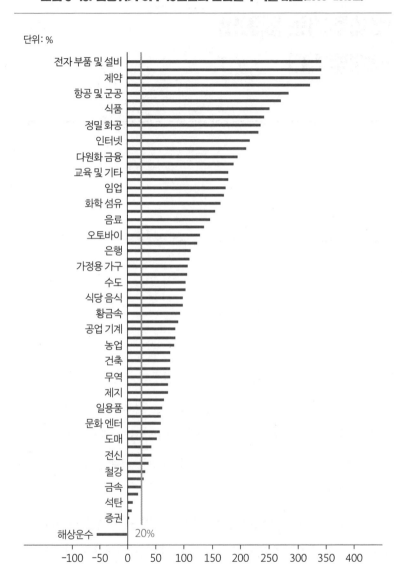

출처: Gelonghui, CSAI

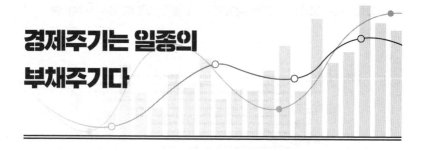

경제주기는 일종의 부채주기다

경제주기의 또 다른 정의는 '경제주기는 일종의 부채주기'라는 말이다. 필자는 이 말을 즐겨 사용한다. 사실 부채를 일으키지 않으면 경제가 잘 돌아가지 않는다. 다시 말해 부채를 일으켜야 경제가 돌아간다. 한 번씩 찾아오는 경제주기는 어디에서 기인할까? 이제부터 그 이야기를 자세히 해보자.

엄밀히 말하면 부채 없이 경제를 돌릴 수 없다. 기업을 운영하는 사업가도 부채를 일으키고, 여러분과 같은 개인도 부채라는 레버리지를 활용해 가계를 꾸려간다. 부채, 빚이라고 해서 부정적인 시각으로만 볼 수는 없다. 유능한 사업가는 부채를 잘 활용한다. 부채로 자산을 불려가는 사람도 많다. 우리 실생활에서 가장 흔한 부채경제 사례가 부동산 갭 투자라고 말할 수 있다.

경기 변동의 핵심, 부채와 금리

국가 역시 채권을 발행하는 형태로 부채를 활용한다. 채권시장은 돈을 빌리고 갚는 시장이다. 이 시장이 활성화되어 움직이고, 국가 신용이 튼튼하다면 경제 강국 소리를 듣는다. 채권시장이 발달하지 않으면 절대로 경제가 발전할 수 없다. 부채라는 레버리지를 세계에서 가장 잘 활용하는 국가가 바로 미국이다. 미국이 전 세계에서 채권시장이 가장 발달한 나라이며, 세계경제를 쥐락펴락하는 대국이다.

만약 경제 쇼크가 닥치면 각 정부는 재정 정책을 펼친다. 각국 재정부에서는 투자 확대, 설비 투자 확대 등의 재정 정책을 만들어 시행한다. 그리고 중앙은행에서도 정책을 펼치는데, 주로 돈을 찍어 유동성 공급자 역할을 한다. 즉 돈을 찍어 금융자산(채권)을 사는 등의 양적 완화 정책을 편다. 경제위기가 오면 중앙은행은 정부가 발행한 채권을 사들여 쇼크에 대응한다. 중앙은행은 기준 금리 조정을 통해서도 시장의 유동성을 관리하지만 정부 채권을 매입하는 게 가장 빠르고 직접적인 부양 수단이라고 할 수 있다.

정부는 시장에 직접 플레이어로도 참여한다. 경제에 쇼크가 와서 시장이 돌아가지 않으면, 정부가 재화와 서비스를 직접 사는 방법으로 시장 유동성을 공급한다. 그런데 재정부가 재화와 서비스를 사려면 돈이 있어야 하는데, 시장을 안정시킬 만큼 쏟아부을 돈이 없다. 거둬들이는 세금으로는 한계가 있다. 그래서 일반적으로 재정부가 국채를 발행한다. 정부가 국채를 발행하면 중앙은행이 국채를 사고 재정부가 다시 그 돈으로 시장에 나와 직접 재화와 서비스를 사는 형태로 시장을 회복시킨다. 그래서 경제위기나 쇼크가 오면 중앙은행과 재정부가 서로 협력하는 것이다.

- 통화 정책: 중앙은행(돈을 발행해 국채를 매입한다)
- 재정 정책: 재정부(예산을 세우고 세금을 걷어 투자 확대, 설비 투자 확대를 펼친다)

그러나 이런 경기 부양책은 단기 처방에 불과하다. 경제를 진짜로 살리는 해법은 생산성을 끌어올리는 것뿐이다. 그러나 생산성 상승은 앞에서 말한 기술주기의 변화와 큰 관계가 있다. 생산성, 즉 기술 변화는 하루아침에 이루어질 수 없다. 그러므로 단기 경기 변동에는 생산성이 개입할 여지가 없다. 그렇다면 단기 경기 변동을 좌지우지하는 건 무엇일까? 바로 부채다.

그런데 부채에서도 중요한 요소가 있으니 금리가 핵심 변수로 작용한다. 큰 시각에서 경기를 살펴보면, 해당 국가의 금리가 높은지 낮은지가 중요한 문제가 된다. 필자는 거시경제의 변동성, 거시경제를 이해하는 핵심이 금리임을 강조하고 싶다.

그렇다면 금리란 무엇인가? 간단히 말해 돈의 가격이다. 돈을 빌리는 사람이 내야 하는 가격으로 이해하면 된다. 돈을 빌리는 사람이라면 금리가 낮을수록 이익이고, 반대로 돈을 빌려주는 사람은 금리가 높을수록 좋다. 부채를 일으킨 사람은 금리를 올리면 부채 부담이 확 올라간다. 따라서 금리를 인상하게 되면 부채를 일으켜서 투자하려는 사람은 적어지고, 이는 경제 위축을 불러온다. 결론은 단기적으로 경기가 호황, 불황의 모습을 보인다면, 부채가 주요 역할을 하고 그 뒤에 금리가 있다는 사실을 알아두자.

코로나19 팬데믹 이전만 해도 호황을 누리던 미국은 현재 다소 경기가 침체한 모습이다. 그 이유는 금리 인상이 결정적이다. 2부에서 소개한 '내재가치' 이야기를 떠올려보자. 내재가치 공식에서 분자에 현금흐름이 있고 분모에는 금리가 자리했다. 즉 가치와 금리가 반비례한다. 금리를 올려버리면 가치가 떨어진다는 뜻이다. 지금 미국처럼 금리를 올리는 시기에는 모든 자산의 가격이 내려가게 마련이다. 그냥 이유 없이 떨어지는 게 아니라 금리 인상 때문에 떨어지는 것이다. 다시 정리하면 단기적으로는 생산성 변화가 이뤄지지 않는다. 따라서 우리가 단기적인 경기 변동을 이해하는 핵심은 결국 부채, 금리라는 사실을 알아야 한다.

경기 변동의 핵심인 부채는, 한편으로는 신용의 문제이기도 하다. 부채의 변동에는 크게 두 가지 주기가 있다. 하나는 짧게는 2~3년, 좀 더 길게는 5~8년, 중기로는 10년, 아주 길게는 50~75년, 100년 주기도 있다. 주기가 짧고 긴 건 앞에서 설명한 대로 논리가 달라서 그렇다. 단기 변동을 만드는 건 모두 부채, 투자, 설비 투자의 변동이라고 보면 된다. 그래서 어떤 국가의 경제는 전반적으로 상승하는데, 50년에 한 번씩 변하는 주기가 있는가 하면 10년에 한 번씩 변하는 주기가 나타나기도 한다.

이런 의미에서 필자는 경제위기를 한마디로 쉽게 정리할 수 있다. 복잡한 이야기는 머릿속에서 지우고 딱 하나만 기억하면 된다. 소득 증가율이 금리보다 높을 때는 절대로 위기가 안 온다. 예컨대 내가 버는 돈이 빌린 돈보다 더 많으면 위험에 절대 빠지지 않는다. 이를 나라로 확대해도 똑같이 적용 가능하다. 경제위기를 극복하려면 그 나라의 소득 증가율이 금리보다 높으면 된다. 한 나라의 소득 증가율, 즉 쉽게 말해 GDP 성장률이 금리 수준 이상이라면 위험하지 않다고 진단해도 무난하다. 즉 우리는 GDP 성장률을 참고해야 한다. 그런데 선진국 대부분의 GDP 성장률이 2023년 기준 금리 수준보다 낮다. 다시 말해 세계경제는 부채로 올려 쌓은 위기의 경제다.

2023년 초 한국의 시중 은행에서는 금리 5%짜리 상품을 판매했다. 여기서 질문이 하나 생긴다. 예금 금리 5%를 준다는 건 은행이 기업이나 고객에게 대출해줄 때 5%보다 높은 7%의 이자를 받겠다는 뜻이다. 한 기업이 은행 이자 7%를 물어가며 돈을 빌렸다면, 사업 이익이 7% 이상 나와야 손실이 없다. 결국 한국경제의 전반적인 사회 평균 ROE가 7% 이상 되어야 한다. 그런데 2022년 한국의 성장률은 7%보다 한참 낮은 2~3% 수준이다. 그래서 많은 사람이 경제위기가 왔다고 걱정하는 것이다.

지금 경제를 보면, 사람들의 소비 수준이 높아지려면 99% 돈 없는 사람의 소득을 확대하면서 가야 한다. 그런데 빈부격차가 계속 커지니까 경제를 살릴 방법이 점점 적어지는 것이다. 이 문제를 해결하고자 중앙은행이 돈을 계속 뿌리는 상황이다. 마치 마약을 뿌리듯 말이다. 이런 면에서 현재 세계경제는 '부채의 경제'라고 진단한다. 돈을 마구 찍어 유지하는 경제다. 대표적인 나라가 미국이다. 2023년 5월 미국 부채 한도 협상이 끝나지 않았다면 미국은 파산했을 것이다.

엄밀히 말해, 이론적으로 중앙은행은 시장에 들어오지 않고 독립적인 역할을 해야 한다. 그런데 언제부턴가 중앙은행이 시장에 들어와 경제를 살리고 죽이는 대표 선수로 활약 중이다. 이 말은 세계경제가 점점 부채의 경제로 돌아간다는 뜻이다. 이를 확인하는 자료가 있다. 바로 주요 국가의 부채율이다. 일본은 부채율이 350%로 가장 높은데도 여전히 돈을 푼다. 그다음이 미국과 중국으로 둘 다 250% 수준이다. 특히 미국은 코로나19 팬데믹 당시 돈을 가장 많이 풀었다. 유럽의 부채율도 높다.

우리의 흔한 착각은 부채를 일으켜 주머니로 들어온 1억 원을 오롯이 나의 돈으로 생각한다는 것이다. 빌린 돈임을 잊고 마치 부자가 된 것처럼 착각하며 살아간다. 이것이 부채경제의 가장 무서운 점이다. 마치 인간이 마약에 중독된 것처럼 국가는 부채에 중독되어 살아가고, 정치는 이를 부추기고 있다.

밀턴 프리드먼의 '빚의 세계'

사실 세상이 이렇게 마약 중독자처럼 부채경제로 가게 된 계기는 노벨경제학상을 받은 밀턴 프리드먼 때문이라고 해도 과언이 아니다. 1970년 밀턴 프리드먼은 모든 주식회사의 목표는 이윤을 극대화하는 것이며, 그 외 다른 것은 중요하지 않다고 했다. 주식회사의 수장으로서 CEO는 주주들에게 더 많은 이윤을 안겨줄 의무가 있다고 말했다. 그리고 CEO는 이윤을 올리고 주주들의 이익을 극대화한 공으로 주식을 증여받아야 한다고 했다. 밀턴 프리드먼은 "전 공정함이 아닌 자유를 지지합니다"라는 유명한 말을 남기며 신자유주의를 강하게 주장했다. 프리드먼 사상은 정책 입안자들과 로널드 레이건 같은 정치인의 도움으로 이후 50년간 경제를 재편했다. 그때 당시 미국의 경제는 4배 넘게 성장했다.

하지만 새로운 부의 대부분은 위쪽, 특히 가장 위에 있는 임원들에게 들어갔다. 1970년 CEO는 일반 직원의 30배를 벌었다. 지금은 350배나 더 많이 받는다. 그의 사상이 지배한 이래, 세계는 빈부격차가 하늘 높이 커졌고 부채는 끝을 모르고 올라가버렸다. 세계 최대 경제국인 미국은 만약 민주당과 공화당이 부채 한도 협상에서 실패하면 31조 4,000억 달러 규모의 채무 불이행(디폴트)이 발생할 뻔했다. 이번에 운 좋게 협상되었지만 나중에 더 큰 부채 한도를 놓고 또 협상을 해야 할 것이다. 그 끝은 어디인가? 우리는 여전히 밀턴 프리드먼의 세계에서 살고 있다. 그것은 바로 '빚의 세계'다.

그림 3-16. 세계 부채 규모

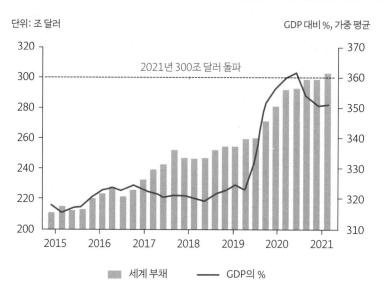

단위: 조 달러　　　　　　　　　　　　　　　　　GDP 대비 %, 가중 평균

2021년 300조 달러 돌파

세계 부채　　　GDP의 %

출처: 포브스

　그림 3-16에서 보듯이 2021년 세계 부채는 사상 최고치인 303조
달러에 달했다. 2020년에 비해 약 10조 달러가 늘어난 수치로, 제2차
세계대전 이후 최대 증가폭이다. 코로나19 팬데믹 상황에서 각국정
부는 의료 비용, 실업, 식량 불안정 등에 대처하고 기업의 생존을 지원
하고자 지출을 늘려야 했고, 필요한 재정을 확보하려고 새로운 부채를
떠안은 결과 반세기 만에 세계 부채 수준은 최고로 높아졌다.

　현재 세계경제는 마약에 의존하는 중독자처럼 부채에 절대적으로
의존하는 경제라고 볼 수 있겠다. 중독자가 마약을 사려고 빚더미에
올라앉듯 국가경제가 누적된 적자 때문에 불완전하고 나약한 모습을

보이는 것이다. 우리는 성장이라는 미명하에 위험천만한 위치에 서 있다. 이것이 현재 경제 상황이다. 그 어느 때보다 기술혁신에 의한 '창조적 파괴'가 필요한 시점이다. 감사하게도 그 시점이 지금 오고 있다. 동시에 이런 생각도 해본다. CEO가 이윤보다 다른 것을 우선시한다면 어떻게 될까? 우리는 어디로 가고 있는 걸까?

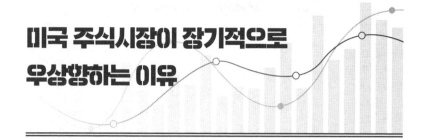

미국 주식시장이 장기적으로 우상향하는 이유

먼저 그림 3-17에서 S&P500지수 추이를 보자. 1972년 평균 109.13 포인트부터 오르기 시작해 2022년 최고 4,872포인트까지 거의 50배 올랐다. 역사적으로 이렇게 장기간 우상향 곡선을 그릴 수 있는 국가 는 많지 않다. 미국 주식시장이 장기간 상승할 수 있다는 것은 투자자 가 어느 시점에 들어가도 돈을 번다는 의미다. 고점에 들어가면 덜 벌 고 최저점에서 들어가면 좀 더 많이 벌 수 있는 차이일 뿐이다. 반면에 그림 3-18을 보면, 일본 니케이225지수는 이런 우상향 곡선이 아님을 알 수 있다. 1990년에 투자한 사람들은 아직도 본전을 회복하지 못하 고 있다. 말 그대로 '잃어버린 30년'이 된 셈이다.

그림 3-17. S&P500지수 추이(1932~2022년)

출처: 테마섹 리뷰

그림 3-18. 니케이225지수 추이(1970~2022년)

출처: 위키피디아

유동성이 끌어올린 시장

미국과 일본의 비교에서 알 수 있듯이 미국 주식시장은 세계 모든 나라의 주식시장과 다르다. 주가가 계속 올라가고 있다. 정말 놀랍다. 그 이유는 간단하다. 미국은 금융으로 먹고사는 나라다. 미국 사회의 이해관계는 모두 금융시장과 연결되어 있고 미국 국민들의 복지 수준도 주식시장과 크게 관련 있다. 한국의 국민연금에 해당하는 미국 연금 401K◆의 대부분이 주식시장에 투자되고 있기 때문이다. 그리고 대다수의 국민이 직접 투자보다 간접 투자를 하고 있는데, 주로 은행의 자산관리 서비스를 이용한다. 이들 역시 주로 주식시장에 투자한다. 따라서 미국 주식시장의 주요 투자자는 이들 기관 투자자이며, 다른 국가의 기관 투자자들도 안전 투자처로 미국 채권과 주식시장에 주로 투자한다. 전 세계 투자가가 늘 미국 주식에 호의적이기 때문에 미국 주식시장의 유동성은 걱정 안 해도 될 정도로 풍부하다. 미국 금융시장에 돈이 몰리는 이유다.

미국은 2008년 금융위기 당시에도 침체된 경기를 극복하고자 3조 달러라는 역사상 가장 많은 돈을 찍어 유동성을 확대했다. 그런데 3조 달러 전부가 기업으로 흘러 생산 효율성을 높이는 기술개발이 아닌,

---

◆ 미국의 연금 제도는 정부에서 제공하는 사회 보장 연금Social Security Benefit, 개인이 직접 가입하는 IRA와 고용주가 직원한테 제공하는 401K가 있다. 401K는 직원의 소득 중 연 1만 9,500달러(2021년 기준, 50세 이상 추가 6,500달러)까지 은되 연금으로 저축할 수 있다. 대부분의 회사에서 직원이 저축하는 금액 외에도 적게는 1%에서 많게는 6%까지의 직원 연 소득을 추가로 적립해준다.

자산시장으로 흘러갔다. 그렇게 많은 돈이 풀리면 금리가 떨어지고 돈의 가치가 하락한다. 돈의 가치 하락에 따른 손실을 피하려면 부동산이나 주식에 투자해야 한다. 실제로 그림 3-17에서 2008년 금융위기 이후 S&P500지수가 고공행진하는 것을 확인할 수 있다. 다시 말해 2008년 이후 미국의 주가는 돈으로 받쳐서 올라간 거라고 보면 된다.

지금의 미국 주식시장은 돈과 유동성이 떨어지면 올라갈 수 없는 구조다. 유동성으로 올라간 시장은 유동성이 축소되면 바로 죽는다. 그런데 미국은 코로나19 팬데믹이 닥치자 또다시 엄청난 돈을 시장에 풀었다. 이때 4조 달러 이상의 자금이 풀린 것으로 알려져 있다.

그림 3-19는 미국 윌셔5000지수W5000; Wilshire 5000 Total Market Full Cap Index*와 M2 비율을 조정한 지수의 추이를 나타낸 것으로 미국 주식시장이 돈을 풀어서 올라갔음을 보여주는 자료다. 파란색 그래프를 보면 미국 주식이 예쁜 모습으로 계속 우상향하는 모습이다. 미국 주식에 투자하지 않으면 안 될 것 같다는 생각이 들기도 한다. 그런데 회색 그래프와 함께 살펴보면 미국 주식의 숨겨진 본질이 나타난다. 우리는 여기서 2부에서 강조한 ROE를 떠올려야 한다. 주가 상승이 공급 측 개혁인 기술개혁에 의한 것인지 또는 수요 측 개혁인 유동성 확대(시장 수요 확대)로 인한 것인지를 구별할 줄 알아야 한다. 수요 측 개혁에서 큰 영향을 미치는 요소는 통화량인데, 파란색 그래프를 M2 통화로

---

* 윌셔5000지수는 모든 주가지수의 합집합으로 미국 증시 실상을 여과없이 드러낸다. 흔히 '총주식 시장지수'라고 불리는 윌셔5000지수는 가장 광범위한 주식시장지수다.

그림 3-19. 미국 윌셔5000지수와 M2 비율을 조정한 주가지수 추이

출처: FRED

나눈(조정한) 결과가 회색 그래프다. 그림 3-19에서 보듯 2008년 금융위기 당시의 윌셔5000지수를 M2 통화로 나눴더니 수직 낙하한 그래프가 만들어졌다. 이후 회색 그래프는 윌셔5000지수와 다르게 횡보했다. 이는 어떤 의미일까? 2008년부터 윌셔5000지수가 오른 이유는 기업의 생산성에서 기인한 게 아니라 시장에 푼 돈이 대부분 주식시장에 몰리면서 올라갔기 때문이다.

이런 흐름이 있었다는 걸 알면 미국 주식을 읽는 또 하나의 눈이 생겼다고 볼 수 있다. 그렇다면 머릿속에 투자 전략을 세워야 할 것이다.

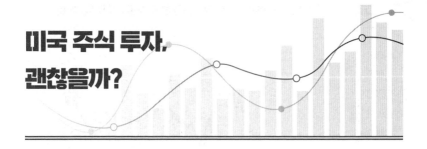

미국 주식 투자, 괜찮을까?

투자란 그 국가에 대한 베팅이라고 앞에서 말했다. 미국 주식에 투자한다는 것은 미국경제에 베팅하는 것이라고 볼 수 있다. 따라서 미국경제의 생산성이 어떻게 되는지를 봐야 하고 앞으로도 세계 초격차 경쟁력을 이어갈 수 있을지를 봐야 한다.

어떤 국가든 간에 부채를 활용한 경제, 그러니까 부채경제를 실행한다. 이는 개인들이 대출을 받아서 사업을 벌이거나 부동산을 구매하는 것과 같은 이치다. 만약 월급을 모아서 부동산을 구매하려면 10년 넘게 걸릴 수도 있다. 월급만 모아서 사업을 벌이는 것도 현실적으로 어렵다고 봐야 한다. 결국 남의 돈을 빌려서 투자하지 않으면 사업도,

부동산 구매도 힘들다.

국가도 마찬가지다.[**] 국채나 회사채를 발행해 자금을 모으고 이 돈을 기술성이 높은 산업에 투자함으로써 경제 성장을 실현할 수 있다. 따라서 한 국가의 생산성은 부채 대비 GDP 비율로 나타낼 수 있으며, 이 지표 하나로 한 국가의 경제를 파악한다고 해도 무리가 아니다.

$$\text{국가의 생산성} = \frac{\text{GDP}}{\text{DEBT(부채, 빚)}}$$

그림 3-20에서 보면 미국은 과거에는 1달러 부채로 만들 수 있는 생산성이 매우 높았다. 특히 1980년대 초반에는 생산성지수가 무려 32.68에 이르렀다. 즉 1달러를 투자해서 32달러가 넘는 가치를 만들어냈다는 뜻이다. 그러나 2020년에는 생산성지수가 7.86으로 1980년대 초 정점 대비 4분의 1도 안 되는 수준까지 떨어졌다. 다시 말해 미국경제가 최고로 좋았을 때가 1981년이었고 그 이후로는 계속 떨어졌음을 알 수 있다. 생산성지수 하락의 원인은 제조업의 탈미국화다. 미국 노동자의 월급이 급격하게 올라가고 노동법이 강화되면서 기업의 이윤이 떨어지자, 미국 자본은 인건비와 생산 비용이 저렴한 한

◆ 2022년 12월 기준 서울 PIR(소득 대비 집값 비율)은 11.9배다. 이는 지금의 국민 소득 수준으로 소득을 모두 쓰지 않고 서울에 집 1채 마련하는 데 12년 정도 걸린다는 의미다.

◆◆ 사실 부채는 경제학을 이해하기 위한 출발점이지 종착점이라고 할 정도로 중요하다. 언젠가는 부채 주제로만 책 1권을 쓸 생각이다.

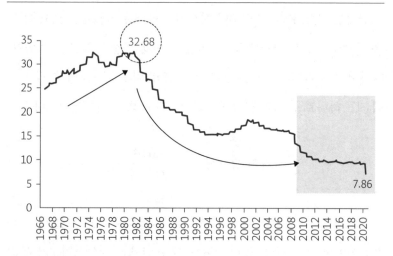

그림 3-20. 미국의 생산성지수(1966~2020년)

32.68

7.86

출처: FRED

국, 중국을 비롯해 동남아시아로 이전했다.* 한마디로 제조업의 공동화 현상이 벌어진 것이다.

그 결과 미국에서는 이른바 블루칼라로 불리는 노동자가 직업을 잃어 점점 소득이 줄어들었고 빈부격차는 확대되었다. 반대로 월가로 대표되는 미국 자본은 세계경제의 흐름 속에서 해외의 저렴한 생산 요소와 결합되어 이익이 훨씬 늘어났다. 미국 자본이 투자된 국가도 경제 성장률이 높아지고 국민 소득도 올라갔으며 벌어들인 막대한 외환

---

* 이는 '한강의 기적'으로 불리는 대한민국의 성공과 세계 공장으로써 G2로 올라선 중국의 성공이 탄생한 시대적 배경이 되었다.

보유액은 투자처를 찾아 다시 미국 금융시장에 흘러갔고 미국 주식시장은 세계화가 확대될수록 더 상승하는 결과로 이어졌다. 그 결과로 급기야 2011년에는 1%에 맞선 99% 월가 시위*가 일어났다. "우리는 미국의 최고 부자 1%에 저항하는 99% 미국인의 입장을 대변한다"는 2011년 9월 미국 경제 중심지인 뉴욕에서 시작된 '월가를 점령하라 Occupy Wall Street, OWS' 시위의 슬로건이다.

부자를 만드는 것은 금융자산

안유화독서투자클럽 강의를 준비하며 자료를 찾던 중 과거와 현재 미국인들의 자산 변화를 살펴볼 기회가 있었다. 짐작은 하고 있었지만, 부의 양극화가 시간이 지날수록 심해짐을 눈으로 확인했다.

앞에서 설명한 대로 1980년부터 미국은 제조 산업의 공동화 현상이 심화되었다. 이후 미국은 물건을 만들어 팔아 수익을 내는 제조업 중심의 경제 대신, 금융산업 중심으로 돌아가는 국가로 변해갔다. 기업가들이 미국 내에서 설비에 투자해 물건을 만들어 판매해봤자 한국, 중국 등의 국가에서 들어오는 제품에 비해 경쟁력이 없었고, 주식시장과 같은 금융자산에 투자하는 게 이익 남기기가 훨씬 쉽고 빨랐다. 그

◆ 2008년 발생한 리먼 브라더스 사태 발생 3년 후인 2011년에 빈부격차의 심화와 금융기관의 부도덕성에 반발해 월가에서 일어난 시위다. 사상 최대에 다다른 빈부격차에 따른 갈등으로 촉발되었다.

래서 미국인들의 소득과 삶의 중심에는 점점 금융이 크게 자리 잡게 되었다. 시대흐름이 글로벌 제조로 흘러가자 금융에 손을 댄 사람들의 부는 점점 커지는 반면, 제조업에 종사하던 미국 노동자들의 소득은 점점 줄어들었다. 미국에서 자산을 크게 불린 사람은 금융으로 대부분 부자가 되었다.

표 3-2에서 세전 소득의 증가율을 보면 1980년 이전까지 하위 50%의 소득 증가율은 102%이고 상위 0.001%의 증가율은 57%다. 그러나 1980년 이후 이 두 그룹의 소득 증가율의 차이는 급격하게 벌어졌는데, 하위 50%는 1%만 늘어났고 상위 0.001%의 소득 증가율은 636% 정도로 대폭 늘어났다.

표 3-2. 미국인 상위 0.001%와 하위 50%의 소득 증가율 변화

소득군	세전		세후	
	1946~1980	1980~2014	1946~1980	1980~2014
전체	95%	61%	95%	61%
하위 50%	102%	1%	130%	21%
상위 40%	105%	42%	98%	49%
상위 10%	79%	121%	69%	113%
상위 1%	47%	205%	58%	194%
상위 0.1%	54%	321%	104%	299%
상위 0.01%	75%	454%	201%	424%
상위 0.001%	57%	636%	163%	617%

출처: NBER

이는 미국만의 현상이 아니다. 전 세계 주요 국가 모두 금융으로 부를 만들어낸다. 기존의 제조업에만 매달린다면 부를 만들기 점점 힘들어졌기 때문이다. 앞으로 금융시장에 투자하는 사람과 투자하지 않는 사람의 빈부격차는 표 3-2에서 확인한 것처럼 점점 커질 것이다. 한국도 미국처럼 결국 금융에 투자하는 사람들은 자산을 지켜낼 수 있겠지만, 월급에만 의존해 살아가는 노동자는 점점 빈부격차가 커지면서 하층으로 밀려나게 될 것이다.* 결국 금융에 관심을 두고 투자해야 한다는 결론에 이른다. 100세 시대가 현실로 다가왔다. 편한 노후를 보내기 위한 여러분의 자산 불리기 전략은 무엇인가?

필자는 요즘 유행 중인 챗GPT에 엉뚱한 질문을 하나 던져봤다. '부를 창출하기 위한 수단이 무엇입니까?' '안유화 교수의 Pick'은 로봇이 대답한 내용이다. 100점까진 아니어도 그런대로 훌륭한 대답이었다.

챗GPT의 대답을 보며 앞으로 많은 사람이 일자리를 잃을 수도 있겠다는 생각이 든다. 대학의 조교 역할 정도는 정말 빠르게 무리 없이 수행한다. 챗GPT는 일을 지시해도 절대 화내는 법도 없다. 사람은 업무 스트레스를 받는데, 기계는 화를 낼 줄 모르니, 일을 많이 시켜도 마음이 편하다.

---

* 중국, 베트남, 인도 등의 노동력 가성비가 점점 좋아지면서 비싼 한국 노동력의 경쟁력은 줄어들고 있다. 특히 중국의 생산 제조기술의 향상으로 한국산 가성비를 뛰어넘어, 많이 대체해버리고 있다. 이는 한국 제조업의 경쟁력이 중국과 비교해 많이 약화되고 있다는 것을 뜻하며, 제조업에 종사하던 한국 노동자들의 미래가 매우 암울하다는 의미와 같다. 미국 블루칼라들의 운명이 우리 한국 노동자들의 앞에 놓여 있다. 이런 흐름을 더욱 가속화한 것은 챗GPT와 같은 생성형 AI의 출현이다. 이제는 긴꼬로 로봇이 인간의 일자리 상당 부분을 대체하는 시대가 왔다.

챗GPT는 AI 언어 모델로, 부의 창출에 대한 구체적인 조언을 제공하지는 않습니다. 그러나 부의 창출에 대한 일반적인 개념을 이해하는 데 도움이 되는 정보와 조언을 제공해드릴 수 있습니다.

1. 지식과 정보 습득: 부의 창출에 대한 지식과 정보를 습득하는 것은 매우 중요합니다. 챗GPT로 관련 지식 등을 습득하고, 효율적인 투자 방법이나 비즈니스 아이디어를 찾아볼 수 있습니다.

2. 창업 아이디어 발굴: 챗GPT로 창업 아이디어를 발굴할 수도 있습니다. 이를 위해서는 자신의 강점과 흥미, 시장 동향 등을 분석해 새로운 아이디어를 고안하고, 구체적인 계획을 수립하는 게 중요합니다.

3. 투자 및 자산관리: 부의 창출에는 효율적인 투자와 자산관리가 필요합니다. 챗GPT로 경제 뉴스나 투자 전략 등을 파악하고, 자산 운용 전략을 구상하는 게 도움이 될 수 있습니다.

4. 성공 사례 분석: 부의 창출에 성공한 사람들의 경험과 노하우를 배울 수도 있습니다. 챗GPT로 부자들의 경험을 조사하고, 그들이 성공한 비즈니스 모델이나 투자 전략 등을 분석하는 데 도움이 될 수 있습니다. 하지만 부의 창출은 단순한 지식과 정보 습득으로만 이뤄지는 것이 아니며, 부의 창출 또한 모두에게 보장되지 않기 때문에 현명한 투자와 적극적인 노력이 필요합니다.

챗GPT 사례가 자극적인 이야기처럼 들리겠지만, 노동으로 돈 벌던 시대가 끝났다는 건 로봇도 아는 사실이다. 그러니까 바뀐 흐름에 올라타야 한다. 상위 1% 자산가는 대부분 금융 소득으로 돈을 번다. 특히 지금처럼 돈을 헬리콥터로 뿌리는 경제하에서 인플레이션으로 나의 소득이 줄어들지 않으려면 인플레이션을 헤지하는 금융자산을 갖고 있어야 한다. 뿌린 돈은 결국 자산을 보유한 사람에게 가게 되어 있기 때문이다.

예를 들어 미국 정부가 지난 코로나19 팬데믹 기간에 재난 지원금 형태로 국민들에게 지급한 금액도 결국 금융자산 소득자에게 다시 들어간다. 다시 말해 미국정부가 자국민에게 인당 3,000달러를 지급했는데, 이것을 받은 국민이 이 돈으로 부동산 월세를 지불한다고 가정하면 결국 이 돈은 해당 부동산 소유자의 호주머니에 들어간다는 말이다. 지원금은 그 국민의 손을 그냥 거쳐 갔을 뿐이다. 이런 의미에서 코로나19 팬데믹 기간에 푼 유동성 4조 달러는 거의 금융자산에 들어갔다고 보면 된다. 이것이 바로 미국 금융자산 시장이 고공행진한 이유이기도 하다.

세계화, 경제 성장, 통화 유동성 폭증은 부의 양극화를 확대시키고 있다. 과거에는 모두가 같은 출발점에서 출발했고, 단지 누가 먼저 출발 준비를 하느냐의 문제였다. 그러나 지금은 뒤처진 사람들, 특히 저소득층이 출발 준비가 가능하냐의 문제다. 특히 우려되는 것은 중산층이 무너지고 있으며, 소득 수준이 상향이 아닌 하향으로 분화되고 있다는 점이다. 최근 3년 동안 많은 돈이 주식시장으로 향했다. 특히 기술주 위주의 나스닥은 다시 최고가 기록을 세우면서 시중의 자금들이 추종하고 있다. 자금 유동성 총량이 제한된 상황에서 일반 투자자들의 투자행위는 군중심리에 의한 쏠림행위를 보이며, 이는 위험선호도에 따라 결정된다. 만약 투자자 모두가 혁신에 베팅해야 한다면, 미래 성장성이 기대되는 기술주에 많이 투자할 것이다. 기술굴기가 핵심 어젠다인 중국의 미래 주식시장은 국유기업의 굴기 및 커창판기술기업 중심으로 기회가 생길 것이다.

THE FLOW

중국을 알면
시대흐름 파악이 쉽다

THE FLOW

THE FLOW

Intro

중국은 1978년 개혁·개방을 선언하고 1979년 미국과 수교를 했다. 이는 중국이 국제 사회의 일원이 되는 티켓을 확보한 것과 같다. 그러나 본격적인 글로벌 공급망에 들어간 시기는 2001년 WTO 가입 이후부터다. 중국은 값싼 노동력을 내세워 세계 생산공장 역할을 했고, 전 세계 제조업이 중국으로 몰려갔다. 이것이 중국이 20년간 고속으로 성장할 수 있었던 이유다. 그러나 최근 코로나19 팬데믹을 겪으며 성장이 주춤했던 중국경제가 저점을 찍고 미·중 갈등이 확산되는 시점에서 2023년 3월에 3기 집권에 성공한 시진핑정부는 풀어가야 할 과제가 많다.

중국의 미래를 전망할 때 곤혹스러울 때가 있다. 한국에서 오랫동안 거주해온 저자는 자타칭 중국 전문가라고 불리지만, 중국에 대한 서방세계의 부정적인 평가에 영향을 받게 됨을 느낀다. 심지어 그것이 마치 전부인 것처럼 중국의 미래에 대해 확정된 답을 내리려고 시도할 때도 있다. 최근 중국의 코로나19 팬데믹 방역 조치가 끝나면서 3년 만에 중국을 여러 번 다녀오게 되었는데, 그때마다 많은 중국 현지 기업인 및 정부관료와 교류하는 시간을 가지면서 필자의 이런 결론이나 주장이 얼마나 '오만한 행위'였는지를 반성하곤 한다. 그리고 과연 필자가 '중국경제를 객관적이고 논리적으로 풀어갈 수 있을까'하는 생각을 한다. 전문가로서의 발언과 주장이 오히려 중국을 보는 사람들을 헷갈리게 하지 않는지, 과연 '진짜 중국'을 내가 객관적으로 전달할 수 있을지, 그리고 중국을 과연 하나의 논리로 풀어갈 수 있을지에 우려가 있다. 내공을 좀 더 키워서 '진짜 중국'을 필자의 논리로만 풀 수 있는 그날을 기약하면서 조심스럽게 4부에서 저자의 중국경제 이해를 담아본다.

지난 70년간의 중국 개혁·개방의 길 – 덩샤오핑의 '흑묘백묘이론'

지난 70년간 중국이 진행해온 경제 정책의 결정을 알아보는 것도 좋은 정치경제학 공부가 된다. 현재 중국 시진핑 주석은 전례를 깨고 2023년에 3연임을 확정지으며 장기집권 체제를 만들었다. 전례없는 시진핑의 3연임을 이해하고 중국경제가 앞으로 어떻게 흘러갈지 전망하려면 지난 시절 중국이 어떤 경제 정책을 펼쳐왔는지를 아는 게 중요하다.

1949년, 마오쩌둥이 이끄는 중국공산당은 장제스가 이끄는 국민당과 장기간의 내전 끝에 승리해 사회주의 중화인민공화국 체제를 만들었다. 전 인구의 90%가 농업에 종사하던 중국은 주로 구소련의 국제 사회주의 경제 정책을 참조해 시작하게 되었다.[*] 마오쩌둥은 '모두가 잘살자!'는 구호 아래 공부론共富論을 펼쳤는데, '대약진 운동'을 비롯한 마오쩌둥의 정책은 수많은 아사자를 남기면서 실패로 역사에 기록되었다. 또 마오쩌둥이 자신의 권력 약화를 강화하려고 실시했던 '문화대혁명'도 중국경제에 치명적인 타격을 안겼다.

대약진운동 실패, 문화대혁명 사건 여파로 중국 공산당이 분열하는 모습을 보이자 덩샤오핑이 수습에 나섰고, 경제 캐치프레이즈로 '선부론'을 내세웠다. 모두가 잘살 수 없는 구조와 형편이라면, 우선 일부라도 잘살도록 해야 한다는 것이 덩샤오핑의 생각이었다. 그는 1978년 굳게 걸어두었던 중국경제를 개방과 개혁이라는 이름으로 세계에 개방했고, 유명한 '흑묘백묘이론黑猫白猫論'을 남겼다. 이 이론은 1980년대 후반에 덩샤오핑에 의해 제안되었으며, 이는 아주 실리적인 경제이론으로 이념을 강조하기 이전에 수단과 방법을 가리지 말고 먼저 잘살아야 한다는 뜻이다. '모로 가나 기어가나 서울만 가면 그만이다'의 속담과 일맥상통한 것으로 일을 성취하는 데 있어서 과정보다는 결과만 좋으면 된다는 뜻이다.

검은 고양이든 흰 고양이든 쥐만 잘 잡으면 된다는 '흑묘백묘이론'

---

[*] 중국은 소련을 모방한 국가 정책을 따르는 소위 '소련 일변도' 정책을 추구했다. 그러나 흐루시초프가 등장하면서 상황이 달라지기 시작했다. 흐루시초프는 제20차 당대회에서 스탈린을 비판했고, 미국과는 우호적인 관계를 맺으려 했다. 그간 소련을 따르던 중국은 충격을 받았다. 소련에 의지하던 중국은 친략 수정이 불가피했다. 결국 미오쩌둥은 '자력갱생' 건략을 앞세워 중국 공산당 체계를 굳건히 만들기 위한 '대약진 운동'을 실시했다.

은 '흑묘'와 '백묘'라는 두 가지 색상의 고양이를 비유적으로 사용해 중국의 경제개혁 방향을 설명하고 있다. '백묘'는 중앙집권적인 계획경제체제를 나타내며, '흑묘'는 시장기반의 경제체제를 나타낸다. 덩샤오핑의 '흑묘백묘이론'은 재치있고 간결하게 또는 교묘하게 변화하는 현실의 복잡성을 단순하게 표현한 것으로, 사회적 모순에 대한 진단서와 같은 역할을 했다.

덩샤오핑은 이념적인 논쟁을 벌이는 것은 시기를 놓칠 수 있으며 발전 기회를 놓칠 수 있다고 생각했다. 허황된 논쟁은 아무런 도움이 되지 않으며 진리는 실천을 통해 검증되어야 한다고 주장했다. 대담하게 실천하고, 대담하게 시도하되, 결론을 내리지 말고 일단 실행해야 한다는 것이 덩샤오핑의 주장이다.

1978년 11차 3중전회(11차 중앙위원회 3차 전체회의) 이후, 정치사상 노선의 변화와 함께 '흑묘백묘이론'은 중국이 사회업무의 중심을 경제발전으로 옮기는 하나의 이론적인 기반이 되었다. 이후 이 이론은 중국 전체 개혁·개방 과정에서 전 국민의 잠재력을 끌어내어 도시와 시골 지역에서 중소기업, 경제특구, 민영경제, 금융 등 여러 분야에서 획기적인 변화를 가져왔다. 이러한 변화로 1980년 말에 발표된 통계에 따르면, 기존 인민공사체제에 있는 지역은 생산량이 증가하지 않았지만, 농촌 단위 도급제 개혁지역의 생산량은 10~20%, 농가 단위 도급제 개혁지역의 생산량은 30~50% 증가했다.

2004년 영국 런던 외교 정책 센터에서 조슈아 쿠퍼 라모가 발표한 「베이징 공감」이라는 논문에서, 중국의 부상기반을 마련한 덩샤오핑의 "검은 고양이, 흰 고양이 상관없이 쥐를 잡으면 좋은 고양이"라는 말이 언급되었다. 이 논문에서는 '흑묘백묘이론'이 20여 년간 중국의 급속한 발전을 열어갔으며, 4억 명의 극빈 인구를 빈곤에서 탈출시키며 국력을 강화해 전 세계가 무시할 수 없는 대국으로 성장했음을 강조하고 있다. 즉 이러한 발전은 '흑묘백묘이론'이 강조하는 실천정신에서 출발해 실제로 개혁의 성과를 경험하며 얻어진 것임을 말하고 있다.

타임지 표면에 실린 덩샤오핑 　안유화 교수의 Pick

개혁·개방 초기에는 사람들의 사고가 굳어져 있어 두려움에 떨며 앞으로 나아가지 못하는 상황이 있었다. 중국인들에게 형성된 습관적 사고는 모든 문제를 사회주의인지 자본주의인지, 노동자 계급 사상인지 자본가 계급 사상인지 묻게끔 했다. 만약 '자본주의'나 '자본가 계급 사상'으로 판단되면 비판하고 부정해야 했다. 이러한 습관적 사고가 계속 지배적인 위치에 있으면 어떤 새로운 개혁과 개방조치도 전혀 시행될 수 없게 되는 것이다.

덩샤오핑의 '흑묘백묘이론'은 모든 것은 교리상으로 물어봐야 한다는 중국인의 사고습관을 바꾸었다. 이 이론은 문제를 생각하고 일을 처리할 때 실제 상황에서 출발해야 한다는 것을 알려주며, 규제와 제한없이 생산력을 발전시키고 국가의 종합적인 실력을 강화하며 인민의 생활수준을 향상하는 것이 실제 상황에서 출발해야 한다는 것을 말해줬다. '흑묘백묘이론'은 사회주의는 실천으로 이뤄지며, 말만으로는 이룰 수 없다는 실천정신을 강조했다. 이런 실천정신은 현대 창업자 정주영 회장의 "이봐, 해봤어"와 같은 맥락이다. '흑묘백묘이론'은 중국인들의 사고 및 문화개방의 문을 열어주고, 중국의 사회안정과 경제 발전을 보장해, 개혁과 개방의 위대한 성과를 거둘수 있는 인식의 기반을 마련해줬다.

1986년 1월 6일, 덩샤오핑이 다시 타임지의 연간 인물로 선정되었으며, 흑묘백묘론의 유명한 문구인 "검은 고양이, 흰 고양이 상관없이 쥐를 잡으면 좋은 고양이"라는 문구가 타임지에 인용되어 '흑묘백묘이론'이 전 세계에 알려졌다.

그러나 지금의 시점에서 이 이론은 어떤 의미에서 보면 많은 사회적 논쟁이 일어날 수 있는 표현이다. 이 말을 한 덩샤오핑에 대해 지금에 와서 평가하자면 왠지 조조식 영웅에 가깝고 유비식 인재가 아님을 알 수 있다. 이는 인성이나 배려 및 양보 등의 어떤 사회적 가치나 지켜져야 할 이념이 빠진 표현으로서 당시의 중국의 절박한 상황에서, 다시 말해 인민들이 당면한 생활고 문제를 해결함에 있어서 가장 효율적인 정경 분리 정책으로 중국식 사회주의를 탄생시켰다. 그러나 한편으로는 오늘날 중국에 대해 서방 세계가 늘 인류의 보편적 가치를 잣대로 제멋대로 재단하게 하는 빌미를 주게 된 계기가 되었을지도 모른다.

덩샤오핑은 경제 분야에 그치지 않고 정치를 제외한 사회와 문화 등 중국인 실생활에 영향을 주는 분야에서 개방과 개혁을 시도한 지도

자였고, 지금도 긍정적인 평가를 받는다. 수단과 방법을 안 가리고 누구든지 잘살도록 노력하자는 등소평의 선부론을 실시한 지 약 40년이 지나자 역효과도 나타났다. 바로 빈부격차다. 모두가 평등해야 한다는 사회주의 노선을 선택한 중국에서 빈부격차가 나타났다는 사실이 조금은 아이러니하다. 이런 상황을 어떻게 이해해야 좋을까?

빈부격차는 지니계수 수치로 가늠하는데, 전체 인구의 소득분배 상황이 균등할수록 0에 가깝고 숫자가 올라갈수록 소득이 불평등하다는 신호로 해석한다. 전문가들은 지니계수가 0.5 이상이면 폭동이 발생

그림 4-1. 중국의 지난 70년 경제 정책과 GDP 성장률 추이

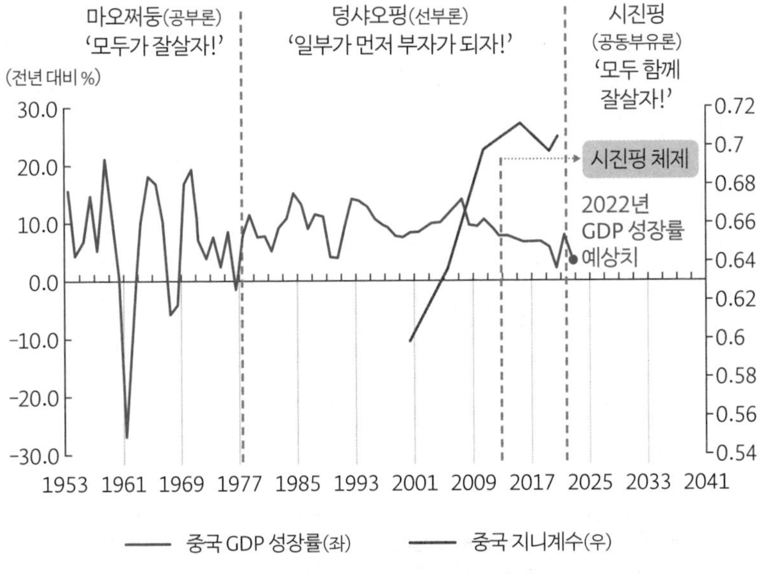

출처: 블룸버그, CEIC, 하이투자증권리서치센터

할 수 있는 위험 수치로 간주한다. 그림 4-1에서 보듯 덩샤오핑의 개혁·개방 정책의 연착륙과 더불어 2001년 WTO 가입 이후 빠르게 성장한 중국에서는 빈부격차가 벌어지기 시작했다. 2022년 현재 중국은 지니계수가 0.5를 크게 넘어서 0.7에 근접한 모습이다. 이는 빈부격차 문제가 중국의 사회안정에 위협을 줄 만한 수준이란 뜻이다.ᐧ 시진핑정부에 와서 빈부격차 문제가 중국경제에서 해소해야 할 주요 이슈 중 하나가 되었다.

ᐧ 중국의 지니계수를 추정하는 기관마다 조금씩 예측값이 다르다. 사실 중국 통계국은 2018년 이후부터 지니계수를 발표하지 않는다. 그나마 2018년 자료가 마지막이다. 2018년에 발표한 지니계수는 0.491로 세계에서 가장 높은 수치를 기록했다. 참고로 중국과 같은 해인 2018년 미국의 지니계수는 0.41로 나타났다. 이는 미국이 서방 세계에서 지니계수가 가장 높은 나라임을 알려준다.

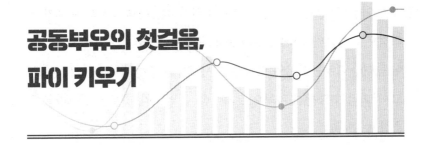

공동부유의 첫걸음,
파이 키우기

한 국가의 연간 경제 성장률이 1%라고 하면 연간 사회적 부는 1% 증가한다. 부의 분배 과정이 고르면 사회 전체의 소비력은 1% 가까이 증가한다. 사회적 수요의 1% 증가는 동일한 생산 효율성 가정하에서 1%의 고용 증가로 이어진다. 고용 인구가 계속 증가할 수 있다면 고용 문제는 없을 것이다. 그러나 높은 인구 성장률을 자랑하는 국가도 노동력의 연간 성장률 1%를 달성하기란 쉽지 않다.

중국은 이미 고령화 국가다. 1%의 고용 증가율이 필요 없다. 따라서 6% 경제 성장률 보장해야 하는 논리가 꼭 고용을 보장하는 것과는 직접적인 관계가 높지 않다. 여기서 가장 근본적인 핵심문제는 분배의 공평 여부에 있다. 고용을 보장하기 위해서는 사회적 부의 분배가 상대적으로 균등해야 하며, 부의 분배가 심하게 불균등하면 경제 성장률이 높더라도 부는 극소수의 부유한 사람들의 주머니에만 들어갈 수 있고, 사회적 수요를 효과적으로 자극할 수 없으며, 충분한 일자리를 창출할 수 없다.

일반적으로 국면경제의 총체적 수준은 GDP 규모 및 그 성장률로 측정되지만 이는 국민소득의 실질적인 증가를 나타낼 수 없다는 단점이 있다. 이를 보완할 수 있는 지표 중 하나가 바로 1인당 가처분소득에 전체 인구수를 곱한 값을 GDP로 나누는 것이다. 2019년 중국의 해당 비율은 44.7%로 미국의 83.4%, 인도의 76.9%, 독일의 60.7%보다 훨씬 낮고 세계 평균 값인 60%에 비해서도 많이 떨어진다. 다시 말해 중국 국민의 가처분소득은 GDP 세계 2위라는 지위와 어울리지 않게 세계 평균 수준에도 못 미침을 말한다.

2013년 중국 주석에 오른 시진핑은 2015년부터 '공동부유론'을 천명하고 나섰다. 공동부유는 말 그대로 '같이 잘살자'라는 뜻으로, 2021년 8월 17일 열린 공산당 제10차 중앙재경위원회 회의에서 시진핑 주석이 이를 강조하면서 중국의 최대 화두로 다시 등장했다. 시진핑 주석은 "공동부유는 사회주의 본질적인 요구이자 중국식 현대화의 중요

◆ 그동안 각 지방정부는 6% 경제 성장률을 우선시해 과도한 부채를 일으키고 부동산 개발로 경제안정 발전을 유지해왔다. 그러나 중국 제2 부동산그룹 헝다 파산위기를 계기로 부동산경제 폭락과 중국경제의 경착륙 우려가 확산되고 있다. 즉 중국은 과잉부채, 과잉건설 및 과잉생산에 대한 대가를 치러야 할 시점에 서 있다.

한 특징"이라고 밝혔다.

사실 '공동부유'는 전 세계 각국이 보편적으로 직면하고 있는 가장 큰 문제로 경제의 지속가능한 발전과 국민 삶의 질적 향상에 큰 영향을 주는 문제다. 다시 말해 '공동부유'는 인류에게 주어진 장기적인 과제다.

중국공산당 19기 5중전회는 2035년 공동부유 실현목표에 대해 '중등소득층이 현저히 확대되고 기본적인 공공서비스가 균등하게 보급되어 도시와 농촌지역의 발전격차를 줄이고 주민들의 생활수준 차이를 현저하게 축소하는 것'이라고 제시했다. 한마디로 현 단계에서의 중국정부의 목표는 지역 간, 소득계층 간의 빈부격차를 줄이는 것이다. 중국의 지니계수는 1990년 말부터 상승했으며, 중간에 약간 떨어질 때도 있었지만 평균 0.46의 높은 위치에 머물러 있다. 이는 일본의 지니계수가 장기적으로 평균 0.35 정도를 유지한 것에 비해 현저히 높은 수치다.

그러면 모든 사람이 함께 잘 사는 방향으로 가자는 '공동부유' 정책이 과거 덩샤오핑의 선부론과 다른 점이 무엇일까? 과거에는 무작정 파이 키우기에만 치중했다면, 시진핑의 공동부유론은 파이 나누기도 동시에 진행한다는 것이 큰 차별점이다. 파이 나누기를 위해서는 파이 키우기가 선행되어야 한다. 하지만 지금의 빈부격차 상황에서 파이 나누기를 고려하지 않으면 사회안정의 문제가 대두될 위험이 있다. 이에 대해 시진핑 주석과 중국 중앙재경판공실부주임(장관급 인사) 한원슈의 말을 소개하면 다음과 같다.

발전 성과는 인민이 공유하고, 모든 인민이 함께

부유해지는 방향으로 안정적으로 전진해야 한다.

– 시진핑 주석

'공동부유'는 파이 키우기와 파이 나누기 두 가지를 모두 잘하자는 의미다.

부자를 죽여 가난을 구제하자는 이야기가 아니다.

– 한원슈 중앙재경판공실부주임

　중국경제에서 중요하게 다뤄야 할 것은 성장보다 분배다. 사회적 소득 불평등이 심화되면 경제 성장률이 높아도 실효적인 사회적 수요와 일자리가 지속적으로 창출되지 않아 경제를 견인하기 위해 수출에 과도하게 의존하게 된다. 의존도가 높아지면 수출경기가 침체될 때 실업으로 인한 문제가 즉시 악화된다.

중국의 빈부격차 원인

중국은 1인당 연 소득이 2만 5,000달러 이상인 인구가 1억 명을 넘어가지만, 월 소득이 1,000위안(약 17만 원)이 안 되는 인구가 6억 명이나 된다.* 중국은 아직 갈 길이 멀었음을 방증하기도 한다. 부자와 가난한 사람의 격차가 심화하는 원인은 무엇일까?

　첫째는 공공기관의 청렴 여부다. 각 나라에서 권력은 사회적 부의 분배 과정에 영향을 미치거나 심지어 직접적으로 결정할 수도 있다. 권력자들이 사회지위를 이용해 빠르게 부를 모으면 사회의 빈부격차가 더 커지게 된다. 건전한 법치 사회가 구축되지 않으면 합리적인 사회적 부의 분배 시스템이 구축되지 않고, 실질적인 내수시장이 구축되지 않게 되고, 지속적으로 일자리가 창출되지 않게 된다. 중국은 국유기업의 정경유착으로 민간기업은 토지, 자본 및 노동력 등 생산요소 확보에서 이미 국유기업에 비해 크게 비용면에서 격차가 커져 시장경쟁에서 밀릴 수밖에 없다. 이는 전체 노동력의 80% 일자리를 제공하는 민간기업의 수익성 하락으로 이어져 국유기업에 종사하는자와 아닌자의 빈부격차가 점점 커질 수밖에 없는 큰 제도적 원인이 된다.

둘째는 경제 분야(사회공공부문 일부 제외)의 독점이다. 과도한 독점이 이뤄질 경우 독점기업이 빠르게 부를 축적할 수 있기 때문에 사회적 부의 합리적인 분배 메커니즘을 구축할 수 없게 된다. 중국의 빅테크 기업과 중앙급 국유기업들이 자원의 독점을 오랫동안 유지해 온 것이 중국 사회의 빈부격차가 큰 원인이 되었다.

셋째는 자산 가격 거품이다. 자산 가격 거품은 사회적 부의 재분배에 중요한 역할을 한다. 예를 들어 사람들이 집을 사기 위해 10년 이상 또는 수십 년 이상의 소득을 지출하면 10년 이상의 노동의 결실은 소

◆ 리커창 전 총리는 2020년 5월 28일 전국인민대표대회 연례회의 폐막 기자회견에서 "중국의 1인당 연간 평균소득은 3만 위안(약 519만 원)에 달하지만 6억 명의 월수입은 1,000위안밖에 안 된다"라고 말했다. 리 총리는 1,000위안으로는 중간규모 도시(인구 50만~100만 명)에서 집세글 내기조차 어렵다고 했다.

수의 사람들의 주머니로 들어가고 반대로 대부분의 주민들이 기본적으로 10년의 소비력을 잃게 된다. 중국의 부동산 자산 가격의 장기간의 고공행진은 중국인들간의 빈부격차를 결정하는 큰 요인이 되었다.

그러므로 중국뿐만 아니라 세계 각국은 위에서 언급한 문제를 해결해야만 사회적 부의 불합리한 분배문제를 근본적으로 해결하고 실제 내수시장을 구축하며 안정적인 고용을 달성할 수 있다.

가계부문 소비율이 낮은 중국 — 안유화 교수의 View

일반적으로 한 국가의 경제는 초기에는 투자에 의존하지만 장기로 갈수록 소비에 의존한다. 지금까지 중국경제는 오랜 기간 투자중심으로 성장해왔다. 그러나 세계경제의 성장이 주로 소비에 달려 있듯이 중국경제 전환 목표도 투자주도형경제에서 소비주도형으로 옮겨갔다. 2020년 중국의 최종 소비는 GDP의 54.3%, 자본 투자는 43.1%다. 코로나19 팬데믹의 영향으로 2020년 중국의 소매판매가 마이너스 성장을 하게 되었지만 2011년부터 2019년까지 최종 소비는 중국 GDP의 평균 53.4%를 차지했다.

중국의 최종 소비를 정부, 기업, 국민부문으로 분해한다면 국민부문에서 중국과 다른 국가 간의 격차는 더욱 뚜렷할 것이다. 예를 들어 2019년 중국 국민의 소비율은 39%에 불과하지만 인도 국민의 소비율은 60%, 베트남 국민의 소비율은 68%다. 중국 국민의 소비율이 다른 주요국가들과 비교해 많이 낮다. 반대로 국민저축율이 상대적으로 높다고 말할 수 있다. 국민저축율은 정부저축율과 기업저축율 및 가계부문 저축율을 합한 값에 GDP로 나눈 값이다. 2017년 중국의 국민저축율은 47%로 세계평균 26.5%보다 훨씬 높다. 저축율이 높다는 것은 투자규모가 크고 소비규모가 상대적으로 적다는 것을 의미한다.

중국의 국민저축율은 2000년의 35.6%에서 2008년의 51.8%로 16.2% 증가했다. 이는 중국의 부동산 투자 증가와 관련이 크다. 중국 가계 자산분배구조를 보면 과거 가전, TV, 에어컨과 같은 내구소비재에서 주택 구입으로 바뀌었다. OECD 국가 중 2016년 기준 국민저축율이 가장 높은 나라는 스위스 18.79%, 스웨덴 16.02%, 멕시코 14.5%로 집계되었다. 당시 중국의 주민저축율은 36.1%나 된다.

국민저축율의 고점은 2010년이며 이는 부동산 투자의 고점과 맞물려 나타났으며, 가계소비율이 34.63%로 하락한 저점과도 일치한다. 이 시점은 중국 GDP 성장률의 고점이기도 하다. 중국 GDP 성장률은 2010년 이후 10년 연속 하락세를 보이고 있다. 지난 20년 이어진 부동산 강세장 속에서 국민간 소득격차가 지속적으로 벌여져왔으며 이는 중국 빈부격차 주된 원인이 되었다.

따라서 중국정부는 과거의 부동산 정책을 반성하고 현재 주택이 투기용이 아닌 주거용이 되도록 부동산 정책을 전환하고 있다. 최근 몇 년간 국민소비율이 상승했지만 이는 소비주도형경제로의 전환의 영향이라고 할 수 있다. 그러나 사실 저축률 감소에 따른 투자 증가율이 하락하면서 소비율이 상대적으로 상승하는 소극적인 요인이 더 컸다고 할 수 있다.

대부분의 학자는 높은 저축율의 원인으로 중국의 사회보장제도의 보장이 충분하지 않고 교육, 의료, 연금에 대한 보장이 충분하지 않아 중국 국민들이 소비하지 못하거나 과감하게 소비를 하지 못하고 있기 때문이라고 해석한다. 일정부분 맞는 이야기지만 그보다도 가계소득 혹은 자산축적의 구조적 요인도 들여다봐야 한다.

모 은행의 소수 최고순자산 고객의 AUM(자산관리 규모)은 전체 은행의 80%를 차지하는 것으로 나타났다. 한마디로 중국 국민의 소비율이 세계 평균을 크게 밑도는 원인은 중국인들의 특유의 검소함과 투자선호라는 전통적 가치관 외에 주민소득격차가 큰 것과 연관이 크다. 일반적으로 소득이 낮을수록 한계소비 성향이 높고 소비여력은 작다. 즉 중·저소득층은 소비성향이 높고 고소득층은 반대다. 따라서 중·저소득층의 소득증가속도가 높아져야만 중국 소비가 크게 늘어날 수 있다. 중국통계국에 따르면 지난 5년간 중국 가계부문 고소득층의 가처분소득은 누적 성장율 35%를 기록한 반면 중위소득은 25% 증가에 그쳐 소득격차는 여전히 확대되고 있다.

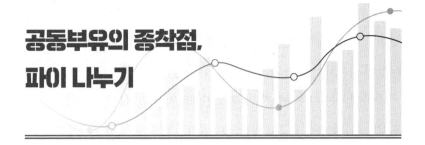

공동부유의 종착점,
파이 나누기

어떤 국가든 경제가 성장하면 자국민에게 성장을 배분한다. 1차, 2차, 3차 분배 형식으로 국가의 성장을 나눈다. 1차 분배는 여러분이 다달이 받는 임금소득이라고 생각하면 된다. 만약 여러분의 회사가 장사가 잘되어 돈을 많이 벌었다면, 응당 임금도 올라갈 것이다. 이렇듯 경제 발전을 통해 소득증대를 이뤄내는 것이 중요하다. 2차 배분은 세금 징수다. 이전지급과 같은 재분배 영역을 말한다. 국가가 세금을 거둬 이를 다시 자국민에게 돌려주는 방법으로 파이를 나누는 것이다. 세금을 많이 내는 사람의 부는 세금 지원을 많이 받는 사람에게로 이전된다. 3차 분배는 기부다. 미국은 워런 버핏 같은 부자가 자신이 창출한 부를 자녀에게 주지 않고 사회로 환원한다. 이런 기부문화가 미국에서는 보편적으로 자리 잡았다. 만약 자녀에게 재산을 물려주면, 거의 절반 이상이 상속세로 부과되어 국가에 들어간다.

중국에서는 기부문화가 아직 보편화되지 않았다. 즉 3차 배분이 거의 없는 실정이다. 1, 2차 배분으로 국가가 파이 나누기를 대부분 완료한다. 세금을 걷어 이를 다시 국민에게 합리적으로 나눠야 하지만, 속사정을 자세히 들여다보면 중국은 세금 부과와 추징에 허점이 많다.♦ 대표적인 것이 부동산세 도입이다. 10년 넘게 도입을 검토하고 있지만 지금까지도 미결상태다.

현재 중국 사회에는 기업가들과 공무원들 중심으로 기부문화가 확산되고 있다. 이는 정부가 강조한 3차 분배 영역에 속한다. 그러나 사실 3차 분배를 통한 소득격차 해소는 현실성이 떨어지며 1차 분배 확대는 여전히 가장 중요한 소득증가의 원천이며 근본적으로 소득 격차를 줄이는 방법이다.

빈부격차를 해소하려면 중국은 우선 1차 분배 영역에서의 산업 간 이익 분배구조를 변화시켜야 한다. 실제로 중국에서는 일부 산업에서 소수기업의 시장 점유율이 지나치게 높아 이익의 대부분을 가져가고 있으며 이는 소득격차 원인 중 하나다. 2021년 2월 국무원 반독점위원회는 '플랫폼경제에 관한 반독점 가이드라인'을 발간해 플랫폼경제

♦ 놀라운 사실은 중국에서는 집을 100채 소유해도 세금을 거의 안 낸다. 이쯤 되면 중국이 부동산 투자자의 천국으로 불릴 만하다. 그 밖에 금융 소득 세금이나 자녀에게 자산을 물려줄 때 물리는 상속세도 없다.

의 시장지위 남용 등 독점행위에 대한 제재, 법집행 등 일련의 이슈를 처음으로 명시한 것도 사실상 1차 분배의 공평성을 위한 노력의 일환이다.

다음 정부의 정책방향이 1차 분배에 미치는 영향도 매우 크다. 예를 들면 중국정부의 안정성장 목표 아래 재정 정책은 장기적으로 적극적인 스탠스를 유지해왔고, 통화 정책은 온건하지만 M2 확장속도가 장기적으로 두 자릿수를 이어왔다. 그 결과 중국의 GDP 규모가 커지면서 세계경제에서의 비중도 커졌지만, 주로 금융과 부동산 영역의 시장 참여자들이 다른 산업 종사자들보다 월등히 높은 소득을 가져가는 결과를 낳았다. 2020년 기준 중국의 38개 상장은행의 이익이 전체 A주 상장이익의 42%를 차지하고 있다.

마지막으로 3차 분배와 관련해서 많이 권장해야 하지만 3차 분배만으로 공동부유의 목표를 실현한다는 것은 말이 되지 않는다. 미국은 자선기부 규모가 세계 최고수준이지만 2018년 기준 미국의 지니계수가 0.485에 이를 정도로 빈부격차가 심하다. 부의 양극화에 대한 세계 각국 정부의 대응방법은 일반적으로 조세정책 조정과 UBI(Universal Basic Income(전 국민 기본소득 보장) 실시다. 전혀 능력이 없는 사람들을 사회적으로 구제하고 빈곤을 퇴치하는 것이 바로 UBI를 의미한다. 그러나 정부의 '부의 양극화' 대응책은 효율성과 공평 사이에서 균형을 찾을 수 있어야 한다. 이는 전 세계적인 과제다. 과거에는 전 세계가 효율성을 우선시해 빈부격차가 점점 심해졌지만, 지금은 사회적 갈등 확대로 세계 각국의 정책방향은 효율보다 공평에 중심을 두고 있다. 새로 출발한 미국 바이든정부의 정책의 방향은 바로 분배 확대를 이루어 사회갈등 해소와 분열 봉합이다.

중국은 세금 부과와 추징만 잘해도 사회 전반에 긍정적인 변화가 나타날 가능성이 크다. 특히 빈부격차 해소에 많은 도움이 될 수 있다. 한국이나 서방 세계처럼 세금 체계를 만들어 실천한다면 그렇게 거둔 세금이 공동부유를 실천하는 데 많은 힘이 될 것이다. 따라서 시진핑

표 4-1. 중국의 공동부유론 목표와 방법론

공동부유 목표	사회주의 국가의 기본 목표 → 질적 성장과 소득의 분배	기술력, 친환경, 사회적 책임경영ESG으로 파이 키우기와 파이 나누기를 균형있게 실현하겠다는 중국정부의 의지를 알 수 있음
	덩샤오핑의 선부론 정책 → 공동부유론으로 수정	
	빈부격차 해소 → 중하위 소득 군의 부의 증가에 초점	
	소득 재분배로 중산층 비율 높이기 → 민생, 세수, 사회보험, 이전지출	
공동부유 방법	1차 분배(가계와 기업): 가처분소득 85%, 고용 임금 보장	
	2차 분배(정부): 부동산세, 개인소득세, 소비세, 상속세 도입 검토	
	3차 분배(기업): 자발적 기부 문화 확대	
	가계지출 부담완화, 부동산 투기 근절 → 교육, 의료, 주거, 보육, 양로, 복지 등의 비용 낮추기	
	제조업 육성, 혁신 중소기업 지원, 친환경 분야 투자	
	중대 금융 리스크 방지책 → 독점 행위 및 무질서한 자본 확장 방지	

출처: 하나금융투자, 중국증권행정연구원

주석의 공동부유론에는 그간 소홀했던 부동산세 도입, 상속세 등 세제 개편으로 많은 세금을 걷겠다는 의도가 포함되어 있다. 기업에 대해서는 3차 분배, 즉 돈 많은 기업이 기부해야 한다는 압력을 동시에 행사하는 중이다. 우리가 뉴스로도 전해들은 바처럼 알리바바와 텐센트 등의 글로벌 중국기업이 정부에 몇천억씩 기부하겠다고 알아서 줄을 서기도 했다.

한편, 공동으로 잘살자는 공동부유론의 이면에는 중국 부자들의 부담이 존재한다. 예전과 달리 많은 세금을 내고 기부도 많이 해야 하는 상황이 솔직히 불편할 테고, 어떤 부자는 거부감도 가질 것이다. 돈을 많이 내라는 요구가 달가울 수 없다. 이에 중국 내 민간기업인들은 적극적으로 해외 투자를 도모하고 있다. 특히 미·중 갈등에 노출된 미래 첨단산업, 예를 들면 2차 전지, 반도체, AI 등 영역에서 세계시장 진출을 위한 생산근거지를 해외에서 마련하려고 한다.

'부동산세' 도입을 고민하고 있는 중국   안유화 교수의 View

중국이 부의 양극화 문제 해결을 위해 고민하는 것이 재산세 도입이다. 현재 중국은 부동산세와 상속세 둘 다 없다. 중국이 부동산세를 도입하지 않은 이유는 방대한 부동산 데이터 수집과 최적의 공시 가격 제정이 어렵기 때문이다. 아울러 부동산은 기득권의 핵심 이익을 건드리는 민감한 영역이다. 부동산세 도입에 따른 사회적 후폭풍을 가늠하기 힘들어 제도 도입을 고민한다. 앞으로 부동산세가 도입될 것으로 예상되지만 그 목적은 전면적으로 집값을 잡기 위한 것이 아닌 날로 벌어지는 빈부격차 문제를 억제하기 위한 것이다. 또한 중국경제의 가장 큰 위기의 도화선이 된 부동산 버블 위험을 완화하기 위함이다.

지난 수십 년 동안 주택은 중국인의 개념에서 매우 중요한 역할을 해왔고, 시간이 지날수록 점점 더 많은 사람이 여러 채의 부동산을 소유하고 있다. 2020년 기준 중국의 도시 가구 주택 보유율은 96%로 1주택자가 58.4%, 2주택자가 31.0%, 3주택 이상인 가계 비율이 10.5%로 1억 명당 1.5주택을 소유하고 있다. 다시 말해 40%가 넘는 가구가 2채 또는 2채 이상의 부동산을 보유 중이다. 실제로 중국은 20여 년 동안 주택이 부족한 것이 아니었다. 대도시에는 분양 물량이 턱없이 부족하고, 일부는 주택을 지나치게 많이 소유하는 구조적 불균형을 보여줬다. 중국에서는 5채가 넘는 부동산을 보유한 가계도 적지 않다. 심지어 베이징에 100채 넘게 소유한 사람도 있다. 더욱 놀라운 것은 개인보다 심한 상장기업의 '부동산투기' 현상이다.

A주 상장기업이 보유한 부동산 시가총액은 1조 3,000억 위안으로, 주택 1채당 100만 위안을 가정할 경우, 133만 채를 소유한 것과 같다. 현재 중국의 기존 주택에 사람이 산다면 약 30억 명이 생활할 수 있다. 중국도 지방으로 가면 빈집이 많다. 공실률은 국제 경고수준보다 배 이상 높아 22%에 달하며, 이는 막대한 자원 낭비를 초래한다. 이에 중국정부는 '공실세' 부과 정책을 입안하고 있다. 말 그대로 장기 공실 주택에 세금

을 부과하겠다는 것이다. 중국정부의 부동산투기 방지 정책과 규제는 더욱 강화될 것으로 보여, 부동산 상승 추세는 멈출 수도 있다. 어쨌든 부동산 관련 세금의 도입을 고민 중인 중국정부의 고민의 시간은 곧 종료될 것이다.

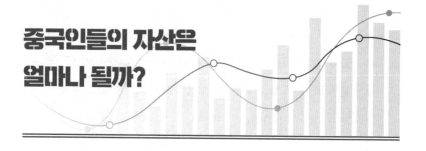

중국인들의 자산은
얼마나 될까?

시진핑 주석은 2020년 6월 1일 중국 공산당 이론지 〈치우스求是〉에서 "중국이 소강사회를 실현했다"고 말했다. 소강小康, 즉 모든 국민이 기본적으로 편안하고 풍족한 생활을 누린다는 뜻이다. 그러나 사실 '소강사회'의 기준은 명확하지 않다. 1987년 덩샤오핑이 중국발전 3단계 전략에서 밝힌 '소강사회'는 1인당 GDP 1,000달러 실현이었다. 이 기준이라면 이미 그 목표를 2001년에 달성했다.

이에 더해 시진핑 주석은 〈치우스〉에서 '전면 소강사회' 건설을 강조했다. 중국의 1인당 GDP가 2010년 대비 2배 넘게 달성해야 하고, 빈부격차 해소 등 중국 국민의 삶의 질을 크게 성장시켜야 한다는 목표를 제시했다. 이미 중국은 2019년에 1인당 GDP 1만 276달러를 기록하면서 2010년 GDP 4,550달러의 2배 목표를 실현했다. 그러나 내면을 살펴보면 6억 명이 넘는 사람이 월 소득 1,000위안(약 17만 원)이하다. 이는 연소득 1만 2,000위안밖에 안 됨을 말한다. 통계에 따르면 현재 중국의 1인당 가처분소득 평균값은 3만 위안 수준인데, 방금 소개한 두 값을 비교하면 중국의 빈부격차가 매우 크다는 사실을 알 수 있다.

2019년 중국 도시주민 가구의 평균 보유자산은 318만 위안(약 5억 4,000만 원)으로 중위수 163만 위안(약 2억 8,000만 원)과 큰 차이를 보인다. 총자산 하위 20% 가구는 전체 가구 자산의 2.6%를 차지하는 반면에 총자산 상위 20% 가구는 전체 가구 자산의 63.0%를 차지한다. 중국에서 소득의 최고 10%의 가구당 전체 자산은 1,205만 위안(약 20억 원)으로 나타나, 소득의 하위 20%의 가구당 전체 자산의 13.7배에 이른다.

이제 중국 대도시의 1인당 임금을 살펴보자. 2017년 상하이 명목 수당은 한 달에 7,132위안(약 122만 원)이며 평균 연소득은 8만 5,684위안(약 1,462만 원)이다. 상하이에서 월급 8,000위안을 받으면 상위 소득 절반 이상에 속한다. 베이징과 선전은 훨씬 더 낮은 수준이다. 베이징의 평균 연소득은 5만 7,230위안(약 946만 원), 선전의 평균 연소득은 5만 2,934위안(약 903만 원)이다. 베이징과 선전은 정보통신기업이 많이 포진해 있고 엔지니어들의 월 소득은 세계에서도 가장 높은 수준일 수 있지만 도시 소득 수준을 대표하지 못한다. 즉 누구나 알리바바, 화웨이, 텐센트, 징둥의 월급을 받는 건 아니다. 월 소득이 5,000위안이면 베이징과 선전의 평균 소득을 초과한다. 그러나 앞에서 밝혔듯 6억 명의 월 소득이 1,000위안이라면 이들은 대도시는 물론 일반 도시에서도 임대료를 내기 힘들다.

30년 전인 1990년 당시에는 월 소득 1,000위안이 높은 소득이었으며 최상위 생활을 누릴 수 있었다. 당시 대학을 졸업하면 월 300위안 정도의 월급을 받았고 만족스러운 중산층 생활이 가능했다. 그러나 현재 1,000위안은 중국 최하층의 급여이며 기본 생활도 불가능한 수준이다. 300위안에서 1,000위안이면 3.3배 증가한 것이지만 소비자물가지수는 1990~2019년 사이 3.19배 증가하며 사실상 지난 30년간 중국인의 구매력 기준 실질소득은 성장했다고 보기 어렵다. 같은 기간 미국의 CPI는 2.09배, 일본은 1.12배, 영국은 1.89배, 유럽의 대표국가들은 1.5~1.6배 상승했다.

월 소득 1,000위안으로 최하층 생활을 하는 수준으로 전락한 이유가 물가 상승률에 있다. 대량으로 찍어낸 통화는 심각한 중국 부동산 버블을 만들어냈고, 이는 중국 일반 국민의 삶이 점점 더 낮아지는 결과를 초래했다. 그런데 더 놀라운 이야기가 있다. 1978년 개혁·개방 이후 2018년까지 40년 동안 중국의 GDP는 150배 증가했지만, 통화량은 1,500배나 증가했다.

이렇듯 엄청나게 많은 돈이 풀려도 CPI 급상승으로 연결되지 않은 이유는 뭘까? 이는 부동산이 넘치는 유동성을 묶어놓았기 때문이다. 지난 20여 년간 '부동산 불패' 전설이 중국 아줌마 부대인 '따마'들 속에서 널리 퍼지며 이는 또다시 중국인들의 주택 투기를 자극하게 되었다. 중국의 1선 도시인 베이징, 상하이, 광저우, 선전 등의 부동산 가격은 1998~2001년 1m² 기준 평균 3,500~5,000위안에서 2016년 9월 기준 4만~5만 5,000위안으로 4~8배나 상승했다. 2017년을 기준으로 살펴보면 베이징은 과거 15년 이전보다 13.2배 상승해 연평균 18.77%씩 올랐다.

그 결과 중국인들의 특징이 하나 만들어졌다. 월 소득이 낮아도 상대적으로 가치가 높아진 자산을 보유하고 있다는 특징이다. 중국 가구의 상위 20% 평균 총자산은 454만 위안이며 이는 2017년 미국 가계 평균 자산과 비슷하다. 전 중국인이 부동산을 투기자산으로 삼는 상황에서 중국인은 집 한 채만 잘 갖고 있으면 미국인 평균 자산보다 많다. 특히 베이징, 상하이, 선전 등 1선 도시에서는 1m²당 8만 위안이 넘는 부동산이 대부분이다. 따라서 약 70m² 이상의 부동산을 가졌다면 미국 가구의 평균 자산을 넘어선 것이다.

그런데 이런 현상이 최근 몇 년 사이 2선과 3선 도시에서도 나타났다. 본질적으로 토지 정책에 의해 주도되는 일회성 토지 배당으로 볼 수 있다. 1949년에 들어선 중국 공산당 체제 아래에서는 부의 재분배를 주로 토지에 의존해왔다. 이것은 또 중국의 전반적인 시장화와 산업화를 촉진했지만, 앞으로 토지 배당금이 사라진다면 중국은 부의 재분배 과정을 겪으며 큰 내홍을 겪을 수도 있다.

2018년 기준 부동산은 중국 가계에서 자산의 77.7%를 차지한다. 따라서 집값이 하락하면 중국 가계의 부가 크게 줄어든다. 반대로 미국 가계는 부동산 비율이 35% 미만을 차지하기에 집값이 급락해도 치명적인 가계 하락을 겪지 않는다. 더 중요한 것은 중국의 가계 자산 대부분이 부동산에 묶인 탓에 소비하는 데 자금 여력이 없고, 금융상품 투자로 재테크를 해볼 자금 여유도 크지 않다. 이는 사회경제적 이익과 효율성의 측면에서 볼 때 유동성 위기로 이어질 수 있다. 자금이 기술과 생산성을 갖춘 기업에 흘러들지 못하기 때문에 경제 성장에 한계가 올 수밖에 없다는 이야기다.

한마디로 중국인은 집을 사고, 미국인은 주식을 산다. 2018년 미국인의 자산 구성은 부동산이 34.6%에 불과하지만, 금융자산은 42.6%, 상공업은 19.6%(중국은 5% 미만)이다. 중국인은 집을 투기하는 데 전념하지만 미국인은 다양한 투자처로 자산을 배분해 투자한다. 3개 또는 그 이상 투자상품을 보유한 미국 가구 비율은 61%다.

2018년 중국 가계의 투자상품 보유 비중
- 1개 투자상품 보유 가구 67.7%
- 2개 투자상품 보유 가구 22.7%
- 3개 또는 그 이상 투자상품 보유 가구 10.6%

중국 가계의 주택 자산 비중이 지나치게 높아 금융자산 투자배분 가능성을 줄이고 있다. 높은 부동산 비율은 가계의 과도한 유동성을 흡수해 중국인들의 금융자산 투자를 구속한다. 그 이유는 매우 간단하다. 중국인들은 지난 20년 동안 중국의 주택 가격이 급격하게 올랐기 때문에 부동산 투자는 거의 사는 즉시 돈을 버는 일이라고 인식한다. 중국인들의 부동산매입 열정이 중국에서 다양한 금융 투자상품이 발전하지 못하도록 만들었다. 게다가 중국인들이 중국의 주식 및 선물시장, 그리고 은행의 자산관리 수익성을 충분히 믿지 못하는 불신도 금융 투자상품 발전 저해의 원인이다.

이제 중국인의 금융자산 보유 상황을 알아보자. 조사에 따르면 가구의 99.7%가 금융자산을 보유하고 있음에도, 가구당 평균 금융자산은 65만 위안이다. 가구 전체 자산의 20.4%이며, 이는 미국의 22.1%보다 낮다. 중국인 가구의 금융자산은 가계간 차별화가 뚜렷하다. 그리고 대부분 상대적으로 안정적이고 위험이 없는 무위험 금융자산에 투자한다. 가계자산 포트폴리오에서 은행의 재테크, 자산관리상품, 신탁 등이 26.6%에 달하며, 은행예금이 22.4%를 차지한다. 반면 주식이나 펀드 등 리스크가 높은 금융자산은 각각 6.4%, 6.6%밖에 안 된다. 중국인의 부채율은 전반적으로 건실하지만 자산의 유동성이 떨어지는 등 유동성 리스크가 어느 정도 있다.

앞으로 두 가지 문제에 주목해야 한다. 먼저 중국 대부분의 가계 부채 중 75.9%가 부동산 투자와 관련이 있다는 점이다. 가계 부채 위험도는 주택 가격 변동과 밀접한 관련이 있어 부동산 가격이 하락하면 부채부담이 커지는 구조다.

그림 4-2를 보면 2022년 9월 기준 중국의 GDP 대비 가계 부채 비율은 61.3%로 아직 레버리지를 높일 공간이 있지만, 그 여지가 크지 않다. 국제통화기금은 가계 부채율이 65% 이상이면 금융시장 안전성

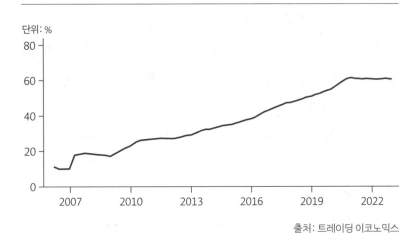

그림 4-2. 중국 GDP 대비 가계 부채

단위: %

출처: 트레이딩 이코노믹스

에 영향을 미친다고 말하는데, 그 기준에 점점 가까워지고 있다.

다른 하나는 중국인 가계의 금융자산 부채 비율이 높아 유동성 리스크가 있다는 점이다. 2020년 중국의 도시가구의 금융자산 부채 비율은 44.6%이며, 그중 부채가 있는 가구의 금융자산 부채 비율은 85.3%다. 부채 비율의 중위수는 117.3%로 절반이 넘는 가구의 금융자산 부채 비율이 100%를 넘는다. 특히 일부 저소득 가구는 자산이 채무를 감당하지 못해 부도 위험이 높고, 청년과 중년층은 심한 부채 압박으로 채무 리스크가 높다. 노년층은 투자은행의 재테크, 자산관리, 신탁 등 금융상품이 많기에 대부분 금융 리스크에 노출되었다고 봐야 한다.

미국은 25조 3,300억 달러의 개인양로연금 비축 가운데 8조 7,600억 달러는 뮤추얼펀드에 투자된다. 2016년 말 기준 미국 뮤추얼펀드 순가치가 16조 3,400억 달러에 달해 개인양로연금이 뮤추얼펀드의 절반 가량 지탱하고 있는 셈이다. 미국 가계는 개인양로연금으로 뮤추얼펀드에 투자하는 것 이외에 직접적으로 뮤추얼펀드 5조 8,600억 달러를 보유하고 있다. 이처럼 미국계 뮤추얼펀드의 대부분을 결국 가계가 소유한다. 따라서 미국인들은 주식을 직접 투기하지 않더라도 그들은 개인연금 및 뮤추얼펀드로 충분한 노후보장이 가능하다. 즉 미국인들은 집을 사고팔아 투기하거나 사재기할 필요가 없다. 그 결과 소비할 수 있는 여력도 충분하다.

더욱 중요한 건 미국 가계의 노후 대비 재테크 투자가 미국 증권시장을 대표적인 기관 투자자 중심의 건전한 시장으로 만들고 있다는 사실이다. 노후연금과 뮤추얼펀드는 재테크 투자의 좋은 파트너일 뿐 아니라 기관 투자자들의 정신적 지주이기도 하다. 특히 포트폴리오 투자와 장기 투자가 가능해져, 미국 주식시장이 늘 10년 넘게 우상향 곡선을 지속할 수 있는 이유이기도 하다.

반면 중국은 막대한 개인연금과 뮤추얼펀드 등 기관 투자자가 없는 대표적인 '개미 중심의 시장'이다. 2016년 말 기준 중국 뮤추얼펀드의 순가치가 9조 위안으로 주식시장 가치총액의 18%, GDP의 12%에 불과하다. 거대한 개인양로연금과 뮤추얼펀드가 뒷받침되지 않는 주식시장에서 많은 개인 투자자는 '흩어진 모래'처럼 시장이 좋을 때는 매수에 쏠려 급증하고, 시장이 나쁘면 동시에 매도하는 형태를 보인다. 따라서 중국 주식시장은 미국시장처럼 장기적인 상승장을 만들어내기 힘들다.

　한편 '개미 투자자'의 운명과 밀접한 관련이 있는 것은 중국 주식시장이 '정책시'*라는 것이다. 수많은 개인 투자자의 권리와 이익을 보호하고자 당국은 '감독 강화'를 하고, 때로는 '강력한 규제'를 도입해 유동성을 제한하기도 한다. 기관 투자자의 낮은 참여도는 중국 주식시장이 '개미 투자자' 시장과 '정책시'의 악성 순환이 이어지도록 한다. 이는 중국 주식시장의 시장화, 법치화, 국제화 및 개혁을 크게 방해한다. 따라서 중국 주식시장을 건전하게 성장시키려면 미국처럼 사회보장금 중심의 기관자금을 주식시장 안으로 유도하고 뮤추얼펀드를 10배 넘게 확대시켜 개인양로연금 수요와 대응되도록 중국 주식시장에서 주요 역할을 하도록 해야 한다. 연금과 뮤추얼펀드시장을 육성, 확대하는 일은 향후 중국 자본시장이 크게 도약할 수 있는 두 가지 초석이다. 향후 중국 주식시장은 외국 기관 투자자들에게 더욱 폭넓게 개방될 것이기 때문이다.

◆ '정책시'는 중국 증시의 특징 중 하나다. 정부가 직접적으로 주가지수의 상승과 하락에 영향을 미치는 정책을 동원한다는 뜻이다.

시진핑 3연임의 의미 -
'중국식 현대화'의 길

세계경제 G2 자리를 차치한 중국이 향후 이어갈 정책과 포지션에 따라 많은 변화가 생길 것이 분명하다. 특히 중국은 한국의 중요한 무역 파트너다. 중국에 가장 많은 물건을 수출하는 한국은 중국의 정치 상황과 경제 정책 기조에 주목할 수밖에 없다.

3연임에 성공한 시진핑 주석의 목표 중 하나는 '중국식 현대화' 건설이다. 일반적으로 현대화의 개념은 더 높은 수준의 발전과 진보를 달성하기 위한 사회적, 경제적, 정치적, 문화적 변혁의 과정을 의미한다. 여기에는 일반적으로 산업화, 도시화 및 세계화와 관련된 새로운 아이디어, 관행, 기술 및 제도를 채택하는 것이 포함된다. 현대화의 목표는 생활 수준을 개선하고 경제적 생산성을 향상하며 사회적 평등을 촉진하고 개인과 지역 사회에 권한을 부여하는 것이어야 한다. 이는 기존의 체제나 구조, 제도 등을 전면적으로 개혁하는 것으로 개인과 집단, 국가와 국제 사회의 지속적인 발전과 혁신을 이뤄내는 과정을 포함한다. 현대화는 종종 과학, 기술, 인프라, 교육 및 거버넌스의 발전과 관련이 있다.

중국 시진핑 주석이 이야기하는 현대화는 사회주의, 국가주의, 공산주의 원칙을 기반으로 한 국가 발전모델을 추구하는 차원에서 서방 국가들과 다르다. 이는 중앙 집중적인 통제와 국가의 경제 개입을 강조하며, 정부의 역할이 경제와 사회발전에서 중요하다고 판단한다. 중국은 국가의 역량을 기반으로 경제 발전과 사회변화를 추구하며 다양한 분야에서 첨단기술개발과 혁신을 추진하고 있다. 반면에 서방 세계에서 말하는 현대화는 주로 자유주의, 민주주의, 시장경제 등을 기반으로 하는 개방적이고 다양한 문화와 개인의 권리를 중시하는 발전을 추구하는 것에 가치를 두고 있다.

시진핑 주석은 중국식 현대화는 각국 현대화의 공통된 특징에 중국의 국정에 맞는 중국특색 다섯 가지를 덧붙인 것이라고 설명했다. 그 5가지는 다음과 같다. 첫째, '거대한 인구 규모의 현대화' 둘째, '전체 인

♦ 경제 현대화는 농업기반경제에서 산업화 및 서비스 고도화경제로의 전환을 말한다. 정치적 현대화는 민주화, 법의 지배, 투명하고 책임있는 제도의 발전에 초점을 맞추고 있다. 사회 현대화는 사회 구조, 규범, 가치 및 태도의 변화와 관련이 있으며, 문화적 현대화는 현대적 경향에 부합하는 새로운 문화적 관행, 가치 및 신념을 채택하는 것을 말한다.

민 공동부유의 현대화' 셋째, '물질문명과 정신문명이 상호 조화를 이루는 현대화' 넷째, '사람과 자연이 조화롭게 공생하는 현대화' 다섯째, '평화발전의 길을 걷는 현대화'다. 표현상으로 보면 바로 가슴에 와닿지 않는다. 하지만 본질적인 함의를 제대로 짚을 수 있어야 중국의 미래경제와 시대적 흐름을 잘 읽어낼 수 있다.

우선 거대한 인구규모의 현대화는 중국식 현대화가 기존 선진국들이 걸어온 현대화와 비교해서 출발조건이 다름을 강조하고 있다. 즉 역사적으로 봐도 거의 14억 명이 되는 거대 인구규모의 국가가 현대화된 사례가 없기에 선진국들의 발전경로를 그대로 적용하기에는 무리가 있음을 말하고 있다. 또한 중국식 현대화는 거대한 인구라는 특징을 고려하면서도 이들 모두의 삶의 질적 향상과 균형적인 경제 발전을 추구하겠다는 뜻이다. 즉 중국은 거대규모의 사람들이 살고 있는 나라이기에 이들의 서로 다른 요구와 다양한 의견을 충족시킬 수 있어야 하며 모두가 현대적인 삶을 누릴 수 있는 발전경로를 새롭게 모색해야 함을 말한다.

투자자의 관점에서 이를 풀어 해석하면 중국은 우선 거대한 인구규모를 보유한 국가이기에 내수시장이 방대하며 시장 수요도 다양함을 말한다. 또한 민생체계와 분배구조 설계가 아주 정교해야 함을 암시하기도 한다. 이에 중국정부가 내놓은 방안은 노동력과 방대한 내수시장에 기반한 '쌍순환雙循環(국내외 대순환)'**의 구도를 구축하는 것이다. 또한 초고령화 사회 진입에 따른 인구구조 급변을 직시해 민생체계를 개선하고 '공동부유' 중심의 분배구조 개혁도 심화해야 함을 말한다.

다음 전체 인민 공동부유의 현대화는 중국은 모든 국민이 함께 부유해지고 혜택을 공유하는 사회를 추구함을 말한다. 이는 소득격차를 줄이고, 모든 국민이 공동으로 부유해지는 것을 말한다. 이를 위해 민생복지를 증진하고 분배구조를 개혁해 보다 공정한 시장경제체제와 사회분배제도를 구축하기 위해 노력이 필요하다는 의미다.

세 번째 물질문명과 정신문명이 상호 조화를 이루는 현대화는 물질적인 풍요와 정신적인 풍요를 동시에 추구해야 함을 말한다. 중국은 앞으로 경제 발전만을 추구하는 것이 아니라, 사람들의 정신적, 문화적 발전도 함께 실현할 것임을 말한다. 따라서 중국은 고전문화와 현대문화를 조화롭게 융합하는 방식으로 문화적 발전을 추구할 것이며, 경제적인 발전과 함께 교육, 문화, 예술 등의 분야에서도 중국인들이 정신적으로 풍요로운 삶을 살고 문화적인 발전을 함께 이룰 수 있어야 함을 의미한다. 쉽게 말하면 부자를 만들어내도 머리가 텅빈 부자가 아니라 사회적인 책임감과 함께 잘살고 잘 나누는 정신을 가진 리더형 부자를 만들겠다는 뜻이다.

투자자 관점에서 위의 내용들을 다시 풀어보면 중국 시진핑 주석의 중국식 현대화를 실현하기 위해 문화 산업을 크게 발전시키겠다는 뜻이다. 중국에서 자본은 늘 국가가 제시하는 정책에 초점을 맞춰 투자 방향이 결정된다. 일례로 중국 창업 역사상 가장 주목받았던 주식으로

↔ 중국이 '국내 대순환'을 위주로 한 '쌍순환(이중순환)' 발전 전략은 세계경제(국제순환)와 긴밀한 연결을 유지하면서도 국내경제(국내 대순환)를 최대한 발전시켜 나간다는 개념으로, 2020년 5월 당 최고 지도부 회의체인 상무위원회에서 처음 제시됐다.

CHAPTER 4

기록된 '독객문화讀客文化, Dook Media Group'(301025.SZ)다. 2021년 7월 19일 거래소에 상장한 이 주식의 공모가는 1.55위안이었다. 그러나 첫날 장마감 주당 가격은 1942.58% 오른 31.66위안이었다. 역대 중국 본토 증시 상장사 중에서 최고의 상승률을 기록했다. 이 회사는 단지 도서 정보 플랫폼을 주력으로 하는 도서 기획 및 유통 기업일 뿐이다.

넷째, 사람과 자연이 조화롭게 공생하는 현대화는 중국이 경제 발전을 도모함에 있어서 환경보호와 지속 가능한 개발을 추구하며 자연과 인간이 함께 공생할 수 있는 방안을 모색하고 있음을 말한다. 이는 자연의 자원을 올바르게 관리하고 환경 오염을 줄이는 등의 노력으로 현대화를 실현할 것임을 천명한 것이다. 중국은 세계 최대 탄소배출 국이며 지난 2020년 9월 이미 2030년까지 온실가스 배출 정점을 달성한 이후 2060년까지 탄소중립을 실현하겠다고 국제 사회에 발표했다. 이를 위해 앞으로 중국은 사회경제적 비용과 부담(좌초자산, 실업, 에너지 비용 증가)을 감당해야 하며 동시에 청정 에너지 개발관련 기술분야에서 미국 및 유럽과 첨예한 갈등상황도 이겨내야 한다. 왜냐하면 중국, 미국, 유럽국가들 모두 청정 에너지 관련 제품과 기술을 미래경제 성장의 동력으로 삼고 있기 때문이다.

마지막으로 평화발전의 길을 걷는 현대화의 함의는 중국은 국제 사회와 함께 평화적 발전을 추구하며, 지구촌의 인류 공동체의 발전을 위해 노력함을 천명하고 있다. 이를 위해 중국은 국제적으로 협력하며, 지역 간 갈등을 해결하고 평화적인 해결책을 모색하는 방식으로 발전을 추진할 것임을 강조하고 있다. 평화발전이라고 하는 내용을 중국식 현대화에 넣었다는 것은 현재 중국정부가 서방 선진국들의 중국에 대한 견제를 의식하고 있는 것으로 판단된다. 현재 바이든정부가 공급망 안전과 자국 우선주의를 강조할 때 시진핑정부는 세계화를 말하고 있으며, 일대일로를 이야기하며 실제적으로 대외협력을 강화하고 있다. 또한 국내에서도 고수준 대외개방을 약속하며 증권업을 포함한 금융업까지도 개방범위를 높여가고 있다.

중국정부의 정책 방향에 주목하라 ─ 안유화 교수의 View

시대적 흐름을 읽기 위해서는 중국이 흘러가는 방향을 알아야 한다. 앞으로 꼭 중국에서 사업을 하거나 투자를 할 계획이 없다고 할지라도 중국흐름과 정책 키워드가 무엇인지 파악하라는 이야기다. 중국 전체 그림 중 일부인 공동부유론을 이해하는 것부터 시작할 수 있다. 국가든 기업이든 어떤 방향으로 흘러갈지 아는 것이 중요한데, 방향성과 밑그림을 살펴보는 것은 투자에 있어서 아주 중요하다. 중국정부가 어떻게 정책을 만들고 어떤 정책이 진행되느냐에 따라 투자전략이 달라져야 한다.

파이 키우기와 공동부유 목표를 동시에 실현하기 위해 최근 중국정부는 미래 산업에 초점에 맞춰 과감한 투자와 지원 정책을 이어가고 있다. 그런데 유독 중국은 돈의 흐름이 미래산업 방향으로 돌지 않는다. 거기에는 다 이유가 있다. 중국 사람들은 교육, 의료. 주거, 보육, 양로, 복지에 많은 돈을 지출한다. 따라서 미래 산업으로 갈 돈의 여력이 없다. 국민이 돈을 쓰지 못하니까 돈이 잘 돌아가지 않는 것이다. 시진핑정부는 고민 끝에 빅테크기업에 의한 시장 독점을 막는 동시에 사교육을 금지하고, 게임을 못 하도록 법으로 규제하는 한편 공공 인프라 시설인 병원과 양로원 등 복지시설과 학교를 많이 짓는 정책을 과감히 추진했다. 국민이 사용할 돈을 국가가 대신 지불함으로써 가계의 부담을 줄여 공동부유를 성공으로 이끌겠다는 계획으로 볼 수 있다.

중국의 미래 발전의 큰 흐름은 스마트 도시화 실현이다. 이는 중국경제의 4~5% 성장을 보장할 것이다. 중국에서 지난 30년이 부동산의 황금 시기라고 하면, 미래 15년은 부동산이 과거만큼은 아니어도 일정한 가치를 지닌 투자선택 자산이 될 것이다. 중국의 14억 명 인구는 여전히 집이 필요하고, 차가 필요하며, 가전제품이 필요하다. 하지만 지난 30년과 비교하면 구매하고자 하는 것이 결코 같은 집이 아닐 것이며, 같은 차가 아닐 것이고, 같은 가전제품이 아닐 것이다. 반드시 신형기술·신형 산업과 융합된 형태여야 할 것이며, 누가 더 빨리 이런 신기술과 전통산업을 잘 융합하느냐에 따라 미래 유니콘 기업이 결정될 것이다. 모바일인터넷, 신재생 에너지, 바이오, AI, 클라우드 컴퓨팅, 블록체인, 빅데이터 등 기술혁신 성과를 이용해 전통산업에 새로운 옷을 입힌다면 기업은 새로운 성장을 이뤄낼 것이고, 국가경제는 신형 성장엔진 산업으로의 구조조정에 성공할 수 있을 것이다.

또한 미·중 갈등 격화와 서방국가들의 탈중국화 움직임에 맞춰 중국정부는 고첨단산업 분야에서의 세계 경쟁력 선도를 위해 정책을 펼치고 있다. 반도체, 우주통신, 2차 전지, AI 등 하이테크 스토리에 돈이 많이 몰리고 있다. 동시에 친환경을 중요시하고 있다. 중국공산당 제20차 전국 대표대회 보고서에 따르면, 중국식 현대화 건설을 위한 인재 기반 강화와 인간과 자연이 조화로운 산업 현대화를 이루겠다는 강령이 포함되어 있다. 말이 어려운 것 같지만, 간단히 정리하면 친환경에 더 집중하겠다는 말이다. 만약 중국 투자에 관심이 많다면, 이런 스토리를 따라가야 한다. 하이테크, 친환경, ESG 경영에 좀 더 주목해야 한다. ESG 경영은 공동부유론 중 분배와 연관이 깊다. 그동안 중국 기업들은 돈 되는 일이면 어떤 일이든 마다하지 않았다. 그러나 세계흐름과 추세는 친환경 중심, 사회책임 중심, 이해관계자 중심의 개념인 ESG 경영에 초점을 맞춘다. 중국도 그런 흐름을 직시하며 적극적으로 동참하고 있다.

향후 중국이 큰 틀 안에서 어떤 포지션으로 정책을 펼쳐갈지 공부해 개념을 잡고 그 흐름을 따라야 한다. 세계시장에서의 원활한 투자와 사업의 성패가 이런 정보를 얼마나 알고 적절히 대응하느냐에 따라 달라진다.

세계화는 어떻게 중국을
G2로 만들었나?

세계화란 무엇인가? 단순히 말해 전 세계가 서로 연결되어 인적, 물적 교류가 원활하게 이동할 수 있는 구조를 말한다. 학자들은 '전 세계인이 하나의 세계로 통합되는 전 과정'을 세계화라고 규정한다. 세계화는 19세기 후반부터 20세기 초부터 본격화되었다. 무엇보다 이동 수단의 눈부신 발달이 세계화를 빠르게 촉진시켰다. 현재 우리가 머릿속으로 떠올리고 입으로 말하는 세계화 개념은 1970년대에 와서야 정립되었다. 2000년 국제통화기금에서는 네 가지 기준을 제시해 이에 부합해야 세계화라고 정의하기도 했다.

국제통화기금에서 제시한 세계화 기준(2000년)

· 자유로운 무역과 거래

· 자본과 투자

· 사람들의 이주와 이동

· 지식의 보급

1960년대 미국은 경제 호황을 누렸다. 풍족한 월급을 받는 미국인들, 미국 중산층은 TV와 자동차 등 당시로서는 사치품인 물건들을 적극 소비하며 미국경제의 성장을 주도했다. 수요가 늘자 자연스럽게 많은 공장이 들어섰고 미국 내 생산이 번창할 수 있었다. 특히 1962년 케네디 대통령과 미 의회는 「무역확장법」을 제정했는데 이 법은 미국이 다른 나라와 대규모 관세 인하를 협정할 수 있는 기초가 되었다. 그리고 이 법안은 일명 '케네디 라운드'*로 이어졌다.

그렇다면 같은 시기 유럽에서는 어떤 일이 벌어졌을까? 유럽의 대표국인 영국은 유럽 전체 무역에서 큰 역할을 하는 나라였다. 1~2차 세계 대전을 겪은 유럽은 전쟁 후유증을 극복하는 데 노력할 수밖에 없었다. 그리고 1960년 유럽 여러 나라가 유럽자유무역연합을 만들어 뭉치기 시작했다. 그리고 유럽자유무역연합에 참여한 오스트리아, 덴마크, 노르웨이, 포르투갈, 스웨덴, 스위스, 영국 사이에 자유무역협

◆ 케네디 라운드는 관세와 무역에 대한 일반협정의 제6차 관세 교섭을 뜻한다. 개발 도상국에 대한 관세를 낮추고 수출 장벽을 낮추는 무역 협상이 이뤄졌다.

정이 체결되었다.

글로벌 국제무역 환경의 극적인 변화는 1990년대부터 시작되었다. 그간 세계경제에서 지배력이 강했던 영국이 쇠퇴하고, 그 자리를 통일을 이룬 독일이 차지하기 시작했다. 독일은 자동차 산업에서 큰 성과를 거둬 독일이 세계경제에서 중심 국가로 자리매김하는 데 큰 도움이 되었다. 그리고 드디어 1992년 중국도 변방이라는 이미지를 벗고 세계경제에 조금씩 얼굴을 드러내기 시작했다.

변화하는 무역 관계

앞서 본문에서 소개했듯이 1978년부터 덩샤오핑은 개혁·개방 정책을 펼쳤는데, 외국인 투자 장려와 무역을 촉진하기 위한 일련의 정책에 힘입어 중국경제가 전 세계에 활력을 보여주기 시작했다. 놀랍게도 중국은 1990년대 연평균 성장률 10%를 웃도는 경제 성장을 이뤘고 그 결과 세계경제에서 중국의 역할과 위상이 점점 더 높아질 수 있었다. 마침내 중국은 2001년 말, 그토록 염원했던 WTO 회원국이 되어 글로벌 무역 파트너의 일원으로 자리매김했다.

그렇게 시간이 흘러 새 밀레니엄인 2000년이 되었다. 2000년 당시 미국은 세계 최고의 무역국이었다. 명실공히 세계를 좌지우지하는 가장 힘이 센 나라였다. 미국은 전 세계 상품 무역 중 15.48%를 담당했는데, 2위 교역국 독일(7.96%), 3위 교역국 일본(6.51%) 두 나라의 무

그림 4-3. 글로벌 무역 의존 관계(1995년)

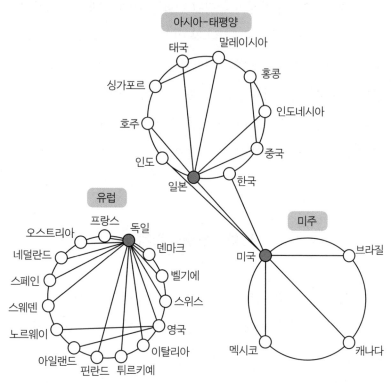

※ 각국(지역)과 최대 무역국 간에 직선으로 표기

출처: 칭화금융평론(2018), 국건동鞠建东, JI JIANDONG, CSAI

역 교역을 합친 것보다도 더 큰 비중을 차지했다. 이때 중국은 저렴한 노동력을 바탕으로 세계의 생산 공장 역할과 분업 체계에서 큰 역할을 맡았다. 특히 WTO 가입 이후부터 중국은 무역비용과 관세에서 많은 특혜를 받았고, 전무후무한 경제 성장을 이루며 세계경제의 엔진으로

그림 4-4. 글로벌 무역 의존 관계(2014년)

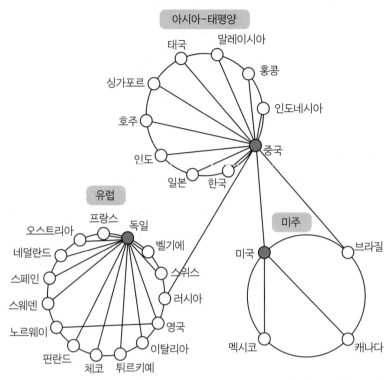

※ 각국(지역)과 최대 무역국 간에 직선으로 표기

출처: 칭화금융평론(2018), 국건동鞠建东, JI JIANDONG, CSAI

떠올랐다.

중국의 등장은 세계경제의 구조 변화를 만들어냈다. 즉 미국을 중심으로 한 '북미 밸류체인', 독일을 중심으로 한 '유럽 밸류체인', 그리고 중국이 중심이 된 '아시아 밸류체인' 3강強 글로벌 무역구조가 만들어진 것이다. 참고로 2013년부터는 중국이 미국의 최대 무역 상대국이 되어 오랜 시간 두 나라가 장밋빛 시절을 보낼 수 있었다.

참고로 그림 4-3과 4-4는 각각 1995년과 2014년 세계 교역량 80% 이상을 차지한 상위 30개 나라 사이의 무역 네트워크를 보여주는 자료다. 1995년 아시아에서는 일본이 최대 교역 상대국임을 알 수 있다. 유럽은 독일, 그리고 북남미에서는 미국이 최대 교역 상대국이었다. 독일을 중심으로 유럽 밸류체인이 만들어졌고 일본, 한국, 인도, 싱가포르 등 주요 아시아 국가의 주요 무역 파트너는 미국이었다.

2014년부터는 글로벌 무역 네트워크 구조에 두 가지 큰 변화가 나타났다. 가장 큰 변화는 아시아 국가들의 무역 핵심국이 일본에서 중국으로 바뀐 것이다. 그리고 일본, 한국, 인도, 싱가포르 등 주요 아시아 국가의 주요 무역 파트너도 미국에서 중국으로 바뀌었다. 이와 같은 아시아 무역 밸류체인은 기존 유럽과 북미 밸류체인과 함께 '삼분천하' 글로벌 무역 네트워크로 자리매김했다.

급기야 중국은 2013년부터 미국을 뛰어넘어 세계 최대 무역국이되었다. 세계경제에서 중국의 영향력이 커지자 미국은 긴장하기 시작했다. 주지하다시피 2018년 트럼프정부는 중국 제품에 3,600억 달러의 관세를 부과하면서 중국을 견제하기 시작했고 현재까지 두 나라 사이의 긴장이 진행 중이다. 참고로 중국은 미국의 관세 정책에 맞서 미국 제품에 1,100억 달러의 맞관세 정책으로 대응했다. 뚜렷한 승자가 없는 상황에서 두 나라 모두 피해를 입었다는 견해가 많은 듯하다. 방금 언급했듯 미·중 갈등은 여전히 진행되고 있다. 처음에는 무역 분야의 갈등에서 시작되었으나 시간이 지날수록 정치, 군사 문제로 확산되어 지금에 이른다.

　20년 동안 미국과 중국 두 나라가 이끌어온 세계화가 앞으로 더 여러 분야에서 진행될지, 아니면 반대로 더는 세계화의 진전 없이 현재 답보 상태가 길게 유지될지 지켜볼 일이다. 혹자는 두 나라의 갈등으로 세계화가 물 건너간 것 같다고 말하는 분들도 있다. 필자는 지역별 무역 공급망 형성이 강화되고, 그것이 각각 미국과 중국의 무역 관계를 형성하는 구조로 갈 것이라 전망한다.

중국경제 성장에 대한 정치경제학적 해석

중국경제 연구를 장기간 해온 필자로서 가장 많이 듣는 말 중 하나가 중국 정치인들은 경제 정책을 잘한다는 것이었다. 중국은 너무 커서 중국의 한 성, 심지어 한 도시까지 해외 중소 국가 규모의 크기다. 그리고 중국 지방 관료들의 관할 구역 내 경제 권력은 유사한 면적의 다른 국가들의 정상보다 더 클 수도 있다. 그럼 이렇게 큰 권력이 어떻게 함부로 약탈하고 방해하지 않고 지역경제 발전을 촉진할 수 있었을까? 이에 중국경제 발전에 대한 공무원들의 역할이 어떻게 효율적으로 작동해 왔는지를 들여다보고자 한다.

우선 중국의 기본여건에서부터 출발해보자. 중국 본토에는 31개성*이 있으며, 각 성에는 중국공산당 당서기와 성장이 있다. 당서기는 그 성에서 공산당 정책방향의 실행을 책임지며, 성장은 각 성의 최고 행정장관이다. 이는 시진핑 주석이 중국 전체 공산당의 총서기가 되고, 리창 총리가 중국 최고 행정기관인 국무원의 총리직을 맡은 것과 같은 개념이다. 31명의 각 성 당서기들은 모두 시진핑 주석의 자리에 갈 수 있는 후보군이라고 보면 된다. 31명 중에서 누가 시진핑 주석 자리에 갈 수 있느냐는 많은 요인에 의해 결정되지만 한 가지 확실한 것은 자기가 담당하고 있는 성의 경제성과가 좋아야 가능하다는 것이다.

"자본주의에도 계획이 있고 사회주의도 시장이 있을 수 있다"는 덩샤오핑의 한마디로 중국은 1992년부터 본격적인 사회주의 시장경제의 길을 걷게 된다. 이후로 경제 발전이 우선이었던 중국은 각 성의 경제지표 성과순위로 관료를 발탁했는데, 주로 GDP 성장률과 재정수입 증가율 등을 관료승진의 핵심지표로 사용했다. 이에 31명의 각 성의 당서기들은 본 지역의 경제를 발전시키기 위해 기업의 CEO처럼 의사결정을 하기 시작했다. 시장경제에서 관리들이 더 나은 평가 성과를 얻고 경제 건설 중심의 '승진 챔피언 대회'에서 유리한 조건을 얻으려면 GDP 성장률, 재정수입 등에 관심을 가져야 하며 이는 관할구 내 기업의 경제적 이익에 달려 있다. 반면에 기업의 경제적 이익은 국내 및 국제시장의 경쟁 결과와 관련이 있다. 따라서 지방관료 간의 공

---

* 중국의 성은 한국의 '도'에 해당하는 개념이다. 중국은 공식적으로 본토 31개 성시와 홍콩 마카오 특별행정구와 대만성까지 합해서 33개로 나뉜다.

식 승진경쟁은 서로 간의 관할 구역의 기업 간의 시장 경쟁 및 더 넓은 범위의 국제시장 경쟁과 밀접하게 연결되게 되었다. 시장이라는 변수의 도입으로 관리들의 '승진 챔피언 대회'는 더 이상 상급자나 상사가 인정하는 충성심 표명 운동이 아니라 시장 경쟁의 검증이 필요하게 된 것이다.◆

중국은 중앙정부 차원에서 개혁·개방을 오랫동안 이어가면서 세계 시장에 깊숙이 통합되어왔다. 중국 내에서는 무선 인터넷 통신과 고속철도 등과 같은 대규모 및 지역 간 인프라 건설을 적극적으로 추진함으로써 전국 각 지역 간의 교류와 융합이 활성화되었고 이는 중국을 점차적으로 하나의 큰 단일 개방시장으로 통합되게 했다. 이로 인해 지방관료들은 지방의 기업이 참여하는 시장경쟁 환경을 조작할 수 없게 되었고 외부 시장경쟁환경의 수용자가 될 수밖에 없었다. 그들은 간접적으로 시장이라고 하는 '보이지 않는 손'의 통제를 받게 되었으며 시장은 그들의 의사결정에 대해 경제성과 결과로 판결을 내리는 역할을 했다.

만약 그들의 정책이 현지의 경제 발전을 촉진하지 못하고 양호한 비즈니스 환경을 제공하지 못한다면, 전국이라는 큰 통일적인 개방시장에서 자본은 다른 곳으로 유출될 것이고, 인재도 그 지역을 떠나 자신의 장점을 더 잘 발휘할 수 있는 곳으로 갈 것이다. 즉 지방관료들은

◆ 비록 GDP 성장률 수치는 명확하고 위조 가능성도 있고 적지 않은 지방경제의 후유증을 초래했지만, 적어도 공무원의 성과를 측정하는 비교적 명확한 기준을 제공했다.

자신의 벼슬길을 위해서라도 반드시 최선을 다해 기업과 인재를 잘 대우해야 한다. 그렇지 않으면 관할 지역에서의 인재 유출, 투자 철수의 위험에 직면하게 되는 것이다. 한마디로 지방 관료의 공식적인 이해관계와 지역경제 발전의 이해관계가 맞아떨어질 수 밖에 없고 중국 지방경제 발전은 국내 통일된 시장이거나 전 세계적인 광범위한 시장 경쟁 결과에 의존하게 된 것이다.

한마디로 시장이 생산을 조절하는 중요한 요소가 된 이후 지방관료들이 경제를 발전시키는 '승진 챔피언 대회'는 시장경쟁에 깊이 내장되게 된 것이다. 이는 지방 관료의 경제 정책 효과가 결국 시장경쟁에서 구현되고 시장경쟁의 객관적이고 공개적인 검증을 받게 된다는 것을 의미한다. 일부 학자들은 이를 중국의 경제 성장의 '정부+시장' 혼합모델로 보고 있으며, 이는 중국만의 독특한 경제 발전 특징이라고 말할 수 있다.

비슷하게 강력한 정부와 세계시장 여건 속에서 급성장한 경제가 있는데 바로 '박정희 시대 한국'이다. 한국의 지리면적은 마침 중국 국내의 한 개 성省과 비슷하다. 앞에서 말한대로 중국 관료들의 경제 발전을 위한 동기가 관직 승진이었다면, 박정희 시대의 한국 관료들의 경제 발전 동력은 북한과의 경쟁이거나 정권 안정이나 유지 때문일 수도 있다.

그러나 지적하고 싶은 내용은 보통 정부 권력의 힘이 크게 작용하는 경제체제는 극히 드물게만 경제 발전을 촉진할 수 있다. 싱가포르 리콴유와 한국의 박정희는 소수의 사례에 속하며, 모두 유교 문화권에서만 나타났다는 점에 유의해야 한다. 아르헨티나 군사정부나 아프리카의 많은 국가는 독재통치로 자국 경제 발전의 걸림돌이 되었고 심지어 부패가 만연해 자국 자산을 기득권자들이 깨끗이 삼켜버리는 현상이 대부분이다.

따라서 중국의 이런 '관료 승진 챔피언' 체제 아래에서 지방관료들의 권력이 막강한데, 시장경제는 단지 경제제도의 문제로만 볼 수 있느냐는 질문을 해야 한다. 물론 중국이 비약적으로 발전한 이후 많은 경제학자가 경제모형을 통해 '중국식 경제 발전 모델'의 존재에 대해 증명하고 설득하려고 많은 노력을 들여왔다. '효율적인 정부와 효율적인 시장'은 그중 하나일 뿐이고 '정부+시장' 메커니즘에 대해 더 깊이 연구해야 한다. 우리가 보고 있는 것이 중국경제 발전의 전체 모습이 아니기 때문이다. 다만 시장경제가 중국 관료를 간접적으로 모니터링하고 통제하는 정부 역할을 했다는 것만은 증명이 되었다. 이는 마치 자본주의 사회에서 기업 CEO가 경영성과로 시장에서 평가되는 것과 같은 이치다. 당해 기업의 경영성과가 좋으면 해당 기업의 주가는 상승할 것이고 CEO는 그것에 대한 보상을 받는다. 주로 스톡옵션*이라고 하는 인센티브 제도를 통해서 말이다.

중국식 '관료+시장' 모델, 즉 시장이 관료의 승진을 촉진하는 모델에서 시장은 중국 관료들에게 '스톡옵션'을 행사할 수 있는 기회를 부여

♦ 스톡 옵션은 기업의 임직원이 일정 기간 내에 미리 정해진 가격으로 소속 회사에서 자사 주식을 살 수 있는 권리를 말한다. 주가가 오르면 오를수록 스톡 옵션을 가진 임직원이 얻을 수있는 이익도 커지기 때문에 실적에 기여한 임원들의 보너스로 사용하는 기업이 많다.

했다. 지방관료들은 자신들의 권력을 '자본'처럼 여겨 시장에서 주식옵션처럼 행사하며 거대한 부를 챙길 수 있었고, 경제 발전을 우선시 여겼던 중앙정부도 이에 대해 암묵적으로 용인해왔다. 이로 인해 중국 지방에서 특정 행정직은 시장에서 현금으로 '태환'이 가능하게 되었고, 지방 각 성의 관료들은 자기가 맡은 자리에서 기업의 CEO와 같은 역할을 했다. 각 성의 관료들은 기업의 투자를 적극적으로 유치했을 뿐만 아니라 관련 경제성과의 일부분도 당연시 보상으로 자기 호주머니에 받아 넣을 때가 많았다. 이는 마치 기업에서 경영성과가 좋을 경우 CEO가 일정 주식옵션을 성과금으로 받는 것과 같은 효과를 가져왔는데, 이런 암묵적인 인센티브 정책 환경에서 중국경제는 고속으로 성장했다. 중국 GDP는 1980년의 7,289억 위안에서 2010년의 39조 7,983억 위안으로 거의 55배 성장했다. 당시 환율로 2010년 중국의 GDP 규모는 5조 7500억 달러로 일본의 5조 3,900억 달러를 초과하며 세계 G2 국가가 된다.

그러나 위와 같은 환경이 크게 변화된 것은 2012년 시진핑정부가 시작되고 나서다. 갓 임기를 시작한 시 주석은 반부패를 자신의 정치 1호 공약으로 추진했으며, 이는 지방관료들의 부패행위에 대해 종신책임을 묻는다는 정책으로 이어졌다. 이에 각 당서기와 성장 및 부처별 장관 등 관료들은 위압감으로 경제 성장에 대한 욕심보다 일을 최소화하는 쪽으로 방향을 잡기 시작했다. 또한 중국관료에 대한 평가도 과거 GDP 대표선수를 뽑는 것에서 환경보호 등 다른 요인들을 모두 감안해 관료성과 평가를 진행했다. 그 결과, 중국 전역에 걸쳐 관료들

대부분은 과감하게 일을 추진하다가 잘못되면 책임을 묻는 위험보다도 일을 최소화함으로써 안전한 방향으로 자신의 선택을 최적화했다.

또한 지방경제가 발전했다고 해서 과거처럼 일정부분 자신의 특전으로 챙길 수 있는 상황이 아니었기에 일을 하고자 하는 동력도 크지 않았다. 그 결과, 중국경제는 2013년부터 급격하게 동력이 떨어지기 시작했고, 설상가상으로 정부가 부동산경제를 돌려세우기 위해 무분별한 금융행위를 제재하기 위한 신용축소 정책까지 함께 펼치면서 급기야 2013년 6월 30일에는 금리가 13.5%가 치솟는 위기가 발생한다. 이로 인해 정부와 여러 갈래로 얽히고설킨 대량의 민영기업이 도산하기 시작했고, 이는 사실상 지금까지 이어지고 있다.

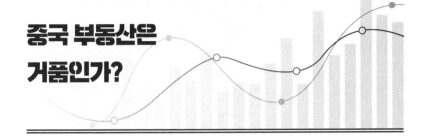

중국 부동산은
거품인가?

필자가 강의를 하면서 만난 분들은 이런 질문을 해오신다.

"중국 부동산에 투자해도 괜찮을까요?"
"중국 부동산 가격이 엄청 버블 아닌가요?"

특히 두 번째 질문에 답하려면 기준이 있어야 한다. 따라서 중국 부동산이 세계 다른 나라와 비교해 어느 정도 가격인지를 살펴볼 필요가 있다. 가장 쉽게 접근할 수 있는 자료는 PIR^Price to Income Ratio(소득 대비 주택 가격 비율)이다.

표 4-2. 국가별 소득 대비 주택 가격 비율(2022년 상반기 기준)

순위	국가	소득 대비 주택 가격 비율
1	중국	29.09
2	프랑스	12.85
3	러시아	12.39
4	인도	11.33
5	일본	11.25
6	영국	9.16
7	독일	9.02
8	노르웨이	8.4
9	뉴질랜드	8.34
10	캐나다	7.66
11	호주	7.6
12	네덜란드	7.38
13	미국	3.58

출처: 이스트머니

PIR은 가구의 연소득 대비 주택 가격의 비율이다. 이 숫자가 클수록 거품이 높다는 뜻이다. 표 4-2에 따르면, 세계 평균 PIR은 6~8 정도다. 그런데 중국은 평균 PIR은 매우 높아 30 수준이다. 특히 주요 도시의 PIR은 그보다도 높다. 베이징은 41.7, 선전은 43.5에 이른다. 세계 평균을 크게 웃도는 수치다.

부동산 거품의 정도를 판단하는 또 하나의 자료가 있다. 주택담보

표 4-3. 국가별 주택담보 대출 금리 비교(2022년 상반기 기준)

순위	국가	주택담보 대출 금리
1	중국	4.90%
2	미국	3.69%
3	일본	1.41%
4	스위스	1.61%
5	프랑스	1.53%
6	독일	1.88%
7	벨기에	1.87%
8	이탈리아	1.79%
9	홍콩	2.02%
10	대만	1.92%

출처: 이스트머니

대출의 금리를 살펴보는 것이다. 당연한 이야기지만 대출 금리가 높을수록 주택 구매자의 대출 상환 압력이 커진다. 표 4-3에도 나타나 있듯이 중국은 다른 나라들과 비교해봐도 주택담보 대출 금리가 매우 높다. 거의 세계 최고 수준이라 해도 지나친 말이 아니다. 그래서 이런 우스갯소리를 심심찮게 들을 수 있다.

중국인이 집을 사면
평생 은행을 위해 일하는 것과 같다!

중국인들은 다른 나라 사람들과 비교해도 실상 집을 사면서 2배나 넘는 비용을 내는 것과 같다. 금리 차이가 2~3% 수준일지라도 만약 30년 대출을 받는다면 실제 부담액이 복리가 되어 매우 높아진다. 최근 중국에서는 부동산시장이 불황에 빠지자 주택담보 대출 금리를 인하했다. 과거의 금리 수준과 비교하면 크게 낮아지긴 했다지만 중국인들은 아직도 세계에서 가장 높은 금리 시대를 살아간다.

중국인들은 큰돈을 들여 집을 사거나, 또한 주택담보 대출 이자를 갚느라 소비하는 데 사용할 여력이 별로 없어 보인다. 특히 막중한 이자 부담으로 인해 소비가 당분간 살아나기 힘들다. 중국 당국이 이 문제를 어떻게 풀어갈지 지켜볼 일이다. 그리고 향후 중국이 지속 가능한 발전을 어떻게 이뤄갈지도 지켜봐야 한다.

집값에 거품이 얼마나 꼈는지를 알아보는 데 도움이 되는 지표가 하나 더 있다. 가격 대비 임대수익률 지표다. 계산식은 아래와 같다.

$$\text{가격 대비 임대 수익률} = \frac{\text{주택의 단위면적당 월세}}{\text{단위면적당 판매 가격}}$$

사례를 만들어 임대수익률 지표를 구해보도록 하자. 만약 C 도시의 평균 임대료가 50위안/㎡/월이고 평균 집값이 1만 위안/㎡이라면 C 도시의 임대수익률은 50:10,000=1:200이다. 이 말은 임대료 수익을 받아 집값을 모두 회수하기까지 200개월(16.6년)이 걸린다는 뜻이다. 또 다른 D 도시의 임대수익률을 구하기 위해 수치를 입력했더니 임대

수익 대비 집값 비율이 1:600이 나왔다면 집값을 회수하는 데 600개월(50년)이 필요하다는 의미다. 이처럼 임대수익률이 높으면 회수 기간이 짧아지고 동시에 부동산 투자 가치가 높아진다고 볼 수 있다. 세계적으로 거품이 없는 주요 도시의 임대수익률은 평균 '1:200~1:300' 수준이다. 임대수익으로 집값을 모두 회수하는 데 16.7~25년 걸린다는 이야기다. 통상 임대수익률이 1:300보다 높으면 투자금을 회수하는 데 300개월(25년)이 걸린다고 여겨 부동산에 거품이 있다고 판단한다. 이런 부동산은 투자 가치가 낮을 수밖에 없다. 중국의 상위 200개 도시의 평균 임대 수익률은 512(비용 회수 기간은 43년)인 것으로 조사되었다. 사람들이 선호하는 1선과 2선 도시의 임대수익률은 대부분 600(비용 회수 기간 50년)이 넘는다.*

그렇다면 중국의 연간 임대수익률은 얼마나 될까? 중국의 주요 도시의 연간 임대수익률은 평균 1~2% 수준이다. 전 세계 주요 도시의 연간 수익률과 비교해도 큰 차이를 보인다. 도쿄, 뉴욕 등 글로벌 도시의 수익률은 5% 이상이다. 중국 부동산은 임대 수익 대비 너무 높은 가격을 유지하고 있다.

중국인들은 자산 중 절반 이상인 60~70%가 부동산이 차지한다. 너무 부동산에 자산이 치중되어 있는데, 이 비율을 점차 낮춰 주식 등 다른 자산으로 전환하는 일이 벌어져야 한다. 부동산에 자산이 묶인 경

---

* 샤먼 80년, 선전 74년, 둥관 66년, 닝보 62년, 싱하이 60년, 킹지우 50년, 히페이 56년, 쑤지우 55년, 난징 54년, 베이징 50년이다.

제 문제를 풀어야 한다. 그리고 미래 성장 산업으로 돈이 흘러가야 한다. 이는 중국 당국의 국가 경영 및 제도적인 뒷받침이 있어야 가능한 일이고, 적절한 자산 배분이 현실화될 때 중국의 경제와 미래가 지금보다 한 단계 더 발전할 수 있다고 생각한다.

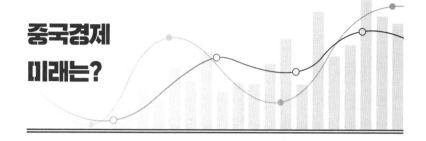

중국경제
미래는?

미국 등 다른 국가들과 달리 중국정부는 대출 금리를 인하하는 등 계속해서 돈을 푸는 방식으로 경기부양을 시도하고 있다. 과연 이런 통화 완화 정책이 정말로 중국경제를 살리고 주식시장을 살릴 수 있을까? 그리고 지금까지 계속 돈을 풀어온 중국경제의 지금 상황은 어떠할까? 여기에 대한 명확한 답을 하기 위해 케인스경제학Keynesian economics의 이론으로 쉽게 중국경제 문제점에 대해 설명해보겠다.

우선 이런 경우에 대해 한번 생각해보자. 만약 어느 한 국가에서 생산과잉이 발생하면 철강이나 시멘트 등 많은 제품이 재고가 되어 판매가 안 된다. 이에 철강회사 또는 시멘트회사 등 기업은 대규모로 노동자를 해고하게 되어 많은 사람이 실업하게 된다. 실업과 같은 경제문제는 곧바로 사회문제로 이어지기에 정부는 계속된 노동자 해고를 그냥 지켜보고 있을 수 없다. 대규모의 실업은 더욱 심각한 사회안정 문제를 일으킬 수 있기 때문이다.

이런 위기를 극복하기 위해 누군가가 정부에게 이런 아이디어를 냈다. 매개 도시마다 공원을 조성하게 하는 것이다. 공원을 조성하려면 철강, 시멘트가 대량으로 필요하기에 이들 기업의 생산과잉 문제가 해결될 것이고 노동자 해고도 없을 것이기 때문이다. 또한 확대된 수요가 실직된 노동자들에게 재취업의 기회를 주기에 이들은 생활에 필요한 소비를 구매할 수 있게 되고 이는 해당 국가의 경공업 발전을 촉진하게 된다. 경공업에 있는 기업들은 늘어난 수요를 만족시키기 위해 설비를 많이 구입해 공장규모를 확대할 것이며 이는 다시 중공업 발전을 촉진하면서 노동자 고용을 늘리는 등의 흐름을 반복하게 된다. 이런 양적인 2개의 순환이 상호 촉진하면서 결국 경제는 위기를 극복하고 안정적으로 성장하게 된다.

정부는 일리가 있다고 생각하고 적극적으로 추진하지만 또 하나의 문제가 걸린다. 각 지방정부가 공원이나 도로를 조성할 돈이 없다는 문제다. 이에 누군가가 이런 제안을 한다. 은행에서 정부가 빌려오면 된다고 말이다. 정부는 좋은 아이디어라고 생각하고 실제로 국채나 지방정부 채권을 발행해 은행에게 팔거나 담보로 잡아서 필요한 자금을 마련한다.

위의 내용은 그냥 하나의 이야기에 그치지 않고 실제로 미국에서 이뤄졌던 역사다. 1933년 미국 프랭클린 루스벨트 정부는 실제로 대량의 실업청년들을 동원해 공원을 많이 조성하도록 했다. 공원을 조성하는 것 외에 정부는 철도를 깔고, 도로를 만들고, 비행장을 건설하고, 시정공정 등 인프라 건설을 추진할 수 있다. 이것이 바로 케인스경제학이다. 한마디로 은행 같은 금융 시스템으로 돈을 풀고 정부와 기업이 돈을 빌려 인프라시설을 구축해 생산과잉을 해결하고 경제 성장을 이끄는 것이다. 다시 말해 돈을 찍어내 경제를 성장시킬 수 있는 방법은 시장에 투입되는 통화가 실물경제에 투입되면서 과잉된 생산량을 소비를 활성화해 소화하게 하는 것이다. 그러나 이런 경제 발전의 대가는 정부나 기업의 부채 상승이다.

중국은 1992년 사회주의 시장경제 체제를 본격적으로 추진했다. 시장은 자체 생산 조절 기능이 없기에 1996년에 중국은 처음으로 생산과잉 문제에 직면한다. 일반적으로 가동률이 80% 아래면 생산과잉으로 보고 75% 아래면 심각한 생산과잉이라고 본다. 당시 중국은 절반 이상의 공업기업의 가동률이 50%도 안 되었고 생산과잉 문제는 이미 매우 심각했다. 그때 사실 많은 기업이 파산의 변두리에 몰려있었고 계속 돈을 투입해야 유지 가능할 정도이었다. 1998년에 이르러 상품 재고량은 이미 GDP의 50%에 달했고 생산과잉은 점점 더 심각해졌다. 그러나 결과적으로 1998년의 중국의 생산과잉 문제는 경제위기로 이어지지 않았는데, 가장 결정적인 이유는 중국정부가 잠재적 국내시장 발굴과 해외 수출 개척으로 과거 재고상품을 사지 않던 사람들에게 판매하는 전략을 펼쳤기 때문이다.

당시 잠재적 국내시장 발굴에 있어서 가장 좋은 방법은 바로 도시화였다. 빠른 도시화는 부동산 관련 산업의 성장을 빠르게 끌어올렸다. 사실 1998년 이전 중국은 기본적으로 부동산시장이 없었다. 당시 중국정부는 복지 정책의 일환으로 기업단위로 주택을 지어서 직원들에게 분양했다. 그러나 1998년 아시아외환위기가 터지고 중국의 중공업의 생산과잉 문제가 불거지자 부동산 복지 정책을 중단하고 주민들이 시장에서 주택을 구입하도록 개방했다.

자연스레 주택은 중국 소비의 가장 중요한 구성부분이 되었고 경제성장의 새로운 동력이 되었다. 한마디로 중국정부는 도시화의 추진으로 주민들의 주택 소비를 자극해 국내소비를 진작시키는 정책을 시작한 것이다. 그해부터 중국의 방대한 부동산시장이 형성되었고 부동산 산업의 성장으로 금속(야금), 화공, 시멘트, 석탄, 건축, 건자재, 금융, 수도와 전기 및 가전, 보험, 시설관리 등 부동산 연관 산업들이 혜택을 받아 함께 성장하면서 자연스럽게 중화학공업과 경공업 제품의 생산과잉문제도 원만하게 해결되었다.

생산과잉의 또 다른 해결법은 해외시장 개척이다. 2001년 이전까지 중국상품 수출은 관세와 수입량 통제 등의 많은 제한이 있었지만, 2001년 WTO에 가입한 이후 이러한 장애요소들은 거의 제거되었다. 이때부터 중국의 대외 무역은 크게 늘어나 중국 제품들이 폭풍처럼 해외시장으로 수출되었다. 이는 중국의 경공업의 생산과잉 문제를 해결하는데 큰 역할을 했다. 해외주문이 많을수록 당시의 생산규모로는 수요를 만족시킬 수 없었기에 기업인들은 생산공장을 확대하고 더 많은 설비를 매입했으며, 이는 중화학 산업의 발전을 촉진했다. 또한 이런 투자확대로 더 많은 노동자를 고용하게 되면서, 이는 또 다시 국내소비를 촉진해 경제의 선순환을 형성하게 했다.

이처럼 중국정부는 국내외 2개의 해결책, 다시 말해 부동산시장과 수출경제 부양으로 1998년 경제위기의 그림자를 탈출했고 '수출-투자' 주도의 쌍순환 경제모델을 구축했다. 2001~2008년 중국경제의 두 자리수의 고속성장은 바로 위의 국내외 쌍순환 모델의 효율적 운영이 있었기에 가능했다.

생산과잉 문제의 발발

이렇게 잘 나가던 중국경제에 2008년 미국발 금융위기가 터지자 해외수요가 축소되면서 바로 생산과잉 문제가 또 다시 불거졌다. 위기가 코앞에 닥친 상황에서 중국정부는 1998년의 경험을 되살려 과감하게 투자를 확대하고 기업대출을 격려해 많은 인프라공정을 실시하게 했다. 이는 정부임대주택 건설과 농촌 인프라시설 투자 확대 및 철도와 도로 및 공항건설을 추진하는 것이다.

그럼 인프라시설 구축에 필요한 돈은 어디에서 왔을까? 앞에서 이야기한대로 은행에서 오는 것이다. 정부는 금융의 경제 성장에 대한 지원 역량을 강화할 것을 요구하고 상업은행의 신용 대출 규모 제한을 취소해 대출지원을 확대하는 정책을 펼쳤다. 이를 위해 중국정부는 2010년까지 4조 위안의 투자를 진행했다. 정부 임대주택 조성에 2,800억 위안, 농촌 민생공정과 인프라사업에 3,700억 위안, 철도, 도로, 비행장 및 도시 전기망 건설에 1,800억 위안, 생태환경 투자에 3,500억 위안, 자주혁신 구조조정사업에 1,600억 위안을 투입하고, 재난 이후 1조 위안을 재건에 투입하는 것이었다.

사실 4조 위안 투자가 바로 중국버전의 케인스경제학이다. 중국식 케인스경제학의 주도하에 중국경제는 한편으로 지속적으로 인프라 투자를 확대하고, 다른 한편으로 부동산시장을 키워왔다. 인프라 투자와 부동산 투자로 중화학 산업 수요를 견인했고 이는 중국 전체 제조업 성장을 이끌어 결국 중국경제가 큰 위기를 겪지 않고 G2까지 성장하게 했다.

그러나 이러한 시장 구제책은 문제를 해결하는 동시에 아래와 같은 세 가지 위기의 근원을 만들었다. 생산과잉이 점점 더 심각해졌고, 기업부채가 폭발적으로 증가했으며, 경제가 실물경제와 점점 동떨어져 금융경제 중심으로 돌아가게 했다. 위의 세 가지 문제의 발생 원인을 모르면 중국경제의 내적인 동작원리를 본질적으로 이해할 수 없을뿐더러 미래를 전망할 수 없다. 케인즈경제학을 따른 중국정부의 해결방안이 지금 중국경제가 돌아가는 운영 방향이며 중국의 '공급측 개혁'과 '시스템 리스크 방지' 정책을 실행하게 된 배경이다. 아래 자세하게 이야기해보자.

우선 케인스경제학에서 생산과잉 문제가 점점 더 심각해질 수밖에 없는 이유는 모든 인프라 프로젝트는 주기가 있기 때문이다. 도로 혹

그림 4-5. 생산과잉 문제 형성 과정

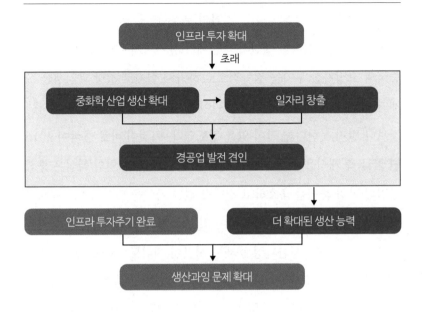

은 철도를 조성하면 대량의 철강, 시멘트 등 중화학 산업 제품을 소비한다. 이들 제품 공급기업은 갑자기 늘어난 주문량을 맞추기 위해 설비구매를 늘리며 투자를 확대해 생산량을 늘리게 된다. 정부의 인프라 투자주기 내에서 시장의 수요를 만족시키기 위해 중화학 산업 영역 모든 산업에서 확대 재생산이 이뤄진다. 그러나 언젠가는 길은 다 깔리게 되어있다. 도로공사에 납품했던 철강과 시멘트를 팔 곳이 없어지는 것이다. 물론 도로를 추가로 조성하면 일시적으로 문제가 해결된다. 지속해서 구축할 도로만 있으면 되는데 문제는 길은 언젠가는 다 조성되는 것이다. 만약 도시화 건설속도가 늦춰지면, 그리고 다른 인프라 건설도 모두 완료되면 철강과 시멘트 등 중공업기업들은 시장이 없어

진다. 이렇게 되면 그동안 확대했던 모든 중공업 제품은 바로 생산과잉 문제에 노출되게 되고 이는 기업의 투자위축을 불러와 수요가 줄어들면서 점점 더 심각한 생산과잉 문제가 불거지게 된다. 2011년 이후 중국의 고정자산 투자는 점차적으로 하락해 실제로 철강 과잉생산 문제가 터졌다. 당시 1톤의 철강을 팔아서 버는 돈이 1근의 배추를 파는 것보다 벌지 못한다는 말이 있을 정도였다. 이것이 바로 중국이 2016년 공급 측 개혁을 시작하게 된 배경이다. 공급 측 개혁의 핵심은 중점 산업의 과잉 문제를 축소하고 경쟁력 없는 기업을 도태시키고 세계적 경쟁력을 갖췄거나 갖출 가능성이 있는 기업에 생산력을 집중시키는 전략이다. 그러나 생산과잉 문제는 시간이 지나도 심각했다. 2021년 6월 기준, 중국의 생산 가동율은 78.4%이었지만 당해 제3분기부터 다시 하락해 2022년 1분기는 74.3%를 기록했다. 기업들의 생산 가동율 하락은 노동자 소득 수준 하락을 의미하며 이는 소비 주도 성장의 한계를 초래한다.

다음 케인스경제학의 주요 수단은 인프라 투자인데 이는 결과적으로 경제가 부채에 점점 의존하게 한다. 이는 모든 인프라 투자가 중국에서 주로 은행 대출에 의존하기 때문이다. 중국 지방정부는 도시건설 공사를 설립해 은행에서 대출을 하고 그 상당부분을 인프라 건설에 투자했다. 이는 대출이기에 결국 투자된 돈을 은행에 갚아야 한다. 그러나 많은 돈이 거의 상환되지 못했다. 그것은 대부분의 인프라 프로젝트가 수익성이 거의 없기 때문이다. 예를 들어 4선도시의 지방정부가 돈을 빌려서 비행장을 건설한다고 하자. 이 비행장은 1년에 몇 개 안

되는 비행기만 착륙하기에 수익이 발생할리가 없다. 무엇으로 돈을 갚을 것인가? 또 다른 예를 들면 도시경관 개선 사업 같은 경우 주민들에게 혜택이 돌아가지만 수익을 만들기 힘들다. 사실상 인프라 프로젝트는 대부분 공익성격이 크기에 국민에게는 복지가 돌아가지만 수익성은 없다. 따라서 도시건설공사는 계속해서 새로운 부채를 만들어 과거 부채를 갚을 수밖에 없게 되었고 이는 점점 지방정부의 부채규모를 커지게 하는 악성순환으로 이어지게 했다.

그러나 여기에서 그치지 않는다. 부채는 지방정부에서 일반 민영기업에게 전이될 수 있다. 지방정부가 인프라 투자를 진행하면 철강 같은 원재료를 구매하게 되어 인프라 건설주기 내에서 철강기업에 대한 주문이 많아지게 된다. 그러나 철강기업은 짧은 기간에 공장을 짓고 투자를 확대할 돈이 없다. 어떻게 할 것인가? 이들은 은행에서 대출해

그림 4-6. 기업 부채 폭발 과정

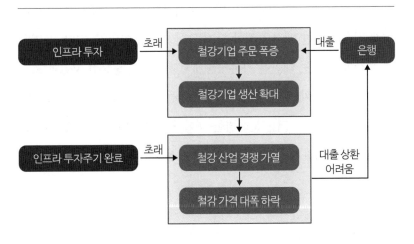

서 확대 재생산을 하게 된다. 그러나 인프라 건설주기가 끝나면 확대된 철강생산은 재고량이 급격하게 늘어나게 되어 바로 생산과잉으로 이어진다. 이에 철강 가격이 떨어지고 기업이 그동안 번 돈은 고스란히 은행 대출 원금과 이자를 갚는데 쓰이게 된다. 만약 상환이 어려운 기업이라면 지속해서 돈을 빌려 기존의 대출을 갚을 수밖에 없다. 결국 기업의 이자부담이 늘어나고 부채는 점점 커지게 된다.

장기간의 부채 투자 확대로 중국경제의 전체적인 부채율은 끊임없이 높아져 왔다. 2022년 중국의 명의 GDP가 121조 위안이며, 중국주민과 기업 및 정부가 매년 지급해야 하는 이자는 17조 위안으로 GDP의 14%를 차지한다. 점점 높은 채무부담은 기업의 이익을 잠식하고 투자에 필요한 자금을 축소시킴과 동시에 주민의 소비공간을 압축시켜 사회 수요을 침체시켜 위기의 가능성을 높인다.

경제위기 발발은 기업 부채의 부도로 이어질 가능성이 높으며 채권자로서의 은행은 바로 부실대출율이 급상승하게 된다. 지금의 부채규모로 봤을 때 시스템 리스크가 발생할 확률이 높다. 앞으로 중국이 어떻게 지속 가능한 발전을 해야 할지 크게 의문이 아닐 수 없다. 유일하게 생각할 수 있는 대안은 자본시장에서 기업들이 충분한 자금을 조달할 수 있도록 규제를 완화하고 중국 주민들의 자본시장 투자도 활성화하는 방향으로 리스크를 분산하는 것이다. 사실 은행을 활용한 자금공급 체제는 유지하가기가 힘들다. 부채는 상승하다보면 터지게 되어 있다.

마지막으로 생산과잉 같은 원인으로 제조업의 수익성이 점점 하락하게 되면 금융기관의 돈은 점점 부동산과 금융상품 같은 곳에 모이게 된다. 중국정부의 도시화 추진과 도시주민의 대출을 활용한 부동산 매입 정책은 부동산을 중국에서 가장 돈을 많이 버는 산업으로 만들었다. 따라서 금융기관은 점점 더 대부분 자금을 부동산 관련 기업에 대출하고자 한다. 또한 제조업기업 스스로도 부동산시장에 뛰어들기를 원하게 되며 결코 본업인 제조업에 이익을 재투자 하지 않으려 한다. 실제로 중국 상장기업 대부분이 이익을 부동산 개발에 투자했다. 부동산 규모가 있는 제조업기업은 조그마한 가능성만 보여도 재빠르게 대출을 이용해 토지를 확보해 부동산 개발에 나섰다. 이로 인해 시중에 풀린 돈은 점점 실물경제를 벗어나 부동산 투기로 향했고 높아진 자산 가격은 결국 점점 치솟아 중국경제는 자산시장 거품을 만들어내는 경제체제로 바뀌었다. 이것이 지난 몇 년간 중국정부가 가장 강조한 내용이 시스템 리스크 방어인 이유다.

도대체 얼마나 많은 자금이 부동산으로 흘러갔는지 은행의 재무제표를 보고 알 수 없다. 부동산으로 흘러간 대량의 돈은 모두 자산관리 금융상품으로 포장되었기 때문이다. 현재 중국정부가 부동산은 거주용이지 투기용이 아니라고 강조하는 이유는 바로 자금을 부동산시장에서 실물경제로 돌려오게 하기 위한 목적이다. 중국 은행들의 자금은 점점 금융시장으로 흘러갔을 뿐만 아니라 결과적으로 금융자본이 실물경제의 이익을 대체하는 결과를 만들어냈다. 그림 4-7에서 보면 미국기업의 이익은 골고루 분포된 반면, 중국기업의 이익의 절반 이상은 부동산과 상업은행이 가져감을 알 수 있다.

그림 4-7. 중국과 미국 500대 기업 중 가장 수익이 좋은 10대 업종(2019년)

단위: %(업종별 순이익 비율)

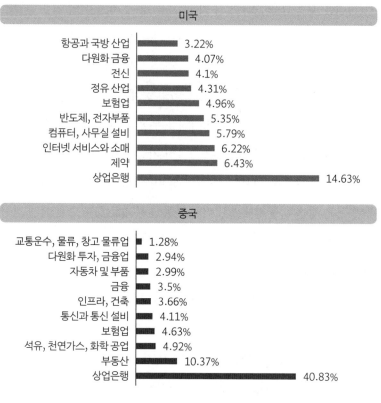

미국

업종	비율
항공과 국방 산업	3.22%
다원화 금융	4.07%
전신	4.1%
정유 산업	4.31%
보험업	4.96%
반도체, 전자부품	5.35%
컴퓨터, 사무실 설비	5.79%
인터넷 서비스와 소매	6.22%
제약	6.43%
상업은행	14.63%

중국

업종	비율
교통운수, 물류, 창고 물류업	1.28%
다원화 투자, 금융업	2.94%
자동차 및 부품	2.99%
금융	3.5%
인프라, 건축	3.66%
통신과 통신 설비	4.11%
보험업	4.63%
석유, 천연가스, 화학 공업	4.92%
부동산	10.37%
상업은행	40.83%

출처: 웨이신

　사실 중국정부는 이러한 문제점을 명확하게 알고 있기에 10년 전부터 경제구조조정 노력을 시도해왔으며 적극적으로 '3거 1강 1보(과잉 생산설비 해소, 부동산 재고 해소, 과대 레버리지 최소화, 기업의 원가 절감, 유효 공급 확대)'를 추진해왔다. 여기에서 가장 핵심은 '레버리지 축소'다.

즉 기업의 부채를 줄이는 것이다. 한편으로 중국정부는 레버리지 축소를 강조하면서 금리를 계속 인하시켜 이자부담을 덜어줘서 이익을 제조업에 양도해 자생할 수 있도록 하는 목적도 있다.

즉 중국정부는 부동산에 들어간 자금들을 고부가가치 제조업에 흘러가도록 유도하기 위한 정책을 펼치고 있다. 우선 신재생 에너지와 배터리, 반도체 등 미래 산업에 있는 기업들에 대한 대출 금리를 최대한 낮춰서 주도 산업으로서 성장할 수 있도록 우대정책들을 적극적으로 펼치고 있다. 또한 중국경제 경착륙 리스크를 완화하기 위해 부동산기업에 대한 금리 지원 정책도 펼쳐 제조업이 주도 산업으로 성장하기 이전에 무난하게 경제가 돌아가도록 해야 하는 노력도 동시에 하고 있다. 한마디로 경제 성장과 경제안정을 동시에 실현해야 하는 시진핑 정부는 역사이래 가장 중요한 시점에 있다고 봐도 무난하다. 승패는 올해 하반기와 내년에 결정될 것이다. 주도 산업의 대표선수 교체가 잘 이뤄지면 중국경제는 새로운 성장가도를 달릴 것이고, 그 반대라면 잃어버린 일본의 과거를 보낼 수도 있다.

미·중 갈등 시대,
투자 방향 찾기

THE FLOW

Intro

지난 10년간 국가 간 무역 장벽을 없앤 국제화의 결과로 확대된 세계 부가가치 금액은 약 18조 달러다. 그중 미국이 6조 달러로 벌어들였고 중국은 미국보다 더 많은 8조 달러를 벌어들였다. WTO 체제하의 국제 무역의 가장 큰 혜택이 중국과 미국의 몫이었다. 두 나라의 몫이 14조 달러나 된다. G2를 제외한 나머지 국가들도 혜택이 있지만 단 4조 달러의 부가가치만을 나눠 가져갔다. 한국, 독일, 영국, 프랑스, 일본 등이 4조 달러를 놓고 각축을 벌이는 격인데, 이 부분도 점점 줄어들고 있다. 중국의 기술 경쟁력이 빠르게 상승하면서 한국을 비롯해 미국과 일본 및 독일 등 선진국의 상당 부분을 대체하고 있기 때문이다. 이것이 지난 20년 세계경제의 판도였다.

그러나 2018년부터 시작된 미·중 무역 전쟁은 미·중 간 기술 패권 전쟁으로 치달으면서 오랜 시간 이어질 것으로 예상된다. 초강대국 미국과 중국의 갈등이 앞으로 어떤 방향으로 전개되어갈지 주목해야 한다. 두 나라의 관계 변화는 전 세계 국가들 간의 역학적 관계 변화를 가져올 것이며, 이는 새로운 시대흐름을 만들어 우리 모두의 시대적 운명을 변화시킬 것이다. 국내외 언론과 학자들은 미·중 관계가 과거 40년의 협력 시대에서 '위대한 결별great decoupling 시대'로 완전히 전환되고 있으며, 사실상 신냉전이 시작되었다고 판단하고 있다. 과거 미국과 소련이 2개의 진영으로 나뉘어 다투던 관계가 냉전冷戰, cold war이었다면, 현재 미·중 G2 간의 갈등은 양전凉戰, cool war, 즉 겉은 차가워도 속은 차갑지 않은 상황이라고 판단해야 한다. 이는 바이든정부의 '견제/경쟁+협력'과 같은 의미라고 보면 된다. 겉으로 보이는 상황이 전부가 아니다.

그러나 사람들은 눈에 보이는 현상만을 보고 눈에 안 보이는 큰 흐름을 놓치는 우를 범한다. 필자가 자주 언급하듯 '파도만 보고 바람을 보지 않는 일'이라 하겠다.

현재 미·중 관계의 대립과 대결이 이데올로기, 정치 제도, 지정학적으로 먼저 나타나고 있음은 두말할 필요가 없다. 공급망을 둘러싼 양국 간 기술 패권 싸움에 이어 미국은 각국에 중국을 경제와 금융 등에서 분리하는 디커플링decoupling, 즉 탈동조화를 압박하고 있다. 이런 글로벌 환경에서 중국은 어떻게 대응하려고 할까? 현 단계에서 중국정부는 쌍순환 전략, 다시 말해 방대한 국내시장에 기반한 내순환 경제 활성화와 국제시장에서의 기술 수출 중심의 공급망 확대라는 외순환 전략을 펼치고 있다. 이는 대외적으로 개혁·개방과 수출경제를 유지하면서 내수를 활성화해, 중국경제 성장의 두 동력으로 삼겠다는 것이다.

미래 30년은 마치 후한 말기 삼국 시대에 들어선 것처럼 정치·경제·국제 관계 모든 영역에서 불확실성이 더 큰 시대가 될 것이다. 한국정부와 기업은 이에 대한 지혜로운 사고와 선제적 대응 전략을 만들어가야 할 것이다.

미·중 갈등은 어떻게 흘러갈 것인가

이 장의 주제를 본질적으로 이해하는 데 도움을 주기 위해 '적벽 대전'에서 남동풍을 이용해 조조의 대군을 화공火攻으로 물리친 제갈량의 지혜를 이야기하겠다.

서기 208년, 유비와 손권이 이끄는 10만 연합군은 조조의 80만 대군과 양쯔강 남안의 적벽赤壁에서 맞닥뜨린다. 수적 열세로 위기에 몰린 연합군의 책사 제갈량은 "동짓날부터 3일 동안 거센 남동풍을 빌려 오겠다"며 그때까지 기다리자고 제안한다. 남동풍을 이용해 조조의 대군을 화공으로 물리치겠다는 것이었다. 당일이 되자 제갈량의 '예언'대로 남동풍이 불었고, 조조의 대군은 쏟아지는 불화살에 결국 대패했다. 제갈량은 저기압이 온난 전선을 동반하고 온난 전선 앞면에 항상 남동풍이 분다는 사실을 알았던 것이다. 또한 그는 한 어부에게서 동짓날 전후로 미꾸라지가 물위를 부지런히 들락거리면 남동풍이 분다는 사실을 알아냈다. 위성 사진이나 레이더 영상이 없었던 시대에 구름 모양과 미꾸라지의 움직임으로 날씨를 예측한 제갈량은 '베테랑 예보관'이라고 할 수 있다.

여기에서 필자가 강조하고 싶은 점은 투자자로서 제갈량처럼 특정 동향들을 보고 흐름을 미리 읽을 수 있는 '시대의 예보관'이 되어야 한다는 점이다. 기술혁신의 흐름과 국가 간의 역학 관계 이해 등이 재무제표 분석을 기계적으로 하는 것보다 훨씬 중요하다. 적벽대전 당시 군사 물자 같은 단순 군사적 전술 준비는 조조가 더 잘되어 있었다. 하지만 조조는 지형과 바람 파악 같은 전략적 판단을 놓쳤기 때문에, 결국 80만 대군이 10만 연합군 앞에서 궤멸하는 운명을 맞이하게 되었다.

미·중 갈등은 양전

그럼 '시대의 예보관'이 되기 위해서 지금 우리가 가장 먼저 알아야 할 것은 무엇일까? 바로 미·중 갈등이 어떤 양상으로 전개되느냐다. 누구나 이 주제에 대해 한두 마디 붙일 수 있다. 필자가 보기에 미·중 갈등은 앞으로 상당 기간 '양전'의 형태를 띨 것이다. 이는 미국과 구소련과의 '냉전'과는 다른 전개가 될 것이다. 지난 20년간 미국과 중국 중심으로 급속하게 펼쳐진 세계화 속에서 각국은 서로 얽히고설킨 무역 관계에 매여 있으며, 거의 모든 산업에 걸쳐 글로벌 공급망이 연결되어 있기 때문이다.

2001년 중국이 WTO에 가입한 이후로 오랫동안 세계경제는 미국과 중국 두 나라가 중심이 되어 완성한 공급망 밸류체인하에서 움직였다. 두 나라는 자신의 이익을 꼬박꼬박 챙기면서도 상대 국가에는 매우 호의적이었다. 나의 이익을 챙기는 동시에 상대의 약점을 눈감아주는 양국의 밀월 관계가 10년 넘게 이어졌다. 기축통화국 미국은 필요할 때마다 달러를 발행해서 중국의 물건을 샀고, 중국은 물건을 제공한 대가로 받은 달러로 미국의 채권을 꾸준히 사들였다. 이른바 '차이메리카Chimerica*'라 불리는 밸류체인의 핵심이 이런 양상이었다. 이 같은 글로벌 밸류체인 구조에서 최대 수혜자인 중국이 빠르게 G2로 올라섰다.

그러나 트럼프정부 집권 이듬해인 2018년부터 미·중 무역 갈등이 시작되었다. 갈등을 넘어 전쟁이라는 표현이 더 적당하다 싶을 만큼 두 나라의 관계는 냉랭하다. G2의 '전쟁'은 세계경제에 엄청난 파장을 미치고 있다. 처음에는 상대국이 수출하는 상품에 높은 관세를 매기는 조치에 불과했으나, 시간이 지날수록 두 나라는 전방위적인 분야

◆ 미·중 관계를 설명하기 위해 하버드 대학교의 니얼 퍼거슨 교수와 모리츠 슐라리크 교수가 만든 신조어다. China와 Ameraica를 조합했다.

에 걸쳐 서로 견제하고 있다. 미국은 절대 건드려서는 안 되는 대만 문제[*]와 중국 내부의 인권 문제까지 공론화하며 갈등을 키우고 있고, 중국은 미국채 매입 중단과 위안화 결제 등 통화 전쟁을 마다하지 않으면서 응수하고 있다.

서로의 이익을 담보로 생산과 소비(시장) 역할을 맡으며 만들어진 중국과 미국의 글로벌 밸류체인에도 많은 변화가 불가피한 상황이다. 주도 소비국이었던 미국은 자국 혹은 북미 지역에 제조업 공급망을 구축해 세계 생산 공장인 중국에 대한 의존도를 줄이려고 한다. 한편 중국은 예전처럼 수출이 여의치 않을 거라는 정세 판단에 따라 14억 인구가 중국 내 생산품을 소비하는 내수 진작 정책으로 꽉 막힌 외부 환경 제약을 돌파하려고 한다. 그러나 두 나라 모두 당장 생각처럼 될 수 없는 상황이다. 오랜 시간 단단하게 구축된 미국, 중국 중심의 밸류체인이 한순간에 와해될 거라고 보는 시각도 드물다. 비록 겉으로는 두 나라의 다툼과 갈등이 심할지라도, 속으로는 서로의 손을 뿌리칠 수 없는 관계라고 볼 수 있다. 아직은 미국도 중국도 서로가 서로를 필요하기 때문이다.

다시 말해 우리는 미국정부가 중국과의 관계를 결코 완전한 냉전으로 몰고 갈 수 없음을 우선 인지해야 한다. 이는 아주 간단한 상식

---

[*] 유엔은 유엔 총회 결의 2758호에 따라 대만을 포함한 중국을 유일한 합법정부로 인정한다. 이 결의로 대다수의 국가는 중국을 유일한 합법정부로 인정하게 되었다. 그런데 미국이 대만을 정식 국가라고 명시하면서 중국을 자극한 것이다. 1979년 1월 중국이 미국과 수교하는 건게 조건이 중국은 유일한 합법정부로 인정하는 것이었다.

에 기반한다. 중국은 전 세계 생산 능력의 28.37%(4조 달러)를 담당하고 있으며 미국은 16.65%인 2.3조 달러를 담당한다. 미국, 일본(1조 달러), 독일(8,000억 달러)의 생산 능력을 합해야 겨우 중국에 맞먹는 수준이다. 이는 중국에서 생산되는 제품을 사용하지 않을 경우 세계는 높은 물가에 시달리든지, 아니면 공급패닉으로 멈추든지 둘 중 하나의 결과를 맞이하게 될 것이다.

중국과의 무역 관계로 미국의 소비자들도 큰 이득을 본다는 것은 지난 3년간의 미·중 무역 전쟁에서 증명되고 있다. 미국 노동통계국에 의하면 중국에서 수입하는 비중이 1% 증가할 때마다 미국의 소비자 물가는 3% 감소한다. 미국인들이 맞은 백신 주사기의 80%도 중국에서 수출하고 있다. 미국의 대對중국 수출도 중국이 2001년 WTO에 가입한 이후로 무려 548%나 증가했다. 중국을 빼면 같은 기간 미국의 수출은 고작 84% 증가했다.

미국은 중국의 중요한 고객이며, 중국 또한 미국의 가장 큰 고객이다. 누구든 물건을 사러 오는 고객을 내쫓지 않을 것이다. 이런 의미에서 미국과 중국의 관계는 과거 미국과 구소련처럼 냉전 관계가 될 수 없으며, 전략적 경쟁 관계지만 협력할 수밖에 없다. 이런 측면에서 기껏해야 미래 40년은 '양전'이 될 것이다. 현재 미·중 관계는 협력적 대결 관계가 형성되어 있어 경쟁의 성격이 더욱 뚜렷하고 주도적일 뿐이다.

〈뉴욕타임스〉는 바이든정부의 대중 정책을 '신중한 견제와 균형'이라고 요약했다. 쉽게 말하면 협력할 수 있는 곳에서 협력하고 경쟁해야 하는 곳에서 경쟁하는 것을 의미한다. 구체적으로는 이념과 군사 영역의 대립과 대결, 경제 및 기술 분야의 경쟁과 견제, 기후 변화·전염병 예방·핵 확산 및 인문 교류에 대한 제한된 협력 등이다. 이것은 미국의 바이든정부가 중국과의 관계를 정의하는 기본흐름이다.

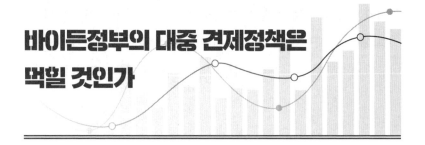

바이든정부의 대중 견제정책은 먹힐 것인가

'견제/경쟁+협력'의 대중 정책은 일방적으로 억제와 봉쇄만 하던 트럼프정부의 정책과 궤를 달리한다. 트럼프정부 이전의 역대 미국정부는 '협력+견제'라는 정책이 기본흐름이었으며, 이중 '협력'이 핵심이고 '견제'는 적당히 보완하는 관계였다. 미국은 일찍이 양국 경제 및 기타 방면의 협력으로 중국을 미국 중심의 국제질서에 편입시킬 수 있다고 생각했다. 중국의 개혁·개방 이후 중국 국민들이 잘 먹고 잘살게 되면 민주주의 요구가 높아지면서 자연스럽게 자유민주주의 체제로 변화될 것으로 판단했다.

그러나 지난 40년간의 미·중 간 긴밀한 협력 정책이 결코 그 결과로 이어지지 못했을뿐더러, 오히려 중국정부는 '중국식 현대화' 발전 경로를 더욱 강조하고 있다. 이것이 협력만으로는 중국을 바꿀 수 없다고 미국이 인지하게 된 배경이다. 즉 앞으로 대결과 대립으로 중국을 봉쇄함으로써 변화시킬 수 밖에 없다는 판단이 지금 미국 사회와 정부의 컨센서스다. 중국 정책과 관련해 바이든정부는 '경쟁'과 '억제'가 중심이고 '협력'은 일부 영역에서 필요에 따라 보완하려는 태도를 취한다.

미·중의 대립과 대결은 지정학적·지경학geo-economics적 측면이 모두 중요하다. 만약 중국의 부상이 미국의 국익과 패권을 위협하지 않고 정치 제도의 대립만 있었다면 미국정부가 중국을 압박하더라도 지금과 같은 수준은 아닐 것이다. 양국 관계를 바라볼 때 이데올로기와 지정학적 두 가지 시각에서 분석할 줄 알아야 한다. 즉 자유민주주의와 공산주의 일당독재, G1과 G2의 대결, 국제 사회에서의 영향력 등의 측면에서 복합적으로 봐야 하며, 어떠한 단일한 분석은 모두 불완전하고 사안의 본질을 가릴 수 있다.

미·중 정치 체제와 지정학적 전략의 대립과 충돌은 정치·외교·군사적 힘겨루기에서 나타나지만, 현 단계에서는 주로 경제 영역에서의 경쟁과 과학기술의 봉쇄를 통해 이뤄지고 있다. 지난 40년간 미·중의 가장 큰 변화는 경제, 과학기술, 산업체인의 긴밀한 융합으로 사실적 공동체가 되었다는 점이다. 중국정부의 표현에 따르면 경제 무역은 양국 관계의 기본 구축점인데, 이 구축점이 일단 흔들리면 미·중 간 '합심의 큰 배'가 전복된다는 의미다. 미국정부는 이 점을 의식해 전체를 뒤집어 다시 시작하려고 하고 있으나, 두 나라 경제가 너무 긴밀하게 결합되어 있어 경제 관계를 완전히 끊는다는 것은 비현실적이다. 미국에 큰 피해를 줄 수 있기 때문에 점진적인 방법을 선택할 수밖에 없다.

미국의 전략 1: 기술 경쟁력 강화

미국은 우선 현실적으로 시간을 두고 부분적으로 의존도를 줄여가는 노력을 하는 동시에, 과학기술에서 중국에 비해 초격차를 두는 전략을 취하고 있다. 미래에는 국가 간의 경쟁에서 과학기술이 핵심이며, 특히 4차 산업기술의 경쟁력이 승패를 결정하기 때문이다. 중국은 넓은 시장과 빅테이터 및 AI기술을 이용해 4차 산업 영역에서의 산업화를 포함해 전반적인 영역에서 미국을 급격히 추격하고 있는데, 미국정부가 이를 국가 이익과 안보를 위협받고 있는 상황까지 왔다고 인지하고 있다. 트럼프정부가 화웨이를 비롯한 중국 핵심 과학기술 기업을 제재하고 압박한 이유이기도 하다.

호주전략정책연구소에서 발표한 자료에 따르면, 대부분 영역에서 중국의 기술력이 미국을 초월하는 것으로 나타난다.[*] 중국은 조사 대상인 첨단기술 분야 44개 중 37개 분야의 연구개발을 선도하며 미국

---

[*] 호주전략정책연구소는 중국과 미국의 기술 선도 상황을 분석한 '핵심기술 추적 연구Critical Technology Tracker' 보고서를 2023년 3월 2일에 내놓았는데, 해당 프로젝트는 미국 국무부의 지원을 받아 진행되었다고 한다.

보다 영향력이 큰 것으로 나타났다. 미국은 국방, 우주, 로봇 공학, 에너지, 환경, 생명 공학 등의 분야들이 우세하고, 고성능 컴퓨팅, 양자 컴퓨팅, 백신 분야에서는 선두를 차지했지만, 44개 기술 중 대다수에서 2위를 차지하고 있다. 이처럼 거의 모든 분야에서 중국이 첨단 연구 분야를 선도한다는 것은 장기적으로 볼 때 지금은 존재하지 않는 미래기술에서도 중국이 우위를 점하게 될 가능성이 높다는 의미다.

바이든정부는 경제와 과학기술 분야에서 트럼프정부의 대중국 규제 조치를 이어가는 것 외에 미국 자체의 경제와 과학기술 경쟁력을 높이는 데 주력하고 있다. 트럼프정부처럼 극한의 압박만 하기보다는 미국의 기간 산업과 과학기술에 투자를 확대해 미국경제와 기술의 경쟁력을 높여 중국과의 격차를 크게 넓혀가며 중국을 억제하겠다는 것이다.

미국의 전략 2: 동맹국의 신뢰 강화

다른 한편으로 미국은 전 세계적인 공동 이슈에 관해 동맹국의 신뢰를 얻기 위해, 중국을 견제할 때 동맹국들의 협조를 얻으려는 전략도 구사하고자 한다. 바이든정부가 정치·군사·외교적 측면에서만 동맹국과의 조율을 강화하고, 대다수 동맹국이 관심을 두는 기후와 같은 전 인류의 이익과 관련한 문제에 트럼프정부처럼 계속 무책임한 모습을 보인다면, 동맹국들은 미국과의 동맹에 신뢰가 깨지면서, 중국의 도전

에 대응하는 데도 합심하지 않을 것이라는 게 그들의 판단이다.' 물론
미국이 이들 국제기구에 다시 가입하는 데는 글로벌 차원에서 중국과

표 5-1. 미국 주도로 결성된 국제 문제 협의체

조직명	내용
US-EU TTC	2021. 6. 15. 미-EU 간 국제 무역 및 첨단기술 부문 협력 강화를 위해 발족에 합의. 데이터 이동, AI 등 신흥기술 관련 표준, 녹색·지속 가능성, 공급망 복원력, 수출 통제 등을 다룸
AUKUS	2021. 9. 15. 미-영-호 3자 안보 파트너십 발족
US-TW TTIC	2021. 12. 6. 미 상무부와 대만 경제부가 출범시킨 메커니즘으로 핵심 첨단기술 산업과 공급망을 다룸Technology, Trade and Investment Collaboration
IPEF	2022. 5. 23. '인도-태평양 경제 프레임워크
칩4	2022년 한국-미국-일본-대만 반도체 동맹 결성 예정, 그해 9월 실무자 회의
APEP	2022. 6. 8. 바이든은 중남미판 경제 협력 강화 구상인 APEPAmericas Partnership for Economic Prosperity 발표
MSP	2022. 6. 14. 미국-한국-EC를 포함한 11개 국가 MSPMinerals Security Partnership 발족
PBP	2022. 6. 24. 미국, 호주, 일본, 뉴질랜드, 영국이 주도하고, 태평양 제도의 지원을 위한 효과적이고 효율적인 협력을 위해 설립
PGII	2022. 6. 26. G7 국가 PGIIPartnership for Global Infrastructure

출처: CSAI

◆ 바이든 대통령은 임기를 시작하자 바로 17개의 행정 명령에 서명했다. 코로나19 팬데믹 전파에 대한 신속한 대응 명령, 파리협정과 세계보건기구WHO 및 유엔인권기구 등 탈퇴한 국제기구로의 회귀다. 앞으로 이란 핵협정도 부활시킬 것이라는 뜻도 여러 차례 밝혔다. 미국의 국제적 리더십을 발휘해 중국의 영향력을 균형 있게 제어하겠다는 것인데, 미국이 국제 조직에서 탈퇴하고 고립주의로 돌아선다면 더 이상 국제적 리더십을 발휘할 수 없다는 것이다.

어느 정도 협력하려는 의도도 있을 것이다. 기후와 전염병 퇴치, 핵 확산 억제 등에 양국이 제한적으로 협력하는 것보다 국제기구에서 협력하는 게 훨씬 더 정치적 부담이 적기 때문이다.

표 5-1은 바이든정부 취임 이래 추진된 동맹국 국가들과 형성한 국제 문제 협의체다. 한국은 중국 견제 성격의 IPEF·칩4·PGII에 모두 참여한 상황이다. 시진핑 주석은 "경제 협력 정치화에 반대한다"는 입장을 명확히 했다. 사실 한·미, 한·미·일 정상 회담은 한국과 미국이 전통적인 동맹국인 만큼 중국 입장에서도 이해할 여지가 크다. 하지만 IPEF와 칩4 등은 모두 중국의 기술 굴기를 견제하는 성격이 짙기 때문에 그냥 손 놓고 있을 만한 일이 아니다. IPEF와 칩4는 중국 주도 역내포괄적경제동반자협정RCEP에 대응해 추진되는 것으로, 글로벌 공급망을 미국 우방국 위주로 재편하려는 목적이 크다. 한국정부가 RCEP 회원국인 동시에 IPEF에도 참여하기로 하면서 중국 측에서는 한국을 경계할 수밖에 없는 상황이 되었다. PGII는 중국의 일대일로**에 맞서는 성격으로 G7 국가들이 함께 뭉쳐서 개발 도상국에 인프라 투자를 확대하겠다는 취지에서 결성된 것이다.

** 시진핑이 제시한 전략으로, 개발 도상국에 인프라 개발 사업을 대규모로 지원해주는 프로젝트다.

미국정부 주도의 산업 지원 정책

미·중 패권 전쟁은 주로 차세대 첨단기술 분야에서 이뤄지고 있다. 미국은 중국의 도전을 물리치기 위해 과거처럼 시장의 힘에 맡기기보다는, 정부 주도의 산업 지원 정책을 총동원하고 있다. 바이든정부는 집권 이후 「반도체와 과학법」과 「인플레이션 감축법」을 통과시켜, 반도체와 배터리를 포함한 전기 자동차 등의 영역에서 글로벌 공급망 안전을 빌미로 미국 우선주의를 펼치고 있다.

반도체는 이제 국가 경제 안보 차원에서 '산업의 쌀' 기능 이외에 가장 중요한 '전략적 외부성'을 지닌 자산이다. 바이든정부는 「반도체와 과학법」을 통해 약 390억 달러 규모의 자금을 투자해 미국이 약세인 반도체 제조 부문을 집중 육성하고자 한다. 1990년대 세계 칩 생산의 40%대를 차지했던 미국의 압도적 우세가 10%대로 하락한 추세를 반전시키겠다는 전략이다. 이 법에는 미국정부의 보조금 지원을 받으려면 미국 내(혹은 북미)에 생산 기지를 만들어야 한다는 규정이 있고, 앞으로 10년간 중국에 의미 있는 신규 투자를 할 수 없다는 '가드레일 조항'이 있다. '초과 이익 환수' 및 '생산 시설에 대한 접근 허용' 등의 조항도 있는데, 자칫 잘못하면 미국에 진출한 다국적 기업의 핵심기술까지 유출될 위험에 놓이게 하는 무리한 요구다.

한편 미국은 동맹국들과 민주주의 '기술 연맹'을 만들어 반도체, 배터리 등 전략적 첨단산업에서 중국을 제외한 글로벌 공급망을 구축하려고 한다. 「인플레이션 감축법」에서 전기 자동차와 배터리 제작 시 부품과 핵심 광물을 나눠 구체적인 정부 보조금 기준을 발표했으며, 북미에서 제조·조립한 부품과 북미, FTA 체결 국가 및 일본에서 생산되는 핵심 광물을 사용할 경우 세제 혜택을 부여하는 내용을 담고 있다. 배터리 영역에서 중국기업은 한국기업들의 가장 큰 경쟁사이기도 하다.[*] 따라서 미국정부의 대중 견제정책은 미국시장에서 중국기업의 시장 확대를 억제시키는 효과가 있기 때문에, 한국기업들에는 단기적으로 큰 기회가 될 것이다. 한국기업들은 이 기회에 미래 산업에서의 공급망 경쟁력 강화와 공급망의 다변화를 빠른 시일 내에 이뤄냄으로써 중국 및 일본기업들과의 격차를 벌려야 할 것이다. 첨단 칩 제조 부문에서 이미 디커플링이 시작되었고, 미국이 제시한 '가드레일 조항'이 실현되면 중국 내 반도체 생산 시설들이 언제가는 제대로 업그레이드되지 못하고 자연스럽게 디커플링될 수밖에 없다. 게다가 앞으로 미국의 규제가 반도체를 넘어 AI나 양자 컴퓨팅 같은 다른 첨단기술로 확대될 것이다.

---

[*] 배터리 산업은 미·중의 미래 경쟁력을 결정하는 중요한 영역 중 하나다. 현재 전 세계 배터리 생산국 중 1위는 중국이다. 그 뒤를 한국, 일본, 미국이 뒤따른다. 1위 중국과 2위 한국은 기술 수준에 차이가 거의 없다. 그러나 3위인 일본과 그 아래 국가들은 1~2위와 기술 차이가 큰 것으로 알려져 있다.

미국이 중국을 강력히 견제하는 이유 안유화 교수의 View

미국이 이렇게 법까지 제정하면서 강렬하게 중국을 배제하는 배경에는 중국 제조업 및 기술의 급격한 성장이 있다. 미국이 석유 때문에 중동 분쟁에 매몰되어 발을 못 빼고 있는 사이, 중국은 과학기술 발전에 매진해 3단계 혁신 과정을 거쳐 오늘의 경쟁력 단계까지 왔다. 첫 번째 단계는 2005년 이전까지이며, 당시 중국의 첨단 제품 생산은 거의 외국기업이 독점했다. 그때까지만 해도 중국에 진출한 다국적 기업들은 그냥 편하게 누워서 막대한 돈을 벌었다.

두 번째 단계는 2005년부터 2014년까지다. 중국 기업들이 복제와 모방에 기반한 혁신을 시도하면서 중국시장에서 점차 두각을 드러내던 시기다. 외국에서도 널리 알려진 바이두, 알리바바, 텐센트, 징동 등 중국 대표 빅테크기업이 바로 이 시점에 미국에 상장하면서 글로벌기업으로 주목받기 시작했다. 이때부터 중국은 부동산 부자에서 벗어나 방대한 미국 주식시장을 활용해 마윈과 같은 세계적인 주식 부자를 탄생시켰다. 그러나 이때까지만 해도 중국기업은 특별한 기술 우위가 없었고, 주로 해외 선진기술을 넓은 중국시장에 응용하는 단계에 불과했다. 사실 세계적으로 널리 알려진 중국의 BATJ(바이두, 알리바바, 텐센트, 징동) 빅테크기업들도 독특한 혁신 모델은 없었고 해외 성공 모델을 그대로 벤치마킹해서 중국시장에 알맞게 좀 더 기능을 부여하는 방식으로 커진 사례에 불과했다. 텐센트를 예로 들면, 이스라엘 회사인 미라빌리스가 1996년 11월 16일에 출시한 인스턴트 메신저 ICQ의 중문 버전 QQ를 개발해서 성공

가도를 달렸다.

마지막 단계는 2015년부터 현재까지이며, 이 시기부터 중국기업들은 지속적인 연구개발과 막대한 자본 투자 및 중국의 거대한 시장을 기반으로 선도적으로 성장하면서 중국경제의 새로운 동력이 되었을뿐더러, 일부 영역에서 세계적인 기술 선도기업이 되었다. 화웨이가 대표적인 기업이다.

중국정부는 핵고기核高机 프로젝트를 실행해 핵심기술과 첨단 하이테크 기술에 대해 0에서부터 1(즉 '무'에서 '유')에 이르는 원천기술과 세계 최고 핵심기술을 보유한 경쟁력 있는 기업을 육성하는 전략을 추진하고 있다. 중국정부가 매년 투입하는 연구개발비는 전 세계에서 2위이며, GDP의 2.2%인 2조 위안을 초과하고 있다. 화웨이는 매년 매출액의 15%를 연구개발비에 투자하는데, 이 중 운영 체제, 5G 기지국, 휴대전화, 서버, 라우터 칩 등의 원천기술혁신에 드는 비용이 500억 위안으로 연구개발비의 절반을 차지한다.

미국은 2019년 5월 16일 화웨이를 처음으로 '블랙리스트(거래 제한 명단)'에 포함시켰으며, 같은 해 8월 19일 미국 상무부는 화웨이에 대한 임시 사용 허가증을 그해 11월 18일까지 90일 더 연장했다. 그러나 미국은 화웨이 계열 46개 자회사를 블랙리스트에 올렸다. 블랙리스트에 오른 중국기업들이 미국의 기술과 제품을 수입하려면 미국정부의 임시 사용 허가증이 없는 한 불가능하다.

미·중 갈등의 미래

미국과 중국과의 첨단기술 등의 디커플링 문제에서 우리가 냉정하게 고민해야 하는 문제는, 성패를 내다보기에는 시기상조인 지금 시점에서 어떤 전략을 취할 수 있느냐다. 사실 미국의 대중국 기술 견제는 오히려 미국 기술개발의 지속성을 어렵게 할 것으로 보이며, 장기간 이어진다면 미국의 기술 패권 지위가 흔들릴 가능성도 있다고 생각한다. 이런 상황에서 몇 가지 시사점을 짚어볼 필요가 있다.

첫째, 미국과 동맹국의 기술 우위 영역이 많이 겹치는 상황에서 서로가 시장을 넓혀야 한다. 모두 자국 우선주의를 할 수밖에 없는 상황인데, 동맹을 한다고 해서 첨단산업 시장이 넓어지는 게 아니다. 오히려 자국 우선주의로 공급이 늘어나기 때문에 시장 경쟁이 더 치열해질 것이다. 그렇다면 결국 시장은 중국과 같은 막 중진국에 오른 국가들에 있다. 왜냐하면 GDP가 1만 달러를 넘어가면, 국내시장과 기술 발전 수요가 모두 급격하게 커지기 때문이다. 장기간·고비용의 연구개발을 하려면 서로 시너지가 있는 국가 간 협력이 중요한데도, 미국 중심의 공급망과 탈중국화 정책은 이를 역행하는 것이다. 반도체는 2nm로 가면서 천문학적인 고비용이 드는데, 지속적인 투자를 하려면 방대한 시장 수요 없이는 불가능하다.

둘째, 인재의 중요성이다. 과거 미국과 유럽의 젊은이들이 혁신의 주체였지만, 최근 10년 간 미국의 주요 연구개발 인력은 한국인, 중국인, 인도인들로 많이 채워지기 시작했다. 예를 들어 구글의 연구개발 인력도 대부분 아시아인이다. 앞으로 미국이 기술 우위를 가지려면 인재 파워가 필요할 텐데, 미국 젊은 연구 인력의 공급이 과연 지속성이 있을까 싶다. 단언하기 힘든 상황이지만 우리 인류의 급격한 기술 발전에는 세계화라는 배경이 있었고, 그 중심에는 인력 자본이 가장 중요한 요소로 자리 잡고 있다. 개방되고 투명한 제도하에서 교류하고 아이디어를 마음껏 나눌 수 있어야 많은 혁신이 나오게 된다. 폐쇄적이고 교류를 막는 모든 조치는 결국 진보가 아니라 후퇴하는 결과로 이어질 수밖에 없다.

마지막으로 정치 제도가 미국의 대중 견제정책의 지속성의 담보를 장담할 수 없다. 미국의 대중 기술 견제정책이 성공하려면 10년보다 더 장기적인 투자가 필요하며, 이러한 투자를 지속하기 위해서는 미국 국내 정치 지원이 중요하다. 양당이 서로 조화를 이루면서 같은 방향을 갈지는 지켜봐야 할 것이다. 너무 많은 변수가 있기 때문에 쉽게 단언하기는 힘든 상황이다.

미국이 때릴수록 커지는 중국, 미국의 중국 배제에 대한 대응

2021년 3월 초, 중국은 양회에서 제14차 5개년 규획(약칭 '14.5 규획')을 통과시켰다. '14.5 규획'의 핵심 키워드는 '기술 자립' '내수 확대' '경제 안보'로 요약된다. 이는 중국경제를 내실화함으로써 자립적인 경제체제를 구축해, 미·중 갈등 등으로 인한 대외 불확실성에 대응해 정공법으로 미국의 견제에 맞서겠다는 의미다. 목표 달성을 위해 중국은 향후 5년간 사회 전체의 연구개발 지출을 연평균 7% 이상 늘릴 것을 제시했다. 2021년에도 중앙급 기초 연구비 지출을 10.6% 늘렸다.

14.5 규획에서 중국이 향후 5년간 자원을 투입할 여러 개의 '최첨단 기술' 분야로 차세대 AI, 양자 정보, 집적회로, 뇌 과학 연구, 유전자 및

바이오기술, 임상 의학과 건강, 우주·심해·극지탐사 등을 제시했다. 중국은 프리미엄칩, 운영 체제, 프로세서, 클라우드 컴퓨팅 분야에서 기술 돌파를 실현하고, 5G 네트워크의 사용자 보급률을 56%까지 끌어올릴 계획이다. 중국은 이미 6G 기술을 적극 연구해오고 있다.

이처럼 앞으로 미국의 대중 견제는 중국의 산업을 무너뜨리기보다는 오히려 더 발전시키는 계기로 작용할 것이다. 사실 트럼프정부의 대중 무역 제재는 그동안 방만하게 운영되던 중국의 국유기업들에게 큰 경종을 울렸다. 중국은 인구가 14억 명에 달하는 방대한 내수시장이 있어 규모의 경제와 신기술의 신속한 상용화가 가능한 국가다. 과거 제1차, 제2차 세계대전 당시 군사기술의 발전으로 산업기술이 비약적으로 발전했듯이, 미·중 대결은 결국 양국 간의 첨예한 대립을 펼치는 기술 분야에서 오히려 두 국가 모두 큰 성장을 할 수 있는 계기가 될 것이다.

특히 지금 이 시점은 4차 산업기술의 폭발적 적용 단계 이전이기에, 이러한 외부 압력은 오히려 관련 산업으로의 투자와 성장에 집중하게 할 것이다. 왜냐하면 4차 산업기술 경쟁에서 지면, 미래의 기술 패권을 놓치기 때문이다. 앞으로 더욱 똑똑한 AI와 더 효율적인 빅데이터 활용이 확대되면서 세상이 크게 변화할 것이며, 양국의 경쟁 속에서 세계적인 선도기업이 폭발적으로 탄생할 것이다. 현재 양국은 막대한 국가적 투자를 하면서 사활을 걸고 싸우고 있다. 이렇게 치열한 경쟁을 할 때 더 큰 발전이 있게 되어 있다. 편해진 상황에서는 전투력을 기대하기 힘들다.

글로벌 공급망과 중국

중국은 유엔산업개발기구의 산업 분류 기준에 따른 대·중·소 분류의 모든 산업체인을 자국 내에 구비한 유일한 국가다. 세계시장에서 중국은 강력한 공급망 탄력성을 확보하고 있다. 2017년부터 2018년까지 HS6 코드에 따른 글로벌 무역에는 3,556개의 중간재가 포함되었다. 중국은 세계시장에서 가장 많은 수출 비중을 차지하는 858개 품목에서 미국 다음으로 2위이며, 이 중 693개 중간재 수출 규모는 세계 3위 안에 든다. 그중에서도 444개 품목은 2017년과 2018년 연속 세계 1위를 차지했다. 이는 중국이 수출 비중이 높은 중간재 무역에서 우위를 차지하고 있음을 말해준다. 2020년 2월 중국정부가 코로나19 팬데믹 확산 제어를 위한 통제 정책을 펼치면서 글로벌 공급망에 큰 충격을 준 것도 이와 같은 이유에서다.

유엔이 2020년 3월에 발표한 무역 보고서에 따르면, 세계 중간재 제조 무역의 약 20%가 중국에서 발생한다. 만약 중국의 중간재 수출이 2% 포인트 감소하면 45개 주요 국가 수출이 약 460억 달러 감소한다. 그중에서 유럽, 미국, 일본, 한국, 대만이 가장 큰 영향을 받는다. 이는 현실적으로 볼 때 바이든정부의 글로벌 공급망 '탈중국화' 전략이 상당한 시간이 필요함을 방증한다.

중국정부는 글로벌 공급망에서 중국 산업의 취약성을 객관적이고 이성적으로 인식해야 한다는 점도 강조하고 있다. 중국은 세계에서 가장 많이 수출되는 품목의 20% 영역에서 아직도 열위에 있다. 게다가 중국의 대외 무역은 수출 비중이 높은 품목에서도 대량의 중간재를 수입해야 생산이 가능한 게 특징이다. 특히 모터·전기·음향영상설비, 기계, 광학·의료 등 기기 영역은 취약하다.

중국은 자국이 수입하는 3,285개 중간재에 대해 네 가지 카테고리로 취약성을 분류하고 있다(2017년 기준). 우선 62개 중간재는 세계시장에서 가장 많이 수출되는 품목이자 중국이 가장 많이 수입하는 품목으로서, 미·중 무역 마찰과 전염병 확산 등 외부 충격에 가장 취약한 영역이다. 이런 영역은 공급망 백업도 어렵기 때문에 중국정부는 이를 주목하고 있다. 특히 국가 안전 및 발전 전략과 관련되는 품목은 국가 및 산업체인 안전망 구축 측면에서 계획을 수립할 것을 강조하고 있다.

다음 812개 중간재는 중국의 수입 의존도가 비교적 낮아 현실적으로 공급망 취약성이 낮다. 그러나 이들 품목은 세계 수출시장에서 차지하는 비중이 높아 상황에 따라 악화될 가능성이 존재하는 것으로 판단하고 있다. 특히 핵심기술 품목과 관련된 것은 현재는 중국의 수입 규모가 작아 분산이 가능하지만, 중장기적으로 수입 규모가 늘면 세계시장 의존도도 높아져 공급망 취약성도 높아질 수 있다. 따라서 이런 품목은 장기적인 시각에서 산업체인 안정성 강화가 필요한 것으로 보고 있다. 이 외 759개 중간재는 중국의 수입 비중이 높지만 세계 수출시장에서 차지하는 비중이 낮아 수입원을 한층 더 분산시키는 것을 고려하고 있다. 구체적으로 모터·전기·음향영상설비와 기계, 광학·의료 등 기기 품목 영역에서 산업체인의 다원화된 공간을 구축해 안전성을 높이려고 한다.

마지막으로 1,652개 중간재는 세계시장에서 차지하는 수출 비중도 낮고 중국의 수입 비중도 낮아, 중국이 노출된 글로벌 공급망 취약성이 비교적 낮으므로 안정적인 영역이다. 여기에 속하는 제품은 전체 수입 중간재의 50% 이상을 차지하고 전체 수입 금액의 48.2%를 넘는다. 중국 공급체인의 안정적인 요소다.

미국의 중국 배제 전략에 대한 대응

미·중 무역 전쟁은 결국 기술 패권 전쟁이다. 기술 경쟁력은 무역 전쟁의 중요한 카드다. 미국은 첨단기술 영역에서 줄곧 우세를 지키려는 의지를 보이고 있다. 지난 100여 년 동안 미국은 글로벌 최신 첨단기술의 선두 자리를 지켜왔다. 과거, 현재, 미래에서 변하지 않는 사실은 오로지 최첨단기술을 보유한 국가와 기업만이 경쟁에서 살아남는다는 사실이다. 그런데 미국의 이런 절대적인 우위에 중국은 '중국제조 2025'라는 발전 전략으로 도전장을 냈고 성과를 보이기 시작했다.

중국제조 2025'는 리커창 전 총리가 2015년 전국인민대표대회에서 처음 발표한 정책으로, 제조업 기반 육성과 기술혁신, 녹색 성장 등을 통해 중국의 경제 모델을 '양적 성장'에서 '질적 성장'으로 바꾸겠다는 중국정부의 산업 전략이다. 핵심 부품의 국산화율을 2020년에 40%까지 끌어올리고, 2025년에는 70%까지 달성함으로써 10대 핵심 산업을 세계 최고 수준으로 끌어올리겠다는 목표다. 차세대 정보통신기술, 로봇, 항공 우주, 해양 공학, 고속 철도, 고효율·신에너지 차량, 친환경 전력, 농업 기기, 신소재, 바이오 등이 중국의 미래를 이끌 10대 핵심 산업이다. 섬유, 조립 전자 제품 등 저기술·노동 집약 제품 위주의 경제를 고기술·고부가가치 중심 경제로 바꾸기 위해 정부가 각종 보조금과 혜택 등을 지원하며 관련 산업을 키우고 있다. 무엇보다도, 이들 첨단산업의 국산화를 2020·2025·2030년까지 단계적으로 추진하고 있다는 점에서, 기존의 기술혁신을 강조하던 산업 전략과는 분명한 차이를 보여준다.

정리하자면 중국은 미국과의 협상에 대한 환상을 버리고 자주적인 성장 능력을 높이는 방향으로 장기적 대응에 나선 것이다. 과학기술 혁신의 수준을 높이고, 미국의 압박이 없더라도 기업의 활력과 지적재산권 보호를 확대하기 위한 자체 노력도 게을리하지 않고 있다. 중국 기업의 생존력이 커진다는 것은 미국에 대한 최대 억제 조치를 의미한다. 중국시장과 중국 제조가 날로 확장됨에 따라, 실제로 미국의 많은 기초기술업체나 하이테크기업의 가장 큰 고객은 다름 아닌 중국기업들이다. 이는 중국이 미국과의 게임에서 어느 정도 '인질'을 잡고 있는

◆ 중국제조 2025는 2015년 5월 8일 중국 국무원이 발표한 제조업의 질적 성장을 위한 전략적 계획의 일환으로, 30년 장기 혁신 계획 중 첫 번째 단계에 해당한다. 이 계획에 따라 10대 핵심 산업 23개 분야를 미래 전략 산업으로 육성하고자 한다. 이 과정에서 중국정부가 자국기업의 연구개발 투자에 대규모 산업 보조금을 지원하는 한편, 외국기업에는 핵심기술의 중국 이전을 요구하고 있어 미·중 무역 분쟁이 첨단기술에 대한 패권 다툼으로 심화되고 있다는 해석도 있다. 2016년 독일의 중국연구기관인 메릭스는 제조업 의존도가 높고 첨단산업 비중이 높은 한국경제가 중국제조 2025 때문에 가장 큰 타격을 받을 것으로 분석한 바 있다.

셈으로, 미국 납품업체를 잘 활용하는 것은 중국의 반격에 가장 중요한 수단이 되고 있다. 어쩌면 미국의 타격은 이미 늦었고, 중국 기업들의 발전을 막을 수 없을지도 모른다.

다만 중국정부는 미국 및 그 동맹국과의 정치적 관계 악화가 중국 공급망 안전성에 잠재적인 손상을 초래할 수 있다고 우려하고 있다. 따라서 중국의 산업별 공급망의 안전성 수준을 높이기 위해 중국 각 관련 산업의 국제 경쟁력을 높이는 동시에, 기술을 보유한 주요 국가와의 좋은 정치적 관계 구축에 힘쓰고 있다. 특히 시진핑 주석의 3연임 이후에 해외 국빈 방문 및 국제기구 정상 회의 참여, 중국과 중동 국가 간의 관계 개선 등을 통해 국제 무대에서의 중국 역할론을 부각시키고 있다.

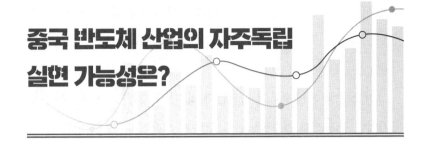

중국 반도체 산업의 자주독립 실현 가능성은?

2018년 기준, 중국의 반도체 시장 규모는 1,150억 달러로 세계 최대 규모지만, 중국 내 생산 규모는 230억 달러로 중국 반도체시장 규모의 15.8%에 불과했다. 나머지 84.2%는 해외 수입에 의존했다. 중국은 1956년부터 반도체기술을 중국의 국민경제 건설 중점 프로젝트로 천명했다. 그리고 2014년에는 '국가 집적회로 산업발전 추진요강'을 발표하며 2020년까지 중국의 반도체 산업을 세계 첨단 수준까지 제고 하겠다는 목표를 제시했다. 또한 중국 반도체 산업 투자펀드China Integrated Circuit Industry Investment Fund(약칭 '빅 펀드')를 조성함으로써, 중국 반도체기업을 육성하기 위한 기금을 마련했다. 2014년 제1기 빅펀드 설립 당시 약 1,387억 위안(약 22조 원)의 기금이 마련되었고, 그중 67%가 반도체 파운드리 분야에 투자되었다. 소재와 OSAT 및 설계는 각각 6%, 6%, 17% 투자했다.

그리고 중국 지방정부의 지원금과 빅펀드를 기반으로 다수의 반도체기업이 공격적인 인수합병을 감행하기 시작했다. 그중 파운드리업체 SMIC와 낸드플래시업체 칭화유닛의 자회사 YMTC 등이 두각을 보이기 시작했다. YMTC는 128단 3D낸드플래시를 개발하기도 했는데, 메모리 반도체 세계 1~2위 기업인 삼성전자와 SK하이닉스조차 양산을 시작한 지 얼마 안 된 최첨단 제품이었다. 중국 SMIC도 극자외선 EUV 장비 없는 7nm 공정에서 성과를 내기도 했다.

가전, 공업, 자동차, IoT, 통신 기지국 등의 영역은 각 반도체 칩 회사가 노리는 분야다. 앞으로 세분화된 영역에서 각 1~2개의 중국 선두기업이 안정적으로 자리를 잡아 세계시장에서 일정 비중을 차지할 것이다. 필자는 중국 반도체기업이 글로벌 반도체시장의 판세에 많은 영향을 줄 것으로 생각한다.

중국 반도체 설계업체는 2015년 736개에 불과했으나 불과 4년 만에 2배 이상 늘어 반도체와 관련된 업체가 1,658개 존재한다. 게다가 반도체 파운드리 업계의 몸집도 꾸준히 커지는 상황이다. 첨단 공정 부문에서는 아직 극복해야 할 문제가 존재하지만, 물량은 절대 밀리지 않는다. 중국 파운드리 점유율 1위, 2위 기업인 SMIC와 화훙반도체는 글로벌 파운드리시장에서 각각 5위와 9위를 차지했다.

중국 반도체 독자개발의 길

중국은 미국, 한국, 유럽, 일본 등에서 인수합병이 거절당하자, 독자적인 반도체 개발의 길로 나섰다. 칭화유닛그룹은 240억 달러를 투자해 메모리 제조 공장을 세웠고 화웨이 하이실리콘은 안전 보안 칩 분야에서 세계시장 80%를 독점한다. 반도체 산업은 그 국가의 기초과학 역량에 따라 주력 분야도 달리 나타난다. 응용과학이 강점인 한국은 메모리와 파운드리 분야가 앞서 있고, 일본은 탄탄한 기초과학과 장인정신이 강점이 되어 반도체 소재 영역에서 압도적인 자리를 차지한다. 그리고 미국은 기계 공학에 강점이 있어, 반도체 장비 분야에서 우세하다. 참고로 반도체 장비 분야 상위 10대 기업에 미국의 기업이 다수 포진해 있다.

중국은 기초과학과 기계 공학 두 분야에서 경쟁력을 갖췄다는 평가를 받는다. 세계 주요 대학의 순위를 매기는 'ARWU Academic Ranking of World Universities(세계대학랭킹)' 발표에 따르면, 기계 공학 대학 순위에서 영국 케임브리지대학교가 1위, 그리고 중국 시안교통대학이 2위를 차지했다. 또한 상위 50위까지의 순위에 중국 대학이 총 12개나 포함되었다는 점도 흥미롭다. 중국 2기 반도체 펀드가 반도체 소재와 장비 분야에 집중 투자하기로 결정한 것은 중국이 기초과학과 기계 공학의 탄탄한 학문적 기반을 높이 평가한 결과라고 할 만하다. 또한 중국판 나스닥인 커창반科創板(과학혁신판)의 출연으로 중국 반도체 업계에 선두기업이 나타나기 시작했다.

그림 5-1. 커촹반 혁신형 기업 분야

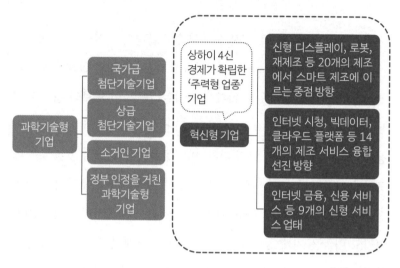

상하이 4신 경제가 확립한 '주력형 업종' 기업

과학기술형 기업
- 국가급 첨단기술기업
- 상급 첨단기술기업
- 소거인 기업
- 정부 인정을 거친 과학기술형 기업

혁신형 기업
- 신형 디스플레이, 로봇, 재제조 등 20개의 제조에서 스마트 제조에 이르는 중점 방향
- 인터넷 시청, 빅데이터, 클라우드 플랫폼 등 14개의 제조 서비스 융합 선진 방향
- 인터넷 금융, 신용 서비스 등 9개의 신형 서비스 업태

출처: S&T GPS

커촹반이 출현하기 몇 년 전만 해도 중국 반도체기업의 시가총액은 100억~200억 위안만 되어도 괜찮다는 평가를 받았다. 그러나 커촹반 출현 이후 1년도 채 안 되어, 시가총액 몇 천 억 위안이 넘는 반도체 기업이 우후죽순처럼 나타났다. 이는 마치 과거 알리바바, 텐센트 등이 인수합병으로 유니콘기업을 키운 시대가 열린 모습과 흡사하다. 당시

◆ '커촹반'은 차세대 정보통신기술, 첨단 장비, 신소재, 신에너지, 에너지 절약·환경 보호, 바이오 의약 등 6대 분야 신흥 산업을 중점적으로 혁신형 기업을 지원한다. 이는 인터넷, 빅데이터, 클라우드 컴퓨팅, AI와 제조업 심층 융합을 추진, 스마트 제조, 항공 우주, 반도체와 집적회로 등을 포함한다. 2019년 7월 21일 상하이 증권 거래소에 별도로 설치된 이래 중국기업이 미국, 홍콩 다음으로 많이 상장하는 거래소가 되었다.

선두기업이 업계 생태계를 세계적인 수준으로 성장시키는 역할을 했다. 커촹반이 나오기 이전 반도체기업이 상하이 또는 선전 증권 거래소에 상장하려면 너무 어려웠다. 2019년 상하이와 선전에 상장하려면 기업들이 평균 1년 6개월을 기다려야 했다. 지금은 커촹반에 528개 회사가 상장되었으며 시가총액은 6조 7,000억 위안(약 1,209조 원)이다. 그중 집적회로 분야의 기업은 98개로 칩 설계, 제조, 패키징, 테스트의 3대 주요 생산 공정을 모두 포함한다. 반도체 관련 기업이 서류 신청부터 상장까지 걸리는 평균 시간도 6개월로 줄었다. SMIC는 19일 만에 상장에 성공하는 기록을 남겼다.

커촹반은 혁신기업, 신기술기업, 첨단기업, 특히 반도체기업이 필요할 때 바로 상장할 수 있는 녹색통로다. 이는 중국 반도체 산업이 2.0 시대에 들어섰음을 의미한다. 화웨이가 독자적인 길을 성공적으로 개척해간 것처럼 앞으로 반도체 영역에서도 비슷한 기업이 나올 것이다. •

중국의 가장 취약한 부분이자 기회는 반도체 설비, 재료, 화학품 영역이다. 이들 영역에서 중국은 향후 15~20년 사이에 빠른 성장을 보여줄 것이다. 중국의 반도체기업들은 방대한 시장 규모를 앞세워 짧은 기간에 상용화에 성공할 수 있는 우세가 있다. 현재는 TSMC 정도의 기술력을 보유하지 못했지만 이 기업과 1~2세대 차이를 두고 충분한

• 창신메모리테크놀로지가 2023년 145억 달러(약 19조 원) 규모의 커촹반 IPO Initial Public Offering(기업공개)를 한다는 소식도 들려온다. D램시장에서는 삼성전자, SK하이닉스, 미그론 등이 강약하고 있는데, 창신메모리테크놀로지는 중국 내 최대 D램 제조사 중 하나다.

시장 점유율을 확보할 것으로 보인다. 사실 중국 본토시장의 90% 이상이 최고급 제조 공정이 필요하지 않다. TSMC 정도의 최고 기술을 확보하기 위한 투자 규모는 천문학적이다. 따라서 현재 중국기업의 매출 규모로는 기업이 그만한 연구개발비를 감당할 수가 없다.

반도체 산업의 특징

반도체 산업은 단기에 큰돈을 벌 수 있는 산업이 아니다. 긴 호흡으로 투자와 연구개발을 하고, 인재 교육과 기초기술에도 투자해야 성공한다. 동시에 정부의 관료와 벤처기업 투자자들이 반도체 산업에 대해 정확한 이해와 올바른 마인드가 갖춰져야 가능하다. 반도체 산업은 장기간 반복적인 투자, 특히 전 세대보다 몇 배 이상 투자를 해야 하는 고비용·고부가가치·인프라 산업이다. 정부와 투자자, 그리고 제조기업 등 모든 생태계 환경이 적합해야 성공한다. 따라서 반도체 산업에 투자해 진정으로 성공할 수 있는 기업은 많지 않다.

반도체 산업의 또 다른 특징은 가장 세계적으로 공급망이 분포된 산업이라는 데 있다. 유럽은 장비, 미국은 장비와 설계, 일본은 반도체 소재, 대만은 파운드리, 한국은 메모리 등으로 각국 우세 영역에서 서로 협력해왔다. 앞으로 기술개발의 어려움이 커지고 응용 분야도 다양화되면서 더욱 세분화, 분업화되어갈 수밖에 없는 상황이다. 어느 한 기업도 모든 공급 라인을 가져갈 수 없다. 인텔이 모바일 생태계에서

뒤진 것이 이를 잘 증명한다. 삼성전자도 인텔처럼 설계와 제조를 자급자족하는 모델을 택했는데, 향후 어려운 상황과 마주할 수 있을 듯해 걱정이 앞선다. 애플과 인텔이 제조를 TSMC에 맡긴 건 기술유출 우려 때문이다. 경쟁자이자 맞수 삼성에는 설계기술 유출 우려가 커서 제조를 맡기려 하지 않았다. 반도체 칩 기술개발의 어려움은 앞으로도 점점 더 커질 것이기에 이런 우려도 동시에 높아질 듯싶다.

따라서 한국은 독립적인 글로벌 파운드리기업이 있어야 한다. 특히 중소기업들 중 글로벌기업으로 성공하는 기업이 나와야 한다. 앞으로 삼성의 상황은 점차 어려워질 수도 있고, 글로벌 1위 업체의 견제를 받을 것이다. 기술의 급속한 발전에 뒤지지 않으려면 천문학적인 개발 비용도 들어가야 한다. 인텔의 한계에서 봤듯 삼성도 그럴 운명이 아니라고 장담할 수 없다.

이런 의미에서 중국의 SMIC도 사실상 최고의 파운드리기업으로 거듭나려면 우선 신뢰 문제가 해결되어야 한다. TSMC처럼 영원히 자기 고객과 경쟁하지 않는다는, 기술을 다른 경쟁업체에 유출하지 않는다는 보장과 신뢰가 없다면 세계 최고기업들이 파운드리를 맡길 리 없다. 그리고 파운드리는 기술보다 관리가 중요하고 팀의 경영 능력에 의해 경쟁력이 결정된다. 중국의 빅테크 유니콘기업들의 급하게 이룬 성공 모델이 반도체에서는 통하지 않는다. 자본의 장기 투자와 경영 관리인의 장인 정신, 국가의 비전이 함께 이뤄져야 가능한 사업이다. 이런 의미에서 중국에는 인터넷 사업의 성공으로 형성된 '빠른 시간 안에 투자를 회수해야 한다'는 조급함이 불리하게 작용할 수 있다.

반도체의 중국산 대체

2021~2022년 글로벌 환경에 큰 변화가 발생했다.[*] 미국과 중국 간 관계의 변화에 따라 중국의 반도체 산업의 국산 대체는 중국 내 각 영역의 반도체 선두기업에 비용을 절약하는 문제뿐 아니라 공급망의 안전에 영향을 미치는 전략적 산업으로 떠오르기 시작했다. 따라서 중국정부는 반도체 공급망의 국산 대체가 '명운이 걸린, 반드시 뚫어야 할 난관'이다. 이 난제를 헤쳐가기 위한 중국정부의 노력은 여러 방면에서 나타나고 있다. 특히 글로벌 인재를 영입하려는 전쟁도 상상을 뛰어넘는다. 아울러 미국을 비롯한 반도체 선진국에서 수학하는 중국 유학생과 화교를 적극적으로 유치하려는 노력을 기울이고, 지적 재산권을 강화하는 정책도 펼치는 중이다.

현재 전자 산업 전반 밸류체인에서 중국 제조업체는 여전히 낮은 부가가치 단계에 많이 포진되어 있다. 그리고 고부가가치의 업스트림 핵심 영역에서는 여전히 미국기업 의존도가 높다. 특히 첨단기술 분야에서 중국은 미국과 여전히 큰 격차가 있다. 현재 검측 테스트, 일부

---

[*] 2021년 6월 8일 바이든정부는 〈탄력적인 공급망 구축, 미국 제조업 활성화 및 광범위한 성장 촉진〉 보고서에서 반도체, 배터리·의약품 및 희토류 등 핵심 광물의 공급망 점검 결과를 공개했다. '100일 공급망 검토 보고서'는 4개 핵심 분야의 공급망을 점검하고 세계시장 의존도 및 외부 요인에 쉽게 흔들리지 않는 공급망 강화를 위한 제언이 포함되어 있다. 주목할 점은 미래 산업에서 동맹국들과의 협력으로 안전한 공급망을 구축한다는 것, 그리고 가장 위험한 잠재적 경쟁자인 중국 의존도를 줄이고 미래 국제 표준을 제정할 때 중국을 제외하겠다는 점이다. 이에 중국정부는 우선 중국 내 산업의 해외 의존도와 경쟁력 점검을 시작했다.

광학 장치와 소프트웨어 영역에서는 대체할 수 있는 중국 제품이 없는 현실이다.

미국정부가 중국에 반도체 핵심 부품과 칩 공급을 중지하는 정책을 펼치면서 그간 미국에 크게 의존해온 주요 중국기업인 화웨이, 샤오미, 오포 등이 일정 부분 타격을 받아 고전하는 형국이다. 2018년 미·중 갈등이 시작된 이후, 세계적으로 반도체 칩의 공급 부족으로 글로벌 자동차회사가 생산을 멈추는 사태도 경험했다. 현재 미국은 자국의 이익을 앞세워 글로벌 공급에 불안정을 불러일으키고 있으며, 세계경제의 불확실성을 높여간다는 우려도 많다. 중국 입장에서는 원유보다 수입액이 큰 반도체 수입을 줄이기 위한 자체 생산이 절실한 상황이다. 이런 상황에서는 한국의 포지션이 정말 중요하다. 어느 한쪽으로 치우침 없는 균형 잡힌 자세가 세계경제의 불확실성을 일부나마 해소하는 데 일조할 것이다. 특히 초격차 기술력을 확보하기 위한 노력이야말로 기업의 운명을 넘어 국가의 운명까지도 결정한다는 점을 한국은 반드시 기억해야 한다.

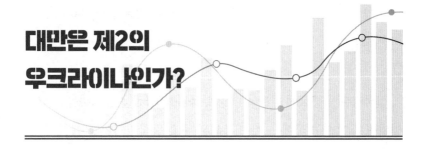

대만은 제2의
우크라이나인가?

2022년 8월, 미국의 낸시 펠로시 하원 의장이 대만을 방문한 일은 미·중 갈등을 더욱 부정적인 상황으로 내몰았다. 대만 문제에 제3국인 미국이 동맹이라는 명분으로 개입하는 모양새다. 중국은 군용기와 군함의 합동 훈련을 하고 대만과 마주한 해안에 미사일을 배치하는 등 군사적 위협으로 맞섰다. 미국 권력 서열 3위라고 알려진 펠로시의 대만 방문은 '하나의 중국'을 강조하는 중국 측 시각에서 보자면, 미·중 수교 당시 인정했던 유일한 합법정부 원칙을 무너뜨릴 정도로 매우 강력한 도발이다. 현재 미국과 일부 국가들이 중국과 대만의 관계를 정치적, 경제적 또는 군사적 측면에서 독립적으로 대우하기를 선택하려고 하고 있다.

중국은 대만을 33개 성으로 생각하고 대만의 수복은 평화 통일을 원칙으로 실행한다고 많이 선전해왔다. 이에 대응하기 위해서 현실적으로 미국의 군사력에 의지해야 하는 대만의 차이잉원 총통은, 2023년 4월 5일에 미국을 방문해 새롭게 취임한 매카시 하원 의장과 회담을 했다. 이에 다시 자극을 받은 중국은 2022년 펠로시의 대만 방문 때보다 한층 더 강력한 군사 행동에 나섰다. 중국 전투기와 항공 모함이 대만을 봉쇄하고 공격 훈련하는 등 전쟁 같은 상황을 만든 것이다. 왜 이런 일이 벌어질까? 대만을 두고 미국과 중국이 매우 복잡한 정치 계산을 하는 중이다. 미국은 숨은 의도가 있을 테고 미국 뜻대로 따르지 않겠다는 중국의 전략도 있다. 그 이야기를 지금부터 소개하겠다.

앞서 말했듯 세계화의 최대 수혜자는 미국과 중국 두 나라였다. 전 세계가 만든 부가가치 중 약 80%를 미국과 중국이 가져갔다. 처음에는 미국의 자본과 기술, 중국의 값싼 노동력이 결합한 형태였다. 그러다 중국이 서방의 기술을 빠르게 습득하면서 자본 축적뿐 아니라 여러 분야에서 기술혁신을 이뤘다. 가령 2011년까지만 해도 한국이나 일본은 중국과 비교할 수 없는 수준의 기술력을 가졌다. 하지만 지금은 격차가 거의 없는 수준이다. 오히려 미래 먹거리 산업으로 불리는 2차 전지, 배터리 분야는 중국이 세계 최고의 기술력을 가졌다. 한국, 일본 등은 정체했지만 중국은 달랐다. 과거에는 노동력으로 먹고살던 중국이 2011년 이후부터는 기술력으로도 승부를 볼 만큼 크게 치고 올라왔고, 마침내 미국까지 위협하는 기술 수준에 이른 것이다.

게다가 중국은 미국에 없는 14억 인구를 기반으로 한 큰 내수시장 까지 갖고 있다. 중국은 그간 미국이 패권 싸움을 벌인 영국, 독일, 일본과 차원이 달랐다. 이들 나라는 기술력은 좋았지만, 내수시장이 작다는 것이 한계였다. 그러나 중국은 기술뿐 아니라 내수시장까지 갖춘 G2였다. 미국도 시장과 기술까지 모두 보유한 대국과 패권 경쟁을 처음 겪어보는 것이다. 과거에 상대했던 나라와 중국은 차원이 다르다는 걸 미국도 깨닫고는 동맹국들을 앞세워 기술적으로 맹공격을 하고 있다.

미국의 속사정

그럼 트럼프정부는 왜 2018년에 무역 전쟁을 벌였을까? 이 모든 시작은 대만 이야기와 밀접한 관계가 있다. 미국은 공화당과 민주당 두 세력이 중심이다. 그런데 양당은 지지 기반이 서로 다르다. 공화당 세력의 중심은 노동자, 블루칼라, 군수업자들이다. 반면에 민주당 세력의 중심은 화이트칼라, 월가의 자본가, 금융가들이다. 금융업의 특징은 세계화를 지지한다는 점이다. 금융업은 사람이 많을수록 유리하다. 보험업만 봐도 알 수 있다. 보험에 가입한 사람이 많을수록 보험회사는 돈을 많이 번다. 은행업도 마찬가지다. 돈을 저축하고 빌리는 사람이 많을수록 돈을 번다. 또한 금융업은 한번 모델을 만들어놓으면 가만히 앉아 돈을 버는 산업 구조다. 즉 미국의 월가 자본 입장에서는 세계화가 유리하다. 세계 각국이 금융시장을 개방할수록 월가의 자본은 큰돈을 번다.

그런데 민주당의 세계화 정책에 반대하는 세력은 미국 노동자들, 즉 공화당을 지지하는 사람들이다. 민주당 세력이 세계화를 추구할수록 그들은 일자리를 하나씩 잃었다. 특히 중국이 그들의 일자리를 빼앗아갔다고 생각한다. 그 불만이 최고 정점에 달했을 때, 트럼프가 그들의 마음을 대변해 미국 대통령에 당선되었다.

트럼프는 중국을 견제하려면 바로 옆 나라인 러시아와 친하게 지내야 한다고 판단했다. 트럼프는 2019년에 발생한 홍콩 시위*를 지켜보며 중국이 물리력을 동원해 강압적으로 홍콩 시민을 진압하기를 바랐다. 이를 빌미로 전 세계가 중국을 제재하면 효과적으로 중국을 견제할 수 있을 거라고 생각했기 때문이다. 트럼프의 계획을 잘 아는 중국은 최대한 물리력을 억제하며 홍콩 시위를 정리했다. 그리고 트럼프는 재선에 실패했고 민주당 바이든이 대통령 바통을 이어받았다.

앞서 설명한 것처럼 민주당 세력, 월가의 자본은 세계화 정책을 선호한다. 그런 면에서 이제 금융 굴기만 남은 중국과의 협력은 큰 기회다. 바이든정부가 판단할 때 세계화 추진이 훨씬 유리하지만, 다른 한

---

* 1997년 홍콩 반환 이후 홍콩에 대한 중국 공산당의 일국양제 제도는 계속되고 있었다. 중영공동선언에 일국양제, 항인치항, 고도의 자치 보장을 넣었다. 장쩌민, 후진타오, 시진핑으로 국가주석이 옮겨오면서 중국 공산당의 홍콩 통제가 강화되었다. 이런 불만이 누적되고 범죄인 인도법안 때문에 2019년 홍콩 시위가 폭발했다고 보고 있다. 2021년 3월 기준으로 시위가 사실상 실패했으며 결국 중국이 일국양제를 실질적으로 무너뜨리고 「홍콩안전법」을 통과시킴으로써 홍콩은 행정자치가 아니라 이제 완전히 중국본토 행정통제범위에 들어왔다.

편으로 인구 대국 중국이 미국을 넘어 패권 국가가 될 수 있다는 우려 또한 지울 수 없었다. 결국 중국을 최대한 배제하고 세계화를 추진하겠다는 게 현 바이든정부의 정책 기조다. 그래서 바이든이 동맹국을 끌어들여 미국에 공급망 구축 작업을 하는 것이다. 이른바 중국을 견제한 세계화 정책 추진이다.

바이든정부의 전략은 향후 10년 동안 천천히 그 동맹국들을 앞세워 중국과 비교해 초격차 경쟁력을 구축하겠다는 것이다. 더는 중국에 선진기술이 들어가는 걸 지켜만 보지 않을 거라는 이야기다. 이는 뜬금없는 주장이 아닌, 2022년 5월 백악관에서 공식적으로 발표한 보고서의 내용이다. 지금 당장 탈중국하면 미국도 돌아갈 수 없을 정도로 큰 타격이 불가피하다. 중국에 투자를 많이 한 월가 자본도 이를 원치 않는다. 천천히 중국의 힘을 빼겠다는 의도다.

유일무이한 패권 국가를 꿈꾸는 미국은 중국뿐 아니라 러시아, 유럽도 견제한다. 그들의 힘을 약화시켜야 미국의 패권이 오랫동안 유지된다. 그런 정책의 일환으로 살펴야 하는 이슈가 러시아-우크라이나 전쟁이다. 사실 미국은 유럽이 미국을 대적할 수 있는 세력이라고 여긴다. 유럽은 기술과 자본을 모두 갖춘 지역이며 유럽 공동체의 화폐인 유로화도 달러에 이은 주요 국제통화이기 때문이다. 그뿐만 아니라 유럽은 민주주의의 표본으로서 중국처럼 이념을 내세워 견제할 수도 없다. 미국은 유럽이 값싼 러시아 석유와 가스 등 안정적인 원자재까지 확보하면 막강한 경제력 및 군사력을 확보할 것으로 보고 있다. 따라서 유럽을 견제하려는 목적으로 우크라이나를 지원해 러시아와의 전쟁을 벌이는 논리도 통한다. 한편 유럽의 대표 국가 중 하나인 독일이 러시아와 가깝게 지내는 것도 미국은 내심 달갑지 않았을 것이다.

앞으로의 방향

필자를 비롯한 몇몇 전문가는 만약 트럼프가 재선에 성공했다면, 전쟁이 엉뚱한 곳에서 벌어졌을 거라고 말한다. 그 지역이 바로 대만이다. 중국을 자극하려고 홍콩 시위를 미끼로 던진 트럼프의 머릿속에는 다음 분쟁지로 대만을 염두에 두었다. 지금도 미국 공화당 세력은 러시아에 화해의 시그널을 보낸다. 그들은 러시아 제재 말고 중국 제재가 더욱 시급한 문제라고 생각한다. 미국 하원 의장이 대만 총통과 자꾸 만나 중국을 자극하는 속내도 그런 포석으로 봐야할 것이다. 하지만 홍콩 시위 당시에도 꾹꾹 참아온 중국은 전쟁을 끝까지 피하려 할 것이다. 흘러가는 판세와 흐름이 중국을 전장으로 불러낼 수도 있다. 미국 공화당 세력은 러시아나 유럽보다 중국 견제가 우선순위 목표다. 그러나 집권 세력인 민주당은 현 상황에서 중국을 묶어둔 채 또 다른 패권 국가가 될 가능성이 농후한 유럽과 러시아를 견제하는 경제 외교 정책을 펼치고 있다. 고립에 빠진 러시아는 중국과 차가운 평화를 유지하고 있다. 마치『삼국지』에서 유비와 손권이 차가운 협력을 했던 것과 같은 이치다. 만약 대만에서 전쟁이 났다면 아쉬운 이야기를 한 것은 아마도 시진핑 주석일 것이다. 하지만 러시아가 전쟁을 치르게 되었고 중국은 경제 발전에 더 집중할 수 있게 되었다. 국운은 러시아보다 중국에 넘어간 셈이다.

만약 미국의 논리대로 중국이 대만을 전쟁해 수복할 생각이었다면, 그 시점은 2027년이 아니라 바로 지금이어야 한다. 적어도 2024년이어야 한다. 2027년이면 대만이 전쟁에 대비할 시간이 충분하기 때문이다. 즉 그동안 미국은 최첨단 선진 군사 무기들을 대만에 파는 등 충분히 전쟁에 대비시키며, 일본 열도 주변에 미국의 군사 역량을 충분히 배치하면 중국은 이길 승산이 작아진다. 특히 중국 동풍 미사일의 사격 거리가 2,100km인데, 그 사이 미국 항공 모함에서 이 미사일을 요격할 만한 기술을 구사해내기라도 하면 해양에서도 승산이 없어진다.

2024년에 있을 미국 대선도 중요한 관전 포인트다. 공화당이 바이든을 물리치고 집권한다면, '퍼스트 아메리카' 구호를 외치며 지지 기반의 바람대로 중국과 더욱 긴장된 관계가 만들어질 수 있다. 필자는 대만 전쟁이 포함될 가능성이 크다고 생각한다. 지난번 미국 대선에서 비록 트럼프가 졌지만 '트럼프주의'가 만들어졌고 7,300만 표가 그를 지지하고 있으며, 이들은 2024년 미국 대선을 기약하고 있다. 또한 미국 사회의 '트럼프화'가 앞으로 미·중 간의 전략적 판도를 크게 바꿔놓을 것이다. 중국은 힘겹게 이룩한 경제 성장이 전쟁으로 모두 허물어지길 바라지 않는다. 그러나 미국과의 전쟁을 피할 수 없다면 전쟁에 나설 것이다. 2022년 나토의 동진東進으로, 그리고 우크라이나 친미 정책으로 부득이하게 전쟁을 할 수밖에 없던 러시아처럼 말이다. 그래서 중국은 이에 대한 대비책을 준비하는 중이다. 최근 군비 비중을 계속 높여 군사력 강화와 물자 비축 등 여러 가지 준비를 늘려가고 있다.

한국은 이런 정세를 파악해야 한다. 프롤로그에서 언급한 것처럼 누군가에게 휘둘려 움직이는 바둑알이 되지 말아야 한다. 냉정하게 주변 판세를 읽고 흐름을 분석해 전략적으로 행동해야 한다. 첫째도 둘째도 국익, 경제이익에 초점을 맞춰 행동해야 한다. 남의 전쟁에 휘말릴 필요가 전혀 없다.* 한국은 비록 크기가 작지만, 경제적 위상이 높은 국가다. 그 어려운 선진국 반열에 오르지 않았나! 앞으로도 발전 가능성이 크고, 지켜야 할 것이 많은 나라인 점을 기억해야 한다. 이런 흐름을 모르고 눈앞의 이익을 위해 분위기에 휩쓸려 행동하면 안 된다. 대만 문제는 자칫 한국의 국운을 결정하는 계기가 될 수도 있다.

---

* "힘에 의한 대만 해협 현상 변경에 반대한다"라는 윤석열 대통령의 4월 19일 〈로이터 통신〉 인터뷰에서 대만 문제에 대해 바이든정부와 같은 목소리를 냈다. 이에 한국과 중국정부 및 외교 라인은 이례적으로 상대를 향해 거친 말을 주고받았고 흔치 않은 설전이 이어졌다.

미국의 금융제재 가능성과 중국의 사전적 대응방향

금융은 실물경제 발전을 위해 자금을 공급하는 서비스 산업으로서 경제순환의 혈액과 같은 존재이자 자원 배분의 중추 역할을 하는 현대경제의 핵심이다. 따라서 중국을 향한 미국의 전면적인 제재와 압박은 금융 수단을 떠날 수 없다. 앞으로 미·중 충돌이 확대되면서 미국의 중국 금융제재는 점점 심각해질 것이다. 이는 특정기업이나 특정인물에 대한 미국만의 단독 제재뿐 아니라, 동맹국과 연대해 중국 전반에 금융제재를 가하는 냉전 수준의 완전한 디커플링으로, 세계경제에는 엄청난 리스크 요인이다.

미국 단독으로 특정 단체(예를 들면 중국 공산당원의 미국 비자 거절)나

기업에 제재나 패널티를 부과하고 미국 내 자산을 동결 및 몰수하는 경우 중국과의 전면적인 금융 거래를 차단하는 게 아니기 때문에 중국에 대한 영향은 제한적이다.

한발 더 나아가 미국이 동맹국(주로 선진국)과 함께 스위프트SWIFT 같은 다국적 조직에서 상응하는 제재 조치를 취한다면, 중국의 경제와 사회 및 미래 발전에 중대한 영향을 미칠 수 있다. 그러나 이 역시 중국과의 경제·무역·외교 관계를 전면 단절하는 게 아니기 때문에 전면적인 금융 디커플링은 불가능하다.

그러나 중국정부는 최악의 상황이 도래할 가능성도 지금부터 고려하지 않으면 안 된다. 미국이 동맹국들과 연대해 중국에 전면적인 경제 디커플링을 실시하고, 외교 관계 단절을 포함한 본격적인 냉전을 시작할 뿐만 아니라 국지전까지 감행하는 극단적인 상황이 연출될 경우, 상호 간의 지불 결제 시스템은 중단될 것이다. 양국은 상대 국가의 자국 내 자산을 동결하고 심지어 특수 인원에게 강제 조치까지 취할 수도 있다. 이 경우 중국정부가 대응할 수 있는 여지가 없다. 중국 내부에서 내순환을 통한 경제 발전을 강화하고 일대일로와 같은 전략으로 자신의 동맹 라인을 구축해, 동맹국 간의 경제 교류와 금융 거래를 발전시키는 데 주력하는 수밖에 없다.

이제 막 소강사회에 진입해 1인당 GDP가 1만 달러를 넘으면서 삶의 질적 향상의 열망이 강한 중국 국민에게 이 같은 상황이 연출되면 절대적으로 안 된다. 현재 중국정부는 금융시장 개방으로 세계 자본의 중국시장 의존도를 높임으로써 지금의 상황을 극복하려고 하고 있다. 즉 많은 국가가 중국 내 위안화 자산을 보유하고, 중국과의 경제 관계가 깊어져야만 미국의 제재를 효과적으로 극복할 수 있다는 논리다. 따라서 최근 중국정부는 자본시장 개방을 가속화하고 디지털통화DCEP를 출시함으로써 위안화의 국제화 추진을 긴박하게 진행하고 있다.

중국의 금융제재 대응방향

첫째, 자본시장을 더욱 개방하고 외국인 투자를 확대시켜 국제시장과의 연결성을 높이는 것이다. 주식시장 측면에서 중국정부는 이미 2019년부터 관련 개혁에 착수해, A주의 글로벌 지수 편입 비중을 높이고 있다. 상하이와 선전 증권 거래소가 각각 홍콩 거래소와 주식 상호 투자 시범 프로그램(후강퉁, 선강퉁, 중국·홍콩 펀드 상호 인정)을 시행하고 있고 상장지수펀드ETF와 비상장주식 연계 매매도 추진하고 있다. 또 마진 거래 범위를 확대하고 전국 양로 기금의 주식시장 투자를 확대하고 있다. 중기적으로는 상장 기준 완화, 거래 가격 제한, 헤지 및 파생상품 거래 규정을 완화하고 있다. 채권시장에서는 최근 중앙은행, 증권감독위원회, 외환관리국이 공동으로 역외 기관 투자자의 중국 채권시장 투자에 관한 공고(의견 수렴)를 작성해 해외 투자자들의 중국 채권시장 투자 신청 절차를 간소화하고 관리 제도를 일원화했다. 우선 적격외국기관투자자QFII의 규제 완화(투자 범위 확대)와 외국인 증권 회사·자산관리회사 면허 발급 확대, 투자은행·자산운용업 면허 발급 등 금융시장 개방을 가속화하고 있다.

둘째, 중국 내 공급 개혁으로 생산성을 높이고 위안화 자산 투자 수익률을 높이는 것이다. 중국 내에서 스마트 도시 구축을 위한 내순환 경제 확대, 하이난 자유 무역항 건설 등과 같은 조치로 개방을 확대함으로써, 연간 1조 위안에 육박하는 중국인들의 해외 소비를 국내로 돌리는 것이다. 4차 산업기술의 발전과 글로벌 밸류체인의 다극화 추세로 중국은 방대한 내수시장에 기반해 신흥 산업에서 신속한 상용화에 성공함으로써, 여전히 가장 많은 '지역 챔피언' 기업을 배출할 것으로 보인다.

셋째, 위안화 환율의 점진적인 시장화 개혁 추진과 국제 거래에서의 위안화 결제를 장려해 위안화 사용 범위를 국제적으로 확대하는 것이다. 중국은 국경 간 결제에서 중앙은행이 발행하는 디지털통화 결제 비중을 확대할 것으로 보인다. 중국 국내시장에서 소액 지불 테스트를 거친 디지털통화를 국제 지불 수단으로 확장하는 것이다. 캐나다와 싱가포르, 홍콩과 태국은 이미 독자적으로 전자화폐의 국경 간 지불 테스트를 시작했으며, 그중 일부는 효율성을 높이고 결제 위험을 줄이는 데 이점을 보이고 있다. 디지털통화 분야의 심도 있는 글로벌 협력은 스위프트 시스템 밖에서 국경 간 지불이 가능하게 할 것이다. 또한 CIPS(위안화 국경 간 결제)와 다른 국가의 결제 시스템과의 연결을 확대하고 강화하는 것이다. 일부 유럽계 은행은 이미 중국 CIPS 시스템에 연결되어 있으며, 중국과 유로존은 국경 지불에서 협력이 확대되고 있다. 동시에 중국은 주요 무역 파트너와 통화 스와프 체결을 확대해 무역 결제에서의 달러 위험을 축소해나가고 있다.

마지막으로 자본 유입 및 유출의 변동성에 적절하게 대응하기 위해 중국 감독 당국은 자본 항목에 대해 거주민과 비거주민, 장기 투자자와 단기 투자자를 명확하게 구분해 규제를 강화할 것이다. 쉽게 말하면 국내 자국민의 자본 태환은 규제를 강화하지만, 외국기업과 외국 금융기관의 중국 내 투자는 자본 항목을 점차적으로 완전히 개방하겠다는 것이다. 이는 위안화 환율의 제정에서 점진적으로 정부의 개입을 줄이고 시장이 결정하게 하는 메커니즘으로 지속적으로 개혁해나가야 가능하다.

코로나19 팬데믹으로 세계 주요 경제국은 위기 극복을 위한 대규모 통화 완화 정책을 펼쳐왔다. 그러나 통화는 한번 풀면 수습하기 어렵다. 앞으로 적어도 2024년까지 세계적으로 푼 돈들이 시장에 넘쳐날 것이다. 2021~2030년 연평균 자본 순유입이 2,000억~3,000억 달러에 이를 것으로 예상되는 가운데, 위안화의 국제화는 코로나19 팬데믹 이후 경제 블록화의 추세에 힘입어 급속도로 이뤄질 것으로 보인다. 나아가 글로벌 통화 체제를 다변화시킬 것이다. 2030년에는 국제 준비 자산 중 위안화는 5~10%를 차지해 명실상부한 세계 3위의 주요 국제통화가 될 것으로 전망된다.

월가는 중국을
떠나지 않는다

중국은 이미 제조 산업의 경쟁력, 노동자의 효율성과 4차 산업의 기술력이 세계 최고 수준에 도달했거나 근접해 있다. 또 단일 규모로 가장 크게 통일된 시장이며, 동시에 세계 최고 수준의 생산 기지이기도 하다. 그리고 외환 보유액도 세계 1위다. 이런 이유로 미·중 패권 전쟁에서 쉽게 어느 한쪽을 선택할 수 있는 나라는 없다. 중국과 지리적으로 인접해 있고 전통적으로 미국의 우방인 한국은 선택의 기로에 놓이게 되었다. 하지만 한국의 선택은 쉽지 않다. 한국은 미국과의 동맹으로 동북아 안정을 꾀하는 동시에, 한반도 통일과 북한 비핵화, 경제 성장을 위해서 중국과의 우호가 필수적이기 때문이다. 그렇다면 누구 하나가 무릎을 꿇을 때까지 지속될 미·중 패권 경쟁 속에서 한국은 어떤 선택을 해야 할까?

아마도 답은 월가에서 찾을 수 있을지 모른다. 미국과 중국 사이의 관계가 최악으로 치닫는 상황 속에서도 월가는 중국을 떠나지 않았다. 오히려 공격적으로 투자를 늘려갔다. 바이든정부가 새로운 압박 카드를 꺼낸다고 할지라도 전쟁으로 치닫지 않는 한, 이 흐름은 계속될 것이다. 이유는 단 하나다. 돈을 불리기에 가장 이상적인 조건을 갖춘 곳이 중국이기 때문이다.

사실 미국이 중국에 제재 수위를 높여가고 있는 것은 어쩌면 중국 시장에 투자를 하겠다는 역설적인 반증이기도 하다. 압박을 가해 중국 내 비즈니스 규칙이 자신들에게 유리하고 익숙한 환경으로 만들어지게 해서 이익을 확실하게 보장받는 제도를 만든 후에 본격적으로 중국과 장사를 해보겠다는 의미다. 중국에 남은 가장 크게 돈을 벌 수 있는 시장은 정보통신기술을 대표로 하는 모바일인터넷 생태계 산업과 금융이다. 미국이 바보가 아니라면 중국처럼 수익률이 보장되는 방대한 시장을 다른 국가나 지역에 넘기지는 않을 것이다.

미국과 중국의 무역 전쟁으로 기존 외국기업들이 철수하면서 외화 유입이 줄어들자, 이를 만회하기 위해 중국정부는 국내 금융시장의 개방을 가속화하고 있다. 2019년에 금융시장 개방 조치 11개 조항을 발표했으며, 기존에 외국 자본에 열리지 않았던 증권시장도 2020년에 개방했다. 증권회사와 생명보험회사의 외국 자본 비중이 51%까지 가능했지만, 이제는 지분 제한이 없어졌다.

이에 가장 발 빠르게 움직이는 국가는 놀랍게도 미국, 일본과 유럽의 선진국 기업들이다. 세계 최대 자산 운용사 블랙록이 독자적인 뮤추얼펀드 사업 허가를 받았고, 2위 업체인 뱅가드는 아시아 본부를 홍콩에서 상하이로 이전했다. 씨티그룹은 미국 은행으로는 처음으로 중국 내 펀드 수탁 업무 사업 허가를 받았다. 미국 최대 은행인 JP모건체이스는 51% 지분 소유의 새로운 중국 법인 증권회사를 설립하고, 향후 규제가 풀리면 100% 독자 지분 보유 계획을 중국증권감독관리위원회에 이미 제출했다. 세계 최대 보험시장으로 성장하는 중국에 전략적으로 진출하는 알리안츠는 중국 당국으로부터 이미 승인받아 중국 최초의 외국계 보험회사로 탄생했다. UBS AG는 중국합작 증권회사 서은 증권회사의 지분을 51%로 늘리며 실제 운영 대주주가 되었다. 노무라홀딩스도 외국 증권회사 신규 설립 계획을 제출했고, 아메리칸 익스프레스는 중국에 은행 카드 위안화 청산 네트워크를 설립한 최초의 외국계 회사가 되었다. 한마디로 중국의 금융업 개방 확대로 골드만삭스를 포함한 다국적 금융기관들은 앞다퉈 중국에 기관을 신설하거나 지분투자를 늘리고 있는 것이다. 모두 트럼프정부가 중국과의 모든 관계를 끊을 수 있다고 협박하던 해에 벌어진 이야기다.

또한 미국의 최대 온라인 결제 시스템인 페이팔이 중국 궈푸바오(즈푸바오와 위챗페이에 이어 세 번째로 큰 중국 내 제3자 지불업체)의 지분 100%를 인수함으로써, 중국 내 첫 번째 100% 외국 자본 출자의 제3자 결제 기관이 탄생했다. 그동안 페이팔은 중국시장에서 중국 내 지불 결제 회사와 협력해 국경 간 지불 업무를 수행하는 방안을 추진해왔으나 중국 국내 지불 영업 허가증이 없어 사업 전개에 제약을 받아왔다.

또한 대미 갈등과는 별도로 중국 역시 월가의 자본과 선진 금융 기법을 적극적으로 원하고 있다. 외국기업과의 경쟁 속에 자국 금융산업의 성숙도를 높이고 싶어 하기 때문이다. 현재 중국 전체 가계 자산의 10% 정도가 주식과 펀드에 투자되고 있는데, 중국은 이 비율도 늘리고 싶어 한다. 부동산에 집중된 투자 구조를 성장기업과 기술기업에 투자되는 자본의 선순환을 만들어 세계 굴지의 기업들을 끊임없이 탄생시키려면, 미국 수준(외국 자본 비중 30%)으로 자본시장이 커져야 하기 때문이다. 사실 중국기업들 중 세계 수준으로 성장한 빅테크기업 BATJ(바이두, 알리바바, 텐센트, 징둥)의 주요주주 명단에는 어김없이 미국 헤지펀드들의 명단이 들어가 있다.

세계 최대 자본시장이 될 중국, 과실은 누구에게 갈 것인가?

중국 증시는 단기적으로 등락을 거듭하겠지만 장기적으로 볼 때 규모는 아주 커질 전망이다. 이유는 간단하다. 중국은 상업은행 중심의 금융 체계에서 자본시장 주도의 금융 체계로 바뀌고 있으며, 과거에는 자본시장이 조연이었지만 앞으로 중국 금융의 주역이 될 것이기 때문이

♦ 과거의 주식 상장 심사 승인 제도를 주식 등록 제도로 개혁했다. 그동안 시장에서 저평가되었던 중앙국유기업 중심으로 '중터구中特估' 개념으로 전체 기업가치 평가를 높게 올리는 개혁 작업에 들어갔다.

다. 공급과 수요 측면에서도 중국 금융 시스템은 자본시장 중심으로 빠르게 전환될 것이 분명하다. 지난 10년 동안 중국 주식시장의 규모는 238.9% 증가했고, 채권시장 규모는 444.3% 증가해 세계 2위 시장이 되었다.

지난 30년간 중국 A주(중국 본토 증시에 상장된 중국 종목)는 양적·질적으로 고속 성장을 이어왔다.[*] 2022년 말 기준 상하이·선전 증시 상장사가 4,100개를 넘어섰고, 전체 시가총액도 80조 위안(약 11조 25억 달러)에 육박하고 있다. 홍콩 주식시장(48조 1,000억 홍콩달러, 43조 6,500억 위안, 약 6조 1,000억 달러)을 합치면 123조 6,500억 위안(약 17조 3,857억 달러)이다. 미국 시가총액은 52조 달러[**]로, 중국 본토시장의 4.6배다. 홍콩까지 합치면 2.99배다.

중국의 잠재적 성장률을 3%[***]로 가정하면 2049년 중화인민공화국 설립 100주년이 될 때 중국 GDP 규모는 약 40조 2,053억 달러가 된다. 표 5-2에 따르면, 2022년 말 중국 GDP 규모는 18조 3,000억 달

---

[*] 1949년 사회주의 중화인민공화국(중국은 '신중국'이라고 부름)이 건립된 이래 1992년 상하이 거래소 설립을 시작으로 2022년 말 기준 4,100개가 넘는 상장회사가 있으며, 총 시장 가치는 약 80조 위안이다. 회사채 시장의 자금 조달 규모도 27조 위안을 넘어섰다. 세계에서 가장 많은 상품 선물 거래 품목이 있으며 주식옵션시장은 세계에서 두 번째로 크다. 중국의 자본시장 규모는 10조 달러를 넘어 세계 2위 규모다. 그리고 중국의 채권시장 규모는 이미 120조 위안, 미화 16조 달러를 넘어섰으며, 세계 2대 채권시장이다. 은행 간 채권시장은 중국 채권시장의 핵심이다.

[**] 2022년 기준 미국의 증권 산업을 대변하는 기관인 SIFMA에 따르면 뉴욕증시NYSE와 나스닥을 합친 시가총액 규모는 약 52조 달러로 전 세계 증시 시가총액의 40%를 넘는다. 같은 기준으로 한국증시는 약 1조 9,000억 달러에 불과하다.

[***] 2023년 6월 8일 기준 중국 30년물 국채 금리는 3.000%, 2022년 말 중국경제 GDP는 18조 1,000억 달러다.

표 5-2. 전 세계 GDP에서 각국의 기여 순위

순위	국가	GDP(1억 달러)
1	미국	25만 352
2	중국	18만 3,212
3	일본	4만 3,006
4	독일	4만 311
5	인도	3만 4,686
6	영국	3만 1,985
7	프랑스	2만 7,781
8	캐나다	2만 2,004
9	러시아	2만 1,331
10	이탈리아	1만 9,970
전 세계 GDP 101만 5,593달러		

출처: 비주얼 캐피털리스트

러였다. 중국 자본시장 규모가 GDP의 100%로 성장한다고 가정하면 2022년 말 11조 2,500억 달러에서 40조 6,500억 달러로 성장해 거의 지금보다 3.6배 성장한다. 홍콩을 합하면 미국을 넘어 세계 최대 자본시장이 될 수도 있다. 이 성장의 과실은 당연히 중국 주식시장에서 주식을 찍어 발행한 기업들과 그에 투자한 자본가들이 될 것이다. 앞으로 28년 동안 금융시장이 이 정도 규모로 성장할 수 있는 시장은 중국이 유일할 것이다. 중국 주식시장에는 2022년 말 기준 1억 7,000만 투자자가 있다.

중국 자본시장의 개방도는 지속해서 높아지고 있다. 글로벌 자산 포트폴리오 중에서 중국에 대한 투자 수요는 중국이 세계경제에서 차지하는 비중(2021년 기준 17.9%)만큼 투자한다고 가정할 때, 10조 달러 규모에 달할 것으로 추정된다. 그러나 현실은 중국 자본시장이 덜 개방되었기 때문에 세계 자본이 중국 자본시장에 투자된 비중은 매우 작고 성장의 여지가 많다. 2021년 기준 중국경제는 세계경제의 약 17%를 차지하지만, 중국 주식시장에서 외국 자본의 시가는 1조 6,000억 위안(약 2,200억 달러)에 불과해 전체 시장의 1%도 되지 않는다. 앞으로 세계 자본의 위안화 자산 배분 비율의 수요 개선 가능성이 크다. 현재 이 수요는 아직 발휘되지 못했다.

만약 이 자금들이 들어온다면, 어느 정도의 시가총액을 만들어낼 수 있을까? 2049년이 되면 외국 투자 비중이 앞에서 추정한 중국 자본시장 40조 6,500억 달러의 약 25%를 차지할 것이며, 중국 자본시장 규모는 51조 달러 이상에 달해 미국의 현재 자본시장만큼 커질 것이다. 이는 거스를 수 없는 시대적 추세다.

그럼 중국 자본시장 50조 달러 시대의 최대 수혜자는 누가 될 것인가? 바로 주식을 찍어내는 창업자들과 위험을 감수하면서 그곳에 투자하는 투자자들이다. 혁신기업의 등록제 상장을 실시하는 상하이의 커촹반 거래소와 북경 거래소의 출시로 중국은 본격적인 자본시장 폭발 시대에 진입했다. 앞으로 돈을 찍어내는 사람보다 주식을 찍어내는 사람이 돈을 벌 것으로 보인다. 주식을 찍어내는 주체는 기업이다.

월가는 이 점을 누구보다도 가장 알 것이다. 이런 의미에서 월가는 미·중 패권 전쟁의 보이지 않는 용병이다. 하지만 이들은 누구의 편도 아니다. 피도 눈물도 없이 경영하는 것이 자본가의 속성이다. 이익이 된다면 중국의 편에서 자본을 운용할 것이고, 그렇지 않다면 미국의 편에서 자본을 굴릴 것이다. 마치 금융 재벌 로스차일드 가문이 워털루 전쟁에서 영국과 프랑스 사이를 교묘하게 베팅하며 자본을 증식시킨 것처럼 말이다. 미·중 패권 전쟁의 승자가 누가 될 것인가를 두고 말이 많지만, 한 가지는 확실하다. 피 한 방울, 땀 한 방울조차 흘리지 않을 승자는 언제나 그렇듯 자본이 될 것이라는 점이다. 자본에는 국경이 없을뿐더러 사회주의나 자본주의 이념도 없다. 투자자의 눈으로 그리고 시대적 큰 흐름으로 미·중 패권 전쟁을 바라보면 승자가 될 수 있다.

외국 자본의 중국 탈출은 가속화될 것인가?

안유화 교수의 View

시장은 외국 자본의 탈중국화로 현재 중국이 큰 위기에 처했다고 평가하고 있다. 과연 현실은 무엇일까? 놀랍게도 외국 자본의 탈출과 중국 신규 진입의 확대는 동시에 진행되고 있다. 탈출하는 기업과 들어오는 기업의 내용은 많이 다르다. 현재 중국에 진출한 외국 자본기업 수는 95만 9,000개에 달한다. 2018년에도 6만 533개의 기업이 신규로 들어왔으며, 그 투자액은 1,390억 달러로 전년 대비 4% 증가했다. 반면에 유엔 무역개발회의 자료에 따르면 세계적으로 2018년 외국인 직접 투자FDI는 13% 감소한 3조 3,000억 달러에 달했고, 특히 선진국가들에 대한 투자가 감소되었다. 지난해 미국에 대한 직접 투자는 전년 대비 9% 감소한 2,520억 달러에 이르렀다. 다국적기업이 미국으로 회귀할 수 있도록 트럼프정부가 30년 만에 가장 큰 규모의 감세 법안을 시행했지만, 긍정적인 결과를 가져오지 못한 것이다. 바이든정부도 이어서 배터리와 반도체 및 전기 자동차 등 미래 산업 공급망을 미국과 북미 지역에서 구축하려고 하지만, 기업의 효율성 측면에서 어디까지 받아줄 수 있을지 지켜봐야 할 것이다.

현재 중국에서 탈출하는 기업은 과거 중국의 싼 노동력을 보고 진출했던 노동 밀집형이 대부분이다. 매년 중국의 임금은 적어도 5% 이상 급격하게 상승하고 있다. 이는 중국정부의 내수 성장 엔진과 고부가가치 산업 육성을 위한 전략적 목적과 맞물려 있다. 다시 말해 노동밀집형기업은 지금이 아니라 2013년 이후부터 중국에서 탈출하기 시작했으며, 동남아시아 등 임금이 저렴한 국가로 옮겨갔다. 이런 유형의 기업은 어차피 떠나게 되어 있다. 오라클, 아마존, 우버, 롯데와 같은 내수형 소매업체들은 경영 악화로 중국을 탈출하고 있다. 이들은 중국계업체들과의 경쟁에서 매년 밀리면서 결국 적자로 돌아섰고 그 규모도 매년 악화되면서 철수할 수밖에 없었다. 아마존은 2004년 8월 중국 온라인 쇼핑몰 '조요'를 7,500만 달러에 인수하면서 중국시장을 진출한 지 15년 가까이 되었지만, 시장 점유율은 지속적으로 하락해 2008년 15.4%에서 0.6%로 줄어들었다. 이는 알리바바의 티몰과 JD 같은 국내업체들의 경쟁력에 밀렸기 때문이다. 그 사이 유명한 글로벌기업 야후, 이베이, 링크드인, 에어비앤비 등도 모두 시장에서 퇴출되었다. 삼성전자와 현대자동차도 중국에서 고전을 면치 못하고 있다가 결국 동남아시아로의 이전을 선택했다.

외국 자본의 기업들이 중국에서 실패한 원인이 중국 때문이라는 여론이 많다. 하지만 이유는 간단하다. 외국기업들은 중국 고객의 마음에 우선순위를 두고 그들의 소비문화에 기반한 중국 국내시장 개척에 최선을 다하는 것이 아니라, 중국시장을 모르는 본사의 눈치를 보고 그들의 의사결정을 따르는 것에 우선순위를 두기 때문이다.

베트남, 중국 대신
세계의 공장이 될 수 있을까

미·중 갈등이 격화되고 러시아-우크라이나 전쟁이 장기화되면서, 전세계는 이념과 가치관 중심으로 양분화되고 있다. 특히 공급망 안전이 국가의 안보 개념으로 들어오면서 세계 각국과 지역은 자국 내 산업 생태계 구축을 중심으로 세계경제 질서를 새롭게 만들어가는 중이다. 미국의 중국 배제 전략은 유럽과 일본, 한국 등 국가와 지역의 중국 생산의존도 감소와 그 대체 국가로서의 베트남에 대한 기대를 높인다. 베트남은 과연 중국을 대체할 세계의 공장이 될 수 있을까?

베트남, 빨리 발전했지만 한계도 뚜렷

인터넷에서 많은 보도를 보면 베트남은 현재 호황을 누리고 있다. 베트남 수출액이 선전을 제쳤다거나, 홍콩 최고 갑부였던 리카싱이 영국에서 철수한 뒤 베트남으로 이전하고 나이키, 아디다스, 삼성전자가 공장을 베트남으로 이전한 것에 모두가 놀랐다.

베트남이 중국을 대신해 새로운 '세계 공장'이 될 것이라는 관측도 나왔다. 중국의 노동력 원가가 오르면서 베트남은 인건비 우위로 나이키, 아디다스, 유니클로 등 노동 집약형 산업의 이전을 유치했다. 게다가 유럽과 미국의 베트남 저관세와 베트남 본토의 세수 혜택 정책으로 많은 외국인 투자자가 베트남에 공장을 세웠다.

전체 인구에서 생산 가능 인구 비율이 증가하면서 경제 성장률이 높아지는 인구 배당 효과, 관세와 세수 혜택 등의 장점을 바탕으로 최근 몇 년간 베트남경제는 매우 빨리 발전했다. 세계경제 전망에 따르면 2010~2021년 베트남은 평균 경제 성장률 5.99%로 14위를 차지했다. 그 기간 중국의 평균 경제 성장률 7.24%에는 못 미치지만, 이미 많은 국가를 따돌렸다. 2022년에는 베트남 경제 성장률이 12년 만의 최고 수치인 8.02%를 기록한 것으로 집계되고 있다. 반면에 중국은 2022년 상하이 봉쇄 등 코로나19 팬데믹 방역 강화 조치로 3%라는 최저 경제 성장률을 기록했다.

최근 몇십 년 동안 전 세계 산업체인에 몇 차례 대이동이 발생한 적이 있다. 1960년대를 전후해 미국, 일본, 독일 등 선진국은 자국 내 생산이 포화하자 생산 원가를 낮추고자 노동 집약형 산업을 점차 한국, 싱가포르, 대만, 홍콩으로 옮겼다. 이후 이들 국가의 산업화가 가속화되고 경제가 빠르게 발전해 '아시아의 4마리 용'이 되었다.

하지만 이들 '아시아의 용' 국가도 산업이 고도화됨에 따라 1980년대 이후 노동 집약형과 고소모 에너지 산업을 태국, 필리핀, 말레이시아, 인도네시아, 중국 연해 등지로 잇달아 이전했다. 중국의 노동력 원가 상승과 산업의 업그레이드가 가속화됨에 따라, 일부 부가가치가 비교적 낮은 제조업은 점차 베트남으로 옮겨 갔다.

인구 배당은 노동 집약형 산업의 이전을 유치하는 열쇠다. 베트남 인구는 1억 명에 육박하며, 2017년 베트남의 인구 중위수 연령은 30.5세에 불과하다. 평균 임금도 중국의 1/3에 정도였다. 젊은이가 많고 평균 소득이 낮은 것은 베트남이 가공 제조업을 발전시키는 데 중요한 장점으로 작용했다.

투자 유치를 위해 베트남은 여러 가지 기업 우대 정책을 시행하고 있다. 베트남 재무부가 2016년 제출한 초안에 따르면, 2017년부터 2020년까지 기업 소득세 세율은 이전의 20%에서 17%로 하향 조정되고 연간 영업액이 1,000억 동VND을 넘지 않는 기업은 면세 혜택을 받을 수 있다. 여기에 유럽과 미국 등이 베트남에 주는 낮은 관세까지 더해져 기업의 수출 원가를 더욱 낮췄다. 값싼 노동력, 낮은 임대료, 특혜 관세, 세금 혜택에 힘입어 베트남은 일부 중국 연해 등지의 노동 집약형 산업 이전을 받아들여 제조업의 급속한 발전을 이뤄냈다.

기술 함량이 낮은 노동 집약 산업의 한계

베트남으로의 산업 이전은 확실히 중국의 수출 제품을 일부 대체했지만 기본적으로 가구, 타이어 등 기술 함량이 낮은 제품들이다. 무역정보업체 판지바에 따르면, 이케아 등 유통업체들의 중국 가구 수입은 13.5% 감소한 반면, 베트남 수입은 37.2% 증가했다. 자동차 타이어는 미국의 중국 수입이 28.6% 줄고 베트남 수입이 141.7% 폭증했다.

사실 베트남의 영향을 많이 받은 곳은 중국 내륙 지방이다. 이들 지역은 대부분의 가공 및 제조 산업의 이전을 기대했지만, 상당수가 베트남으로 이전했기 때문이다. 2022년 1분기 베트남의 외국 자본 투자 총액은 108억 달러로 전년 동기 대비 86.2% 증가했지만, 그중 절반은 중국에서 왔다.

그러나 중국의 제조 경쟁력이 독일에 이어 세계 2위 수준으로 높아졌기 때문에 '세계의 공장'이라는 위상이 흔들리는 것은 아니다. 2021년 4월 유엔산업개발기구의 데이터에 따르면, 중국의 제조 경쟁력은 2012년 세계 5위에서 2위로 상승했다. 중국 제조업이 창출하는 GDP는 4조 달러를 넘어섰다. 중국은 자동차, 휴대전화, 컴퓨터, 세탁기, 에어컨, 컬러TV, 냉장고, 철강 등 여러 제품의 생산량 전 세계 1위를 안정적으로 지키고 있다.

베트남에 이전하는 산업은 노동 집약형 산업이다. 현재 베트남은 고급 제조업도 중공업도 없고 중국처럼 전체 산업 생태계 네트워크를 구축하지 못했다. 이런 측면에서 보면 베트남은 산업 고도화를 추진하는 중국과 사실상 산업 상호 보완 관계가 더 크다. 산업적으로 보면 베트남은 주로 노동 집약적 경공업을 기반으로 하며 태국 등 동남아시아 국가와 더욱 동질화되어 있다. 노동 비용이 태국 수준으로 올라가면 다른 동남아시아 국가에 비해 우위가 없어져 계속 상승하기가 매우 어렵다.

장기적으로 보면 베트남은 한국과 일본을 배울 수 있고 방직, 자동차, 전자 등의 분야에서 몇 가지 선도 산업을 선택해 해당하는 산업체인과 관련 생태계 네트워크를 전략적으로 구축할 수 있다. 하지만 이를 위해서는 장기적인 축적이 필요하다. 갈수록 치열해지는 글로벌 경쟁 환경 속에서 후발 국가인 베트남이 성공하기에는 많은 난관을 극복해야 한다.

또한 경제 발전을 위해 많은 돈을 빌려야 하는 상황에서 FED의 금리 인상으로 글로벌 유동성 긴축에 부딪히면 매우 위험하다. 태국이 살아 있는 예다. 2차 산업 이전의 흐름을 성공적으로 잡은 태국은 경제 발전이 막 이뤄지는 시점이었는데 FED의 금리 인상으로 촉발된 1997년 외환위기 때 무참히 무너졌다. 지금도 FED의 금리 인상이 계속 이어지고 있어 자산이 적은 베트남이 이를 버틸 수 있을지는 여전히 의문이다. 국제통화기금을 비롯한 일부 주요 월가 은행은 미국 FED가 달러 긴축 정책에 들어서면서 FED의 긴축 정책 리스크가 취약하고 빈곤한 국가로 전가되고 있다고 지적한다. 튀르키예, 스리랑카, 베트남, 브라질, 아르헨티나 및 기타 리스크 취약한 국가들은 현재 융자 비용 증가와 부채이자 증가라는 어려움을 겪고 있다.

저개발국의 '한강의 기적' 쉽지 않아

베트남이 최근 몇 년 동안 정말 열심히 경제를 발전시켰고 산업화와 수출도 호조를 보였다. 하지만 가난한 나라에서 부유한 나라로의 상승을 이루기란 쉽지 않은 일이다. 발전 과정에 놓인 함정이 매우 많다. 베트남이 이 어려움을 극복한다면 태국을 따라잡을 수 있을 것이다. 그림 5-2를 보면 미·중 갈등 이래 사실상 베트남으로의 투자는 눈에 띄게 증가하지 않았음을 알 수 있다. 베트남 기획 투자부 외국인 투자 통계에 따르면, 매년 1분기 기준으로 봤을 때 2023년 1분기(1~3월) 대베트남 외국인 투자액은 코로나19 팬데믹 때보다 더욱 낮은 약 54억 달러로 전년 동기 대비 38.8%나 감소했다. 이 수치는 2019년 1분

그림 5-2. 베트남으로의 전체 외국인 투자액 변동 현황(2019~2023년)

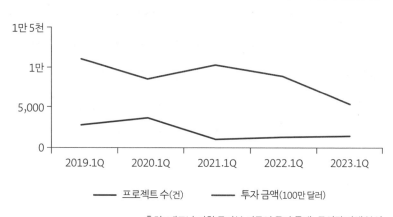

출처: 베트남 기획 투자부 외국인 투자 통계, 무역관 자체 분석

기 투자 유치액의 약 50% 수준에 불과하다. 특히 2023년 1분기 제조업 분야의 외국인 투자 유치액은 전년 동기 대비 약 25% 감소했고 프로젝트 수도 16.7% 감소했다. 가속화되는 미·중 무역 갈등 및 글로벌 공급망 변화 등 탈중국기업이 대거 베트남으로 생산 기지를 옮길 거라고 기대했지만 기대보다 유입이 많지 않다.

아시아 4마리 용 발전 모델, 기러기편대이론이 미·중의 글로벌 공급망 분리로 더는 먹히지 않는다. 미국 중심의 서방국가들이 공급망 안전을 국가안보 개념으로 정립하면서 미국 지역 중심, 유럽 중심으로 공급망을 구축해가기 시작했다. 또한 로봇이 여러 영역에서 노동력 대체가 가능해지면서 이제는 자본이 있는 선진국도 제조업을 할 수 있는 시대가 열렸다. 로봇 시대는 자본이 있는 사람이 승자가 되는 게임이다. 알고리즘 개발도 막대한 자본이 들어가야 가능하다. 자본주의 사회의 승자는 늘 자본을 가진 사람이다. 자본시장이 발달한 선진국은 이런 면에서 큰 우세를 가져가고 있다. 특히 미국이 그렇다. 동남아시아 국가를 포함한 저개발국들의 '한강의 기적'과 같은 경제적 비상은 어쩌면 다시는 오지 않을 수 있다.

중국 흐름 못 읽은 한국기업, 베트남으로 옮기는 게 능사였나?

2018년 말 삼성전자 톈진 공장 운영 중단 소식이 알려지고 난 뒤 얼마 안 되어 2019년 초 현대자동차 베이징 제1공장의 가동 중지, 최근 기아자동차의 중국 옌청 제1공장 철수 뉴스가 전해지면서 중국 내 한국 제조업체의 미래를 걱정하는 분위기가 고조되고 있다. 이러한 와중에 중국의 국회 격인 전국인민대표대회가 2019년 3월 15일 「외상투자법(외국인투자법)」 제정안을 통과시키면서 중국정부가 중국 내 외국 법인의 투자 환경 개선에 대폭적으로 나섰다. 중국의 「외상투자법」은 외국인 투자기업의 지식재산권 보호, 기술 이전 강요 금지, 외국인 투자기업의 내국민 대우, 자금 조달 환경 개선과 외국인 독자 투자기업 허용 분야 확대 등을 핵심 내용으로 담고 있다.

「외상투자법」에서 가장 주목할 것은 외국기업에 대한 내국민 대우와 네거티브 규제 도입, 중국 국유기업 독점 산업에 대한 시장개방이다. 중국 정부는 외국기업의 중국시장 진출 이전과 이후의 내국민 대우를 약속함으로써 현재 법으로 제한하고 있는 45개 영역 이외에는 외국기업도 중국기업과 똑같이 등록만으로 모든 영역에서 100% 지분으로 사업을 운영할 수 있다고 규정하고 있다. 이는 기존에 외국인에게 개방되지 않았던 영역, 예를 들면 자동차·인터넷·교육·증권·생명 보험·은행 등에 대한 개방을 포함한다. JP모건체이스와 노무라증권은 가장 먼저 중국증권감독관리위원회에 100% 독자증권회사 면허를 신청했다.

발 빠르게 대응하고 있는 미국·일본의 기업과 대조적으로 한국기업은 중국 내 제도 환경 미비와 여러 가지 이유를 근거로 공장 가동을 정지시키거나 베트남 등 동남아시아로 생산 기지를 이전하고 있다. 이는 미래흐름에 반하는 전략이다.

우선 「외상투자법」 개편으로 중국 내 외국기업의 투자 환경이 많이 개선되고 있으며 네거티브 규제로 가고 있어 기회는 확대되고 있다. 그리고 중국 공장 폐쇄 배경에는 중국 내 시장 점유율 하락과 수익 악화가 한 몫했다. 이는 동남아시아로 이전한다고 해서 결코 해결되는 문제가 아니다. 2008년부터 베트남으로 생산 기지를 옮기기 시작한 삼성전자는 베트남이 중국을 대체해 최대 해외 스마트폰 생산 기지가 되었지만 실적은 전혀 개선되지 않았다. 세계 최대 스마트폰 시장인 중국에서의 점유율은 1% 이하로 떨어진 지 오래되었고, 최근 인도시장에서도 시장 1위 자리를 중국 샤오미에 내줬다.

그동안 중국 진출 한국기업들은 무엇을 놓친 걸까? 삼성전자와 현대자동차의 중국 내 실적 부진 원인은 놀랍게도 중국 내 변화의 흐름을 제대로 못 읽었던 데 있다. 삼성전자는 중국이 이미 4G로 진입했음에도 기존의 3G 휴대폰 확대 생산에만 집중하다 보니, 시장에서 10위 밖으로 밀려나는 굴욕을 경험했다. 현대자동차도 마찬가지다. 중국의 시장 수요가 이미 SUV시장으로 변했음에도 불구하고 안일하게 소형차 확대생산에만 치중했다. 사실 2014년 이전까지만 해도 삼성전자의 스마트폰은 중국 내 점유율 1위를 차지한 적도 있었으며, 현대자동차와 기아자동차도 100만 대 생산량을 돌파하면서 중국 내 자동차 제조업체 4위로 등극한

적도 있었다. 하지만 2015년부터 중국시장은 이미 중국 국내 제조업체들의 부상과 더불어 수요 국면이 크게 변해가고 있었지만, 한국기업들은 이 변화를 적시에 따라가지 못했다. 반대로 과거 성과가 좋다는 이유로 공장 증설로 생산 확대를 도모했으며, 결국 오늘날 과잉 생산으로 막대한 재고 부담에 공장 가동률도 50% 이하로 떨어지게 되었다. 현재 현대자동차와 기아자동차는 중국 현지에서 성장하는 미래 자동차시장 수요에 대응하기 위한 체질 개선이 필요할뿐더러 중국 현지 판매 감소에 따른 대응 전략이 필요한 시점이다.

앞으로 한국 제조업체가 중국에서 살아남으려면 가장 중요한 것은 제도와 추세의 흐름을 먼저 읽을 수 있어야 한다. 그동안 중국은 제도 법규가 완비되지 않은 상황이었지만, 외국 자본들은 중국의 저렴한 노동력을 보고 현지 공장을 설립하고 생산상품을 해외시장에 파는 전략으로 중국을 활용해왔다. 중국은 외국 자본에 대해 생산요소 주도형 개방 전략을 취함으로써, WTO 가입을 계기로 세계시장에 수출하면서 급속하게 성장할 수 있었다. 하지만 2008년 금융위기 이후 미국과 유럽시장이 침체되면서 중국의 수출 주도형 경제 모델은 한계에 부딪히고, 중국 진출 외국 자본도 중국 내수시장 공략으로 전략을 변경하지 않으면 안 되었다. 따라서 중국 내 소비시장 변화를 읽어내는 것이 중요한 전략 변수로 떠올랐지만, 한국기업들은 중국 내에서 공장을 운영하는 데만 치중했지, 내수시장 공략을 위한 장기 전략은 부족했다.

한국기업들은 중국에서 빨리 탈출하는 전략 대신에 중국시장에서 자신의 산업 영역에서의 빅데이터 확보와 AI 도입, 4차기술 영역에서의 지적

재산권 선도 확보 전략을 구사해 새로운 수요를 창출하면서 신시장을 만들어가야 하고, 4차기술 혁명의 중심지인 중국시장을 선도해나가는 노력을 해야 한다. 이러한 노력 없이 중국시장에서 잘 안되면 중국에서 나가고, 베트남시장에서 부진하면 베트남에서 빠져나가는 기러기형 산업 이전 발전 전략은 이제 시대흐름에 낙오된 전략이다. 과거 인터넷도 없고, 국가 간 금융 거래도 제한되던 시대에 선진국의 기술이 이머징 국가로 가고, 이머징 국가에서 다시 저개발국으로 산업이 이전해가는 동아시아 발전 모델은 더는 존재하지 않는다. 오늘날 5G의 출현으로 기업 간·국가 간·사람 간의 통신이 거의 비용 없이 순식간에 진행되는 시대에 국경은 형식에 지나지 않을 것이고, 결국 세계시장은 하나의 시장에 불과하며, 기술과 서비스를 잘하는 자만이 살아남을 수 있는 것이다.

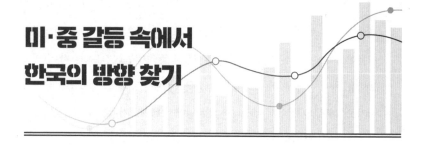

미·중 갈등 속에서 한국의 방향 찾기

앞서 G2의 갈등이 양전이라고 말했다. 겉은 냉혹하게 보이지만 현실은 다르게 갈 수 있다는 말이다. 어쩌면 예전처럼 두 나라가 다시 전략적 수요에 의해 가까워질 수도 있다. 어떤 결과가 나올지는 지켜볼 일이다. 여기서는 섣부른 판단 대신 현재 진행 중인 미국과 중국 두 나라의 분쟁 속에서 한국이 어떤 방향을 잡아야 좋을지 그 이야기를 해보고자 한다.

먼저 주변의 변화부터 보자. 필자는 2023년 1월 말 미국에 다녀왔다. 여러 곳을 방문하고 돌아왔는데 라스베이거스에서 2023 CES(세계가전전시회)에 참여하고, 실리콘 밸리로 넘어가서 〈안유화쇼〉를 촬

영했다. 그리고 바로 LA에 가서 어바인대학교 본교 상황을 둘러보고, 다시 버지니아 테크까지 넘어가서 미국 내 변화들을 두루 살피고 왔다. 과거에는 미국 내 이민자 중 중국인이 많았고 유학생 숫자도 엄청났다. 한때 1년에 중국 본토에서만 30만 명씩 미국으로 유학을 가던 시절도 있었다. 그런데 지금은 인도, 베트남, 인도네시아 등으로 이민이 많아졌다. 미국 주요 공과대학들도 중국 유학생을 거의 받아주지 않는 분위기였다. 특히 중국을 연구하던 미국의 연구소와 싱크탱크도 지금은 중국인 인재 영입을 분명히 축소하는 분위기다. 쉽게 말해 필자가 미국에서 체험한 그곳의 분위기는 중국인 유입을 최대한 줄이는 것 같다.

개인적인 생각이지만, 미국이 취하는 이런 정책은 장기적으로 볼 때 실수가 될 확률이 높다. '상대방을 알아야 상대를 넘어설 수 있는 법'이라고 했다. 그런데 왠지 코 앞의 감정적인 대응에 치우친 게 아닌가 싶다. 정말 중국을 견제하고 싶다면 더더욱 중국에 관한 공부와 전략적 인재를 강화해야 한다.

한국의 역할

필자는 여기서 한국의 역할이 점점 중요해질 것임을 느꼈다. 미국에 갈 수 없게 된 중국 학생들이 주변 국가로 갈 텐데, 이제 중국 학생들이 선택하는 나라는 호주다. 그러나 중국과 호주의 관계는 좋지 않다. 이런 상황을 고려하면 중국 유학생들이 지리적으로 가까운 한국, 일본을 선택할 가능성이 커졌다. 똑똑한 중국 유학생이 한국에 많이 오면 긍정적인 역할을 할 수 있다. 최소 2~3년 동안 한국에서 생활하면서 한국어와 문화에 친숙해짐으로써 친한파 엘리트로 성장할 수 있는 것이다. 한국의 국익 차원에서 친한파 중국인을 양성할 수 있다는 점에서 긍정적이다. 한중 인적교류 확대가 기대되는 가운데 한국이 중국에 관한 연구를 강화한다면 미국이 놓친 부분을 미국과 전략적으로 더 많이 공유할 기회가 만들어질 것으로 보인다.

그러나 이런 전략적인 사고로 접근하기에는 한국인에게 중국 이미지가 너무 부정적이다. 오랜 역사적 맥락으로 살펴봐도 중국은 왠지 호감이 떨어지고 껄끄러운 나라로 인식된다. 게다가 한국으로서는 언젠가 극복하고 통일해야 할 대상인 북한을 지원하는, 세계에서 몇 안 되는 나라가 중국인 점도 중국을 부정적으로 바라보도록 만든다. 한마디로 정치적 이해관계가 중국을 부정적인 나라로 인식하도록 만들었다. 하지만 정치를 떠나 경제적 이해관계, 먹고사는 경제문제를 외면할 수는 없다. 장사는 늘 거리가 가까운 이웃과 하게 되어 있다. 미국 역시 옆에 있는 캐나다와 멕시코와의 무역 규모가 가장 크다. 그런 측면에서 보자면, 동북아 3국은 항상 함께해야 하는 나라이며, 그 어떤 시대보다 협력해야 하는 시점이다. 그러나 현실은 반대로 가고 있어서 안타깝다. 내줄 건 내주고 받을 건 받으며 함께 돕는 관계를 지향해야 한다.

윤석열정부가 보여주는 대중관계는 과거 정부의 행보와는 사뭇 다른 모습인 것 같다. 그래서였을까? 중국이 예전만큼 한국 제품을 사주지 않으면서 한국의 대중 무역적자 수준이 심상치 않은 단계까지 와 있기도 하다. 원하든 원치 않았든 간에 지난 20년간 구축된 세계경제 시스템은 미국과 중국을 중심으로 돌아가는 구조였다. 미국만 바라보며 너무 의존해도 안 되고, 중국을 외면하며 밀어내도 안 된다. 한 방향만 바라보며 달리는 일방통행은 득보다 실이 더 많은 법이다. 처음에는 지켜보다가 중간에서 이익을 얻는 것이 상책이라고 말한 오나라 손권의 말처럼 정치도 경제도 외교도 쏠림 없는 중용의 묘미가 발휘되어야 할 때다. 삼국지에서 이릉대전夷陵大戰 유비를 거의 전멸시킨 오나라 손권은 다시 화친하자는 제의를 촉나라에 제안한다. 그것은 강한 위나라를 함께 견제하기 위해서다. 세련된 외교가 대한민국 운명을 결정짓는 시대다.

처음에는 지켜보다가 중간에서 이익을 얻는 것이 상책이다.

– 손권

미·중 무역 관계

여기서 잠시 미국과 중국의 무역 관계를 2022년 데이터로 들여다보자. 미국의 전체 무역 총액은 5조 4,000억 달러다. 그중 미국의 대중 수출액은 1,538억 달러(전년 대비 1.6% 증가), 반대로 중국에서 들여온 수입액은 총 5,368억 달러(전년 대비 6.3% 증가)였다. 결과적으로 중국이 대미 무역수지 3,830억 달러 흑자를 거두었다. 무역액만 놓고 보면 두 나라의 무역이 감소하지는 않았다. 그런데 내용을 자세히 들여다 보면 변화가 감지된다. 과거 두 나라는 글로벌 무역에서 소비와 공급을 맡으며 매우 긴밀한 협력 관계였다. 그런데 탄탄했던 두 나라의 협력 관계가 점점 느슨해지고 있다. 두 나라 무역 규모는 변화 없이 오히려 좀 더 증가했는데,◆ 공급망에서 중국의 역할이 조금씩 줄고 있다. 과거와 비교하면 미국의 중국 의존도가 점점 낮아지는 중이다. 특히 미국은 그간 중국에서 수입했던 중간재를 다른 동맹국에서 조달받는 양상도 눈에 띈다. 중국을 대체해 인도, 베트남에서 중간재를 수입하는 부분들이 조금씩 늘어나고 있다. 미·중 무역 분쟁 이전인 2017년, 미국의 중국 의존도는 21.4% 수준이었다. 그러나 2022년 말 데이터는 2017년보다 약 5% 하락한 16.4%를 기록했다. 미국은 낮아진 중국 의존도 5%를 다른 나라로 대체했다.

겉으로는 두 나라가 당장 국교를 단절하고 무역을 하지 않을 것처럼 싸우지만, 무역은 하루아침에 관계를 끊을 수 없다. 그 사실을 잘 아는 미국이 미·중 분쟁을 기점으로 대중 무역 규모를 조금씩 줄여간다고 봐야 한다. 무역액 수치만 봐도 중국 의존도를 낮추려는 미국의 노력이 엿보인다. 미국은 자국의 기술이 중국으로 유출되는 일에 민감하다. 따라서 중국의 최첨단제품 수출도 줄여가는 중인데, 2022년 데이터에 따르면 대중 미국 첨단제품 수출은 전년 대비 25.7%나 하락했

◆ 두 나라의 교역 확대로 무역액이 증가했다기보다는 가격 상승의 요소가 크다.

다. 이 말은 첨단제품을 중국에 팔지 않겠다는 미국의 속내고 먼저 첨단기술 영역에서 탈중국화를 시도하고 있는 것이다. 이와 같은 흐름과 추세가 상당 기간 지속될 것이다.

이렇게 두 나라가 '협력'하고 '분열'하는 양전의 모습은 주변 다른 나라에 위험과 기회로 작용한다. 어느 한쪽에 치우친 생각 대신 위험과 기회 둘 다 파악하는 지혜로운 전략적 시각이 필요하다. 사실 노동 집약적인 산업, 저부가가치 산업은 2008년부터 중국에서 베트남, 인도네시아 등으로 넘어갔다. 지금은 첨단산업이 흐름이자 이슈다. 그런데 베트남과 인도는 첨단산업 분야를 소화할 능력이 부족하다. 그나마 베트남보다 인도가 영어권 국가이기도 하고 소프트웨어, 프로그래밍 전문가가 많다는 강점이 있다. 그렇더라도 첨단산업은 프로그래밍 전문가뿐 아니라 이를 비즈니스 모델로 만들어 관리하는 일이 동반되어야 가능한 산업이다. 베트남, 인도는 그런 PM^{Project Manager}급 인재가 턱없이 부족하다. 이런 인재를 양성하려면 많은 시간과 비용이 든다. 이를 가장 잘할 수 있는 나라가 한국이다. 한국에는 PM형 인재가 많다. 게다가 아이템 개발, 디자인, 제품 생산에 이르는 비즈니스 생태계 인프라도 세계 최고 수준이다. 한국은 교육이 잘되어 있고 경험도 풍부하다. 그래서 한국에 기회가 있다고 필자는 늘 강조한다.

한국의 미래

이런 세계흐름에서 여러분은 어떤 위치에 서야 좋을까? 방금 언급했듯이 PM형 인재가 되어야 한다. 그리고 지금은 눈부신 기술 발전에 힘입어 AI가 많은 것을 해결해주는 때다. 이런 시기에는 AI가 할 수 없는 일을 하고 그런 직업을 가져야 나의 가치가 훼손되지 않는다. 개인적인 기회가 이런 것이라면, 국가 차원의 기회도 있다. 필자는 미·중 두 나라 간 분쟁이 시작될 때부터 지금까지 한국에 기회가 더 커졌고 역할도 중요해졌다고 반복해서 강조했다. 한국의 입장은 그간 선진국을 따라가는 추격자였다. 하지만 어느새 많은 나라가 부러워하는 선도국가로까지 왔다.

하지만 앞으로가 더 중요하다. 추격자는 가기 편하지만 퍼스트무버가 되어야 하는 한국으로서는 그 역할이 익숙하지 않다. 퍼스트무버로서의 전략적 사고방식도 준비되어 있지 않다. 선도국가가 되려면, 세계 곳곳에 흩어진 생산요소와 자본을 유치해 한국 내에서 융합할 수 있어야 하고 이를 PM화해 세계로 다시 수출하는 전략이 필요하다. 그렇게 되기 위해서는 세계에서 가장 편견이 없고 개방이 되어야 하며 이념적인 논리를 경제에 끌어들이면 안 된다. 어떤 국가가 좋은 국가인가? 자국민이 전쟁에 노출되지 않고 자기 노력에 따른 대가를 받을 수 있어야 한다. 세계 다른 국가들과 상대방의 이해관계를 존중하면서 함께 할 줄 아는 유연하면서 의연하고 큰 그림을 짤 수 있어야 한다.

한국기업이 세계적 경쟁력을 빨리 확보하는 법

현재 중국 제품이 가성비 면에서 한국을 뛰어넘은 지 오래되었다. 최근 몇 년의 일이 아니다. 한국 언론이나 오피니언 리더들이 말하고 싶은 것, 보고 싶은 것만 말해서 그렇지, 사실 2013년 이후로 급격하게 한국을 뛰어넘기 시작했다. 제품 성능과 가격 측면에서 모두 그래왔다. 한쪽 눈을 감고 중국을 바라봤기 때문에 제대로 된 중국을 보지 못했다.

대중 무역적자에도 다 이유가 있다. 수입이 더 많아서 적자가 아닌가! 그럼 왜 수입이 더 많을지를 생각해야 한다. 기업은 최적의 부품을 선택하게 되어 있다. 중국 부품을 쓰지 않으면 한국상품들의 단가를 못 맞추기 때문에 쓸 수밖에 없다. 쓰지 않으면 시장에서 경쟁력을 잃게 된다.

그러면 한국은 중국과 비교해 기회가 정말 없는 걸까? 아니다. 중국은 물건을 싸게 만들지는 몰라도 물건에 서비스 개념이 아직 녹아 있지 않다. 중국 국내시장은 오래전부터 가격으로 승부를 거는 시장이 되어버렸다. 가격으로 승부를 보는 시장은 다른 것 신경 쓸 사이 없이 무조건 싸게 만드는 데만 목숨을 건다. 치열하게 싸우고 다 같이 죽기 딱 좋은 시장이다. 서비스는 언감생심이다.

그런데 우리가 주목해야 하는 것은 미래는 고객 맞춤형 세상이라는 점이다. 당신을 위한 셔츠 하나를 만들어 팔아도 수익을 남겨야 하는 세상이다. 이 말은 다른 말로 하면 서비스로 승부를 봐야 한다는 의미다. 아무리 싼 물건이라도 서비스 개념을 얹으면 부르는 값이 가격이 된다. 특히 지금처럼 로봇이 모든 것을 대체하는 시장에서는 서비스의 중요성이 점점 더 높아질 것이다.

그렇다. 중국 제품과 경쟁하려면 한국상품은 서비스에서 승부를 봐야 한다. 값싼 중국 제품을 수입해서 위에 고객 맞춤형 서비스를 얹어서 세계시장을 공략해야 한다. 서비스는 인문학을 바탕으로 한다. 인문학은 인간에 대한 존중과 이해다. 이는 오랜 시간의 교육과 수양이 필요하다. 자본이 많다고 해서 그냥 만들어지는 것이 아니다. 교육은 백년대계라고 했다. 사람을 교육하는 일은 이렇게 오랜 시간이 걸린다. 따라서 한국은 고객 맞춤형 서비스 개념을 제조업에 도입해서 해외시장을 공략해야 한다. 예를 들면 배터리 셀은 한국도 잘 만들지만 가성비 면에서 중국이 최고라고 할 수 있다. 그러면 중국 배터리 셀을 수입해 한국에서 패키징해서 'BMS+고객 맞춤형 서비스'로 세계에 진출하면 TSMC 같은 기업이 만들어질 수 있다. 배터리 생태계는 점점 고객 맞춤형 파운드리와 서비스가 중요해지고 있다.

현재 미·중 간에 충돌이 확산됨에 따라 많은 지성인들은 한국의 미래를 우려하고 있다. 한국은 미국과 중국 중에 어느 한쪽을 선택해야 한다는 조급함에 사로잡혀 있다. 분명한 것은 우리는 과거 40년과 전혀 다른 미래 40년을 살아가야 한다는 사실이다.

이런 역사적 변곡점에서 한국은 어떤 선택을 해야 할까? 우선 미국의 실력에 과대한 망상을 갖고 있지 않은지 다시 점검해봐야 한다.

100여 년 동안 진화 없이 유지해온 미국의 낡은 시스템은 지금 많은 부작용이 나타나고 있다. 세상은 늘 낡은 것은 부서지고 새로운 것으로 바뀌게 되어 있다. 따라서 미·중 양국 간의 경쟁은 누가 더 국내 문제들을 잘 극복하는가에 의해 승패가 결정될 것이다. 외부요인은 발전의 요인이 될 수 없고 단지 계기를 제공할 뿐이다. 결국 내부요인이 모든 문제의 본질이다.

한국정부와 국민들은 미래는 '아시아의 시대'라는 사실에 주목해야 한다. 불과 10년 전만 해도 북미와 유럽이 전 세계의 80% 이상을 차지했지만 이제는 북미와 유럽 및 아시아가 1/3씩 차지한다. 중요한 것은 아시아의 성장률이 위 두 지역보다 배로 높다는 것이다. 다시 말해 미래는 아시아 경제 규모가 더 클 것이며 시장도 훨씬 커질 것이다. 배터리 산업만 봐도 세계시장에서 일본과 한국 및 중국이 세계를 선도하고 있다. 한·중·일 3국은 같은 유교권 문화에 있으며 거의 비슷한 가치관을 갖고 있다. 유교권에 있는 지역치고 못사는 나라는 없다. 한국, 일본, 싱가포르, 중국 본토와 대만 모두 세계경제와 산업을 선도하고 있는 국가와 지역이다. 동북아 경제권이 커지고 세계의 자금이 몰려들면 모두가 윈윈하게 되는 결과로 이어진다. 이때가 되면 한국은 지금의 독일을 넘을 수 있다. 그렇게 되면 한국은 세계 수출 5위, 10위 GDP 국가에서 20~30년 이후 세계 3위 국가로 도약할 수 있다. 지금은 '내가 천하를 버릴지언정 천하가 나를 버리게 하지는 않겠다'는 조조의 기량이 그 어느 때보다 필요한 때다.

내가 천하를 버릴지언정 천하가 나를 버리게 하지는 않겠다.

– 조조

한국이 정말로 고민해야 하는 것은?

미·중 갈등 시대 한국정부가 우선적이고 근본적으로 고민해야 하는 사항이 있는데 바로 한국의 목표는 무엇인가다. 미국은 중국을 전략적 경쟁자로 규정하고 중국의 발전제지를 위한 정책을 펼치고 있다. 이에 한국정부는 우선 중국의 발전이 한국에 의미하는 바가 무엇인지부터 정리해야 할 것이다. 한국은 지리적으로 아시아에 위치해 있고 중국을 이웃으로 두고 있다. 경제적으로 볼 때 중국과의 관계는 지금도 미래에도 끊을 수 없다. 그리고 아시아의 번영이 한국에 유리하지, 미국과 유럽이 잘사는 것이 한국에 유리하지는 않다. 아시아가 유럽과 미국의 통제력에서 벗어나는 길은 스스로 기술강국, 무역강국 및 문화강국이 되는 것이다. 과도기적으로 볼 때 미국과의 관계 향상은 전략적으로 도움이 될지 모르지만 미국이 자국이익을 위해 동맹국들을 도구로 사용하는 전략에 이용되는 우려가 존재한다. 미국은 동맹국들을 앞세워 패거리로 다른 국가의 부상을 반反시장적인 행위로 막고 있는 상황에서 한국의 가치를 어디에 둬야 할지 생각해야 한다.

민주주의 국가들은 무엇으로
중국 모델에 도전하나?

미국의 목표는 미래 핵심 산업에서 중국의 부상을 저지하고 세계시장에서 중국의 지배력이 커지는 것을 견제하는 것이다. 이를 위해 미국 내 생산시설 확충과 동맹국과의 협력 강화를 통해 중국기업들과의 거래를 막는다. 문제는 중국은 글로벌 생산공장으로서 세계 대부분 국가들의 수입 1위 혹은 수출 1위 국가라는 점이다. 지정학적으로 미국과 함께하는 유럽은 지경학적으로 중국과 탈동조화하기 어렵다. 이는 2022년 말 독일 숄츠 총리와 2023년 초 프랑스 마크롱 대통령이 미국의 반대에도 불구하고 시진핑의 3연임 확정 이후 중국을 적극적으로 방문해 경제 협력을 강화한 이유이기도 하다. 미·중 갈등 앞에서 중립적인 태도를 취하는 지역이 또 있는데 바로 글로벌 사우스Global South♦에 있는 국가들이다.

지금의 세계는 후한 말기 삼국시대 진입 초 때처럼 정세가 혼란스럽다. 특히 사회주의 국가 중국의 부상은 자유민주주의를 강조하는 글로벌 노스 선진국들에 경제냐 이념이냐 하는 큰 숙제를 안겼다. 전에 독일 일간지에 민주주의 국가들은 무엇으로 중국 모델에 도전하느냐는 글이 올라

♦ 저개발국과 개발 도상국, 또는 제3세계 국가들을 통칭하는 용어다. 저개발국과 개발 도상국 대부분이 남반구에 몰려 있어 붙은 이름이다. 반대로 선진국이 많은 북반구 국가들은 글로벌 노스Global North로 부른다. 주로 개도국들이 선진국에 대응하기 위해 단합해야 한다는 의미로 사용된다. 글로벌 사우스에 포함되는 지역은 중부아메리카와 남아메리카 및 아프리카 전체, 아시아의 대부분 지역이 들어간다. 호주와 뉴질랜드는 남반구에 있지만 명백한 선진국이기 때문에 글로벌 노스로 분류된다.

왔다. 문장의 핵심은 세 가지다.

첫째는 유럽이 미국의 탈중국화 도구로 쓰여서는 안 된다는 것이며, 미국의 반反시장적인 조치에 동조해서는 안 된다는 것이다. 자본주의 가치는 시장주의 원칙을 유지하는 것이며, 다른 국가가 어떤 목적 때문에 시장주의 질서를 파괴한다고 해서 그것에 동조해서 시장주의를 파괴해서는 안 된다는 것이다.

또한 미국이 '탈중국화' 한다고 해서 유럽도 '탈중국화' 해서는 절대 안 된다고 강조하고 있다. 유럽은 미·중 간의 복잡한 갈등 속에서 시장주의 이념과 개방주의·무역주의·다자주의 원칙을 지켜나가야 한다고 강조한다.

동시에 과거 서방국가가 무역과 경제 협력을 통해 중국체제의 변화를 이끌어내는 전략은 유치한 생각이며 과거 몇십 년처럼 유럽기업들이 중국에서 고액 이윤을 창출하는 시대는 다시는 오지 않음을 인지해야 한다고 말하고 있다.

시대적 운명 앞에 선 한국, 이제는 한국 제조 시대

과거에는 한국이 제조기술과 자본을 앞세워 중국을 공장 삼아 생산된 물품을 미국과 유럽에 수출해서 급속한 경제 성장을 이뤘다. 다른 국가들도 한국과 마찬가지로 다국적기업의 공장을 중국에 세워 제3국에 수출하는 방법을 택했다. 그 결과 중국경제도 성장했고 중국기업들의 경쟁력도 함께 커졌다. 그런데 이제 이러한 방식의 협력공간은 점점 줄어들고 있다. 앞으로는 한국의 1등과 중국의 1등이 합쳐야 미래가 있다. 그러면 세계 1등이 될 수 있다.

전장에 나선 장군이 전략을 어떻게 짜느냐에 따라 승리할 수도, 패배할 수도 있다. 지금 한국은 미·중 두 강대국 갈등 속에서 미래 운명을 결정하는 중요한 시점에 와 있다. 이 역사적 기회를 잘 이용하면 초격차 선진국이 될 수 있고, 아니면 또다시 역사적 소용돌이 속에 휘말려 들어갈 수 있다. 한국은 어떻게 승자가 될 수 있을까? 우선 「인플레이션 감축법」, 일명 IRA Inflation Reduction Act 법안을 분석해보자.

미국이 발표한 IRA 법안은 2022년 8월 16일 미국 바이든 대통령이 서명함으로써 정식 발효되었다. 말 그대로 인플레이션 감축이라는 명분 아래 에너지 안보와 기후변화 대응이 포함된다. IRA의 목적은 글로벌 인플레이션 상황에서 에너지 가격 인상을 억제하고 청정 에너지 산업을 육성하면 일자리 창출과 가계 소득에 안정화가 이뤄질 거라는 명분을 내세운다. 미국을 중심으로 한 공급망 재편을 염두에 둔 이 법안은 중국뿐 아니라 미국 동맹국을 포함한 전 세계 모든 국가에 엄청난 파급을 일으켰다. 이 법안에 의하면 기업이든 개인이든 탄소중립을 위해 청정 에너지로 전환하면 보조금을 주거나 대출을 지원한다. 청정연료를 사용하는 차량은 세금을 깎아주고, 미국산 전기 자동차를 사면 세액을 공제한다.

전기 자동차시대가 본격화되면서 기존 내연기관 자동차시대에 석유를 차지한 OPEC Organization of Petroleum Exporting Countries (석유수출국기구) 국가가 가장 중요한 판매력을 가졌다면 앞으로는 배터리 OPEC 국가 조직이 만들어질 정도로 배터리 생산 경쟁력이 가장 중요하다. 현재 배터리 셀 제조 강국은 중국, 한국, 일본 순이다. 하지만 배터리 생산에 들어가는 광물은 중국이 거의 독점하고 있다. 2023년 3월 31일, 미국 재무부는 IRA의 전기 자동차 세액공제 관련 세부지침을 발표했다.

세부지침은 2023년 4월 18일부터 시행되었으며, 조건 충족 시 각각 3,750달러, 총합 7,500달러의 세액공제를 받는다.

다행히 양극판과 음극판은 '부품'에 포함되었지만 이를 이루는 '구성물질'은 부품에 포함되지 않았기에 미국과의 FTA 미체결국에서 수입한 재료를 한국에서 가공해도 된다는 점 등은 한국정부와 업계가 요구하던 내용이 상당 부분 반영된 것으로 보인다.[*] 이로 인해 한국 배터리 업계는 중국이나 인도네시아, 아르헨티나 등 미국과의 FTA 미체결국에서 재료를 상당 부분 수입해, 한국 국내에서 이를 가공하고, 이를 미국으로 보내 미국에서 양극판·음극판 등의 부품을 제조하고 있다. 따라서 공정을 당장 바꾸지 않고도 최대 7,500달러(약 1,000만 원)의 세액공제를 받을 수 있게 된다.

- 2023년부터 북미에서 생산된 배터리를 사용하거나, 현지에서 생산된 전기 자동차에 대당 7,500달러(약 977만 원)의 보조금을 지원한다.
- 중국을 포함한 해외우려집단Foreign Entity of Concern에서 조달된 경우 세액공제 혜택을 받을 수 없다.
- 배터리에 사용되는 핵심 광물의 경우 미국과 FTA를 맺은 나라로 지원을 한정한다.
- 북미에서 제조되는 배터리의 주요 부품 비율은 50% 이상이어야 한다.

---

[*] 배터리 핵심 광물 관련 규정에 따르면 미국 또는 미국과의 FTA 체결국에서 채굴·가공한 핵심 광물을 40% 이상 사용해야 한다. 단, 미국과의 FTA 미체결국에서 채굴·수입된 재료를 한국에서 가공해 50% 이상의 부가가치를 창출해도 된다.

쉽게 말해 미국과 FTA를 체결한 동맹국끼리 공급망을 만들어 전기 자동차를 생산해야 지원금을 주겠다는 것이고, 전기 자동차 배터리에 사용하는 광물 및 부품의 원산지가 어디이고 그 비율이 얼마인지에 따라 보조금을 받을 수도 있고 못 받을 수도 있다. 이는 한국에 위기일 수도 있지만, 전략을 잘 짜서 대응하면 큰 기회가 될 수 있다.

이렇게 한번 생각해보자! 현재 배터리기술 및 생산 1위는 중국이다. 그러나 중국 배터리기업은 미국 IRA 법안 실행으로 세계시장 진출에 큰 장애물이 생겨버렸다. 바로 이 부분에서 한국에 기회가 만들어질 수 있다. 한국 배터리 3사인 LG에너지솔루션, 삼성SDI, SK온 등은 2022년 총 13건의 전기 자동차 합작 사업 중 무려 9건의 합작을 이뤄냈다. 전 세계가 한국 3사를 선택한 것이다. 물론 기술력이 뛰어난 한국과 사업을 하기 원한다는 말이기도 하지만, 미국과의 FTA 협정도 한몫했다. 한국과 미국은 FTA 협정국이기 때문에 한국에서 만든 배터리를 전기 자동차에 사용하면 미국의 보조금을 받을 수 있다. 바로 이런 점을 전략적으로 활용해야 한다.

만약 중국의 1위 배터리업체가 한국에 와서 생산하고 수출하면 어떻게 될까? 중국업체가 핵심기술만 수출하고 나머지 제품의 부가가치가 51%를 넘기면 '한국산Made in Korea'으로 인정받아 보조금을 받을 수 있게 되는 것이다. 실제로 중국의 선도 배터리업체들이 한국에서의 생산과 제조를 희망하고 있다. 참고로 2023년 상반기 전기 자동차 배터리시장 점유율 1, 2위 모두 중국기업이다. 1위 CATL의 점유율은 35%, 비야디의 시장 점유율은 16.2%로 2위에 올랐다.

미국도 한국과 중국의 배터리 생산기술을 수용해야 하는 입장이다. 그래서 최근 중국 CATL이 미국 포드와 미시간 주에 배터리 공장을 건설하기로 합의한 것이다. 중국 측이 핵심기술을 제공하고 미국자본이 제조와 생산을 하는 협력 구조다. 중국 입장에서는 미국보다 가까운 한국이 매력적인 대안이 될 수 있다. 무엇보다 지리적으로 가깝고, 배터리기술이나 인력자본 및 인프라가 중국 수준과 비슷하기에 서로 윈윈을 도모할 비즈니스 모델이 많다. 현재 한국은 고령화와 저출산의 영향으로 지방경제가 무너지고 있다. 만약 글로벌기업들이 한국 지방에서 생산제조하고 해외 수출 전진기지로 활용한다고 하면 지방경제는 또 다른 도약의 기회를 맞을 것이며, 젊은 인재들의 지방 진출시대가 열려 지역균형 발전에도 크게 도움이 될 것이다.

한마디로 기술로 보나 글로벌 공급망 변화로 보나 한국이 전 세계 배터리시장에서 세계적 허브 생산기지가 될 기회가 온 것이다. 과거 OPEC이라는 세계석유수출국기구가 글로벌 공급망의 핵심역할을 했다면 앞으로 배터리 생산수출국기구 조직(속칭 '배터리 버전의 OPEC')이 필요할 정도로 한·중·일 3국이 미래 공급망에서 핵심국가로 부상했다. 한국은 이런 시대흐름을 지혜롭게 활용해 큰 그림을 그릴 수 있어야 한다. 전략적인 사고에 기반한 큰 판을 짤 수 있어야 바둑판의 알에서 벗어난다. 기술, 인재, 시장 모든 것에서 한국이 허브 역할을 해주는 그림으로 가야 할 것이다.

배터리 산업을 하나의 사례로 들었지만, 다른 분야에서도 전도유망한 산업이 많다. 디지털헬스케어 산업도 한국이 전 세계에서 가장 중요한 역할을 하기에 좋은 여건을 갖추고 있다. 가능성 있는 산업을 육성하고 발전시켜 세계로 나가야 한다. 세계 각국 기업의 아시아 시장 진출의 플랫폼 기지가 되어야 할뿐더러, 아시아 제품들의 글로벌 진출의 전진기지 역할을 함으로써 'Made in Korea, Live in Korea, Base in Korea' 시대를 열어가야 한다. 한 시대를 풍미한 반도체에서 많은 것을 이룬 한국이다. 우리에게는 배터리라는 또 하나의 무기가 있다. 시대적 운명 앞에 선 한국, 누가 어떤 전략으로 이 흐름을 가르고 나아갈지에 따라 한국의 미래가 결정된다. 그저 한국이 글로벌 리더국가로 우뚝 서는 시점이 왔다는 것을 인식하기를 바랄 뿐이다.

'Made in Korea, Live in Korea, Base in Korea'
시대를 열어가야 한다.
– 안유화

글로벌기업들의 '한국 제조' 장점   안유화 교수의 View

한국은 세계 10위권 경제 대국이며 황해를 사이에 두고 중국과, 동해를 사이에 두고 일본과 마주하고 있는 아시아-태평양 경제 허브 지역이다. 서울에서 아시아 주요 도시 대부분을 3~5시간 내에 도착할 수 있어 한국에 본사를 둔 기업인들의 아시아시장 관리가 편리하다. 또한 한국은 세계 일류의 인프라(교통 편리) 및 IT 환경을 갖추고 있어 가장 편리한 생활환경을 제공하고 있다.

더욱 주목할 만한 것은 한국의 K팝 문화가 세계적 인기를 끌면서 한국제품의 브랜드 경쟁력도 함께 올라가고 있다는 사실이다. 이는 기업 입장에서 보면 생산된 제품이 '한국 제조'라는 이유만으로 세계 진출이 쉽다는 뜻이다. 여기에 한국은 전 세계 59개 국가와 지역들과 FTA를 맺고 있기에 관세 없이 세계 GDP 80%를 차지하는 국가와 지역으로 수출할 수 있다.

중국기업들의 입장에서 한국 법인의 장점은 더 많다. 중국에서는 법인을 설립해도 해외 수출입 권한을 따로 신청해야 하지만, 한국은 모든 법인에 자동으로 수출입 권한이 부여되어 수출과 수입 모두 편리하게 진행할 수 있다. 또한 기업 중급 관리경영인들의 능력과 보수가 중국 내 인력자본과 비교해 가성비가 좋다. 게다가 한국 지방정부 공무원들의 열정이 중국 지방관료들과 비슷하고 정책 면에서 융통성이 높다는 장점이 있다.

시대가 흐름,
미래의 유통과 승리의 동반

THE FLOW

Intro

마지막 6부 이야기의 핵심은 현재 우리 삶에 녹아든 여러 가지 시대적 변화 속에서 미래의 흐름을 예측해보자는 것이다. 우리는 몇 가지 기술혁신의 큰 물줄기 속에서 살아가고 있다. 단순한 교통 수단에서 4개의 바퀴가 달린 스마트폰으로 진화하고 있는 전기 자동차 및 자율 주행 자동차 산업, 블록체인 기술과 암호화폐, 실생활의 일부가 된 메타버스 세계와 디지털 트윈, 챗GPT로 촉발된 생성형 AI 시대까지 맞이했다. 그리고 우리는 지금 넥스트 구글 시대로 진입하고 있다. 누가 넥스트 구글, 넥스트 애플이 될 것인가?

특히 6부에서 필자는 주요 소비자로 떠오른 MZ세대와 그들의 라이프 스타일이 어떻게 우리의 경제학을 변화시키는지 강조하고 싶다. 기성세대와 달리 그들은 하루의 대부분을 메타버스에서 살아가고 있기에 현실적 소유에 집착하지 않는다.

MZ세대와는 반대로 기성세대는 차나 부동산을 실제 소유해야만 만족을 느끼는 물질적 욕망 시대에서 살아왔다. 따라서 기업들도 가성비가 좋은 물건을 많이 만들어 팔아 이윤을 남기는 것이 최선이었다. 칼 마르크스가 자본주의적 상품경제를 상품 물신주의이라고 설명한 이유이기도 하다. 자본주의적 욕망의 경제는 지그문트 프로이트가 말한 리비도 경제학처럼 양적 법칙에 자본의 잉여 가치를 생산해왔다. 즉 리비도의 총량은 한정되어 있으므로 자아의 욕망 생산은 제한된 양을 효과적으로 투자해 항상 안정된 상태를 유지하려고 했다.

하지만 가상의 공간, 메타버스가 현실화된 오늘날은 현실의 물질적 소유보다 가상에서의 생활과 일, 그곳에서의 자기의 삶이 더 우선이다.

우리 경제는 도파민 경제로 변하고 있으며, 기업들의 생산 방식과 제품도 도파민 경제 생태계에 맞춰야 한다. 아니면 시대적 흐름에서 도태될 것이다. 설령 지금 1위 기업이라고 할지라도 말이다.

당신은 미래에 낙오자가 될 것인가, 시대의 선구자가 될 것인가?

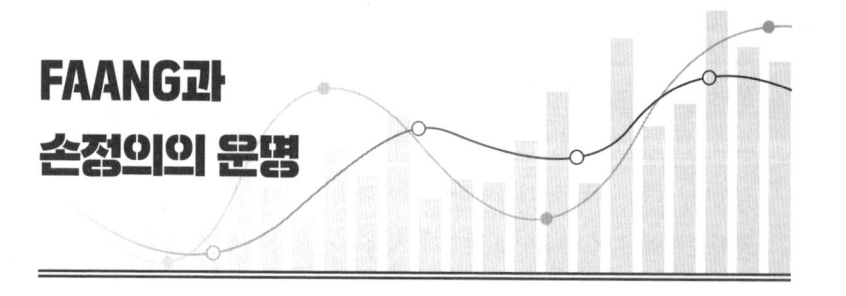

FAANG과
손정의의 운명

지난 10년간 FAANG♦의 주가 상승률은 상상을 초월했다. 2017년 당시 FAANG 중 창업한 지 얼마 안 된 넷플릭스를 뺀 4개 회사가 마이크로소프트와 함께 글로벌 시가총액 상위 5위에 오르기도 했다.

2013년과 2023년 글로벌 시가총액 상위기업을 비교한 표 6-1을 보면, 불과 10년 사이에 큰 변화가 있었음을 알 수 있다. ICT를 다루는 기업이 시가총액 상위 그룹에 대거 포함된 것이다. 석유 및 천연가

♦ 미국 IT 업계 선도기업인 페이스북(현재는 메타), 애플, 아마존, 넷플릭스, 구글의 머리글자를 따서 만든 용어다.

표 6-1. 글로벌 시가총액 상위기업 비교(2013년, 2023년)

2013년 글로벌 시가총액 상위기업	2023년 글로벌 시가총액 상위기업
엑슨모빌(석유 및 천연가스)	애플(ICT)
제너럴 일렉트릭(제조 및 전기발전)	알파벳(ICT)
마이크로소프트(ICT)	마이크로소프트(ICT)
씨티그룹(금융)	사우디 아람코(석유 및 천연가스)
뱅크오브아메리카(금융)	아마존(ICT)
가스프롬(석유 및 천연가스)	버크셔 해서웨이(금융)
셸(석유 및 천연가스)	엔비디아(ICT)
중국공상은행(금융)	메타(ICT)
토요타(자동차)	테슬라(자동차)

자료: CSAI

스, 금융, 자동차 중심 산업에서 ICT 산업으로 옮겨갔기 때문이다. 한
국과 중국도 2022년 기준 시가총액 상위기업은 거의 ICT, 반도체 기
업으로 채워져 있다.

그런데 시가총액 순위에 큰 변화가 있는 건 아니나, 최근 이들 기업
의 시가총액이 조금씩 떨어지는 모습이다. 미래 스토리가 바뀌어간다
는 징조다. 이러한 시대흐름과 성공 스토리의 변화를 소프트뱅크의 손
정의 회장 사례로 살펴보자.

손정의의 운명

손정의 회장은 컴퓨터 공학을 공부한 후 소프트웨어 회사 소프트뱅크를 창업했다. 그는 경영 능력이 뛰어났을 뿐만 아니라, 기업 인수합병에서도 최고의 전문가였기에, 일본 최대 통신사 NTT와 비교될 만큼 소프트뱅크의 덩치를 빠르게 키웠다. 이후 손정의 회장은 세계 최대 기술 투자 펀드인 '비전펀드'를 운영하며 100개가 넘는 전 세계 기술형 스타트업에 투자했다. 결과는 대성공이었다. 일본 재계도 그를 인정할 수밖에 없었다. 사람들은 손정의 회장을 '신'이라고 부를 정도였다. 무려 2,000배의 수익을 거둔 그의 성공 신화에 모든 사람이 찬사를 보냈다. 그의 이러한 뛰어난 성과는 바로 중국의 알리바바를 포함한 빅테크기업들에 대한 투자가 성공적이었기 때문이다. 다시 말해 2000년대 이후 펼쳐진 정보 산업의 고속 성장 흐름 속에 있는 대표 기업들을 투자했기에 가능했다.

그런데 최근 뉴스에 따르면, 손정의 회장이 과거에 보여준 것과 다른 이야기들이 심심찮게 들려온다. 표 6-2에서 정리한 내용처럼 뉴스에서는 그가 손대는 투자마다 큰 손해가 났다는 이야기가 늘었다. 왜 그럴까? 손정의 회장의 투자 판단으로 이뤄낸 스토리가 시장에서 더는 안 통하기 때문이다. 그에게 익숙한 전략, 베팅은 과거에 유용했던 일일 수 있다. 얼마 전 손정의 회장은 뼈아픈 실책을 고백하며 앞으로는 시대 정신이 깃든 아이템을 중심으로 투자하겠다고 밝히기도 했다. 결과가 어떻게 나올지 무척 궁금하다.

표 6-2. 손정의 회장의 비전펀드 투자 실적

투자 기업	사업 영역	투자액	투자 결과
우버	차량 공유	93억 달러	기업가치 480억 달러 →450.43억 달러
위워크	사무실 공유	최소 225억 달러	IPO 실패 기업가치 407억 달러→80억 달러
왜그	반려견 산책 앱	3억 달러	지분 50% 왜그에 다시 매각
원커넥트	금융업	6억 5,000만 달러	기업가치 75억 달러→34억 달러
네마스카리튬	광산업	7,300만 달러	파산 보호 신청

자료: 머니투데이

사람은 자신의 생각, 판단, 경험을 쉽게 버리지 못한다. 과거의 성공 경험을 다 뒤로 물리고 손정의 회장이 어떤 시대흐름을 찾아 어떻게 투자할지도 관전 포인트다. 손정의 회장이 과거에 일군 성공 스토리 또한 시대흐름과 무관치 않다. 그것이 설령 우연의 일치라도 말이다.

세상의 스토리가 변하면
생각도 방법도 새 스토리에 맞게 달라져야 한다!

미래를 선도할
여섯 번째 혁신기술은?

현재 우리는 다섯 번째 혁신의 시대를 살아가고 있다. 1991년부터 시작된 다섯 번째 혁신은 흐름의 정점(1991~2004년)을 지나 경제 저점을 통과하는 중이다. 3부에서 소개한 표 3-1 '혁신기술 변화에 따른 경제 주기'도 있지만, 50년 혁신기술의 흐름을 인포그래픽으로 다시 정리한다. 흥미롭고 유익한 내용이란 점을 강조하는 의미에서다.

그림 6-1에서 보는 것처럼 현재 2023년은 다섯 번째와 여섯 번째 주기가 만나는 교차점이다. 30년간 인터넷 연결, 뉴미디어가 이끌어온 흐름의 마지막 단계임과 동시에 전 산업에 걸쳐 진행될 디지털화와 친환경기술의 시작점이 바로 지금이다. 다섯 번째 주기는 길어봐야

그림 6-1. 혁신기술의 역사

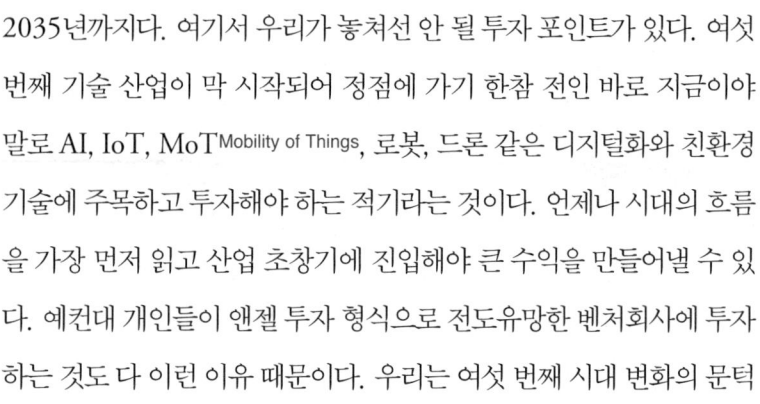

출처: 비주얼 캐피털리스트

2035년까지다. 여기서 우리가 놓쳐선 안 될 투자 포인트가 있다. 여섯 번째 기술 산업이 막 시작되어 정점에 가기 한참 전인 바로 지금이야 말로 AI, IoT, MoT^Mobility of Things, 로봇, 드론 같은 디지털화와 친환경 기술에 주목하고 투자해야 하는 적기라는 것이다. 언제나 시대의 흐름을 가장 먼저 읽고 산업 초창기에 진입해야 큰 수익을 만들어낼 수 있다. 예컨대 개인들이 앤젤 투자 형식으로 전도유망한 벤처회사에 투자하는 것도 다 이런 이유 때문이다. 우리는 여섯 번째 시대 변화의 문턱에 서 있다.

똑똑한 자본은 미래를 먹고 산다.

늘 말하지만, 사업을 하거나 투자하는 사람이라면 시대 변화와 흐름을 빨리 읽을 줄 알아야 한다. 어느 날 갑자기 물건이 안 팔려 매출이 떨어지는 게 아니다. 반드시 시대적 배경이 있고 결과 역시 그 배경에 따라 만들어진다. 만약 당신이 투자자라도 마찬가지다. 지금 당장 부자로 만들어줄 것 같은 투자 아이템도 유효 시간이 있게 마련이다. 큰 시대흐름을 파악해야 투자 대상의 유효 기간이 길지 짧을지 예측할 수 있고, 투자를 할지 말지 알 수 있다.

그림 6-1에서 추가로 주목해야 하는 점이 또 하나 있다. 변화를 이끈 기술혁신흐름의 유효 기간이 60년 → 55년 → 50년 → 40년 → 30년 → 25년으로 점점 짧아지고 있다는 것이다. 전문가들의 예상과 생각보다 기술혁신이 지금도 빠르게 진행 중이라는 것을 알 수 있다.

구글의 종말?

안유화 교수의 Pick

구글의 종말이 올까? 이 원고를 정리하면서 몇 년 전에 본 책이 떠올랐다. 영어 원서 제목은 『구글 이후의 삶Life After Google』인데, 한국에서는 『구글의 종말』로 번역되어 출판되었다. 원제보다 제목이 자극적이지만 나

◆ 조지 길더 저(이경식 역), 『구글의 종말』, 청림출판, 2019년.

름 의미 있는 제목이다. 저자 조지 길더는 과거에도 우리 삶에서 TV가 사라질 것으로 예측한 걸로 유명하다. 제목만으로 대략 알 수 있듯이, 책에서는 지난 20년 이상 성공 가도를 달려온 구글의 문제와 한계를 지적한다. 저자는 구글이 보안에 취약한 구조를 가진 게 가장 큰 단점이라고 성토하면서, 대안으로 블록체인을 제시하고 있다. 그리고 미래에는 보안에 뛰어난 블록체인 기술의 시대가 대세로 자리 잡을 거라고 전망한다.

저자는 블록체인 기술이 FAANG을 넘어설 거라고 예측하는데, 이 또한 흥미롭다. 사람들 머릿속에 '블록체인=비트코인' 등식이 각인된 것 같다. 하지만 비트코인은 블록체인 기술을 성공적으로 구현한 하나의 사례에 불과하다. 이에 대해서는 뒤에 상세히 설명할 예정이다.

필자가 책을 쓰고 있는 지금 2022년 말에 출시된 챗GPT로 난리다. 오픈AI에서 출시한 챗GPT는 전문가 영역에 불과했던 AI를 우리 일상생활로 적용하는 것에 큰 역할을 했다.

구글도 챗GPT의 대항마로 '바드'를 출시했는데, 그 성능이 오픈AI의 GPT-4를 뛰어넘는 것으로 평가되고 있다. 구글은 또다시 새로운 역사를 쓸 것인가?

그러나 필자는 이런 의혹을 늘 떨칠 수 없다. 구글 같은 단일 빅테크기업이 독점하는 정보의 시대가 과연 길게 갈 것인가? 탈중앙화의 시대적 수요의 본질은 무엇인가? 바로 정보와 데이터의 주권을 본인에게 돌려줘야 한다는 것이다. 이 시대적 질문에 구글이 답하지 않는다면 아무리 구글이라도 결국 종말이 올 것이라고 확신한다.

넥스트 애플은 누구?

글로벌 시가총액 상위기업 중 테슬라, 버크셔 해서웨이 등을 제외하고는 대부분 테크기업이 포진해 있음을 앞에서 확인했다. 이들은 공통적으로 온라인 플랫폼을 기반으로 한다. 또 이들은 어떤 물건을 만들어서 팔지도 않는다. 그런데도 기업가치가 수백조 원에 이른다. 어떻게 이런 일이 가능할까? 과거에는 새 상품이 시장에 출시될 때마다 많은 사람이 그 제품을 구매함으로써 경기가 돌아갔다. 오랜 세월 지켜진 수요와 공급 경제이론에 따라 누군가가 물건을 생산하면 누군가가 소비하는 구조가 이어졌다. 그런데 지금은 상황이 다르다. 시대흐름이 빠르게 바뀐 탓이다. 오늘날 덩치가 큰 빅테크기업들은 특정 물건을 생산하지 않는다. 전통 경제학 시각으로 보면 분석하기 어렵다. 그 대신에 한번 플랫폼을 구축하면 무한대로 공급가능하고 사용자만 늘면 되는 구조다. 전 세계에서 사용하는 사람들이 많아질수록 기업의 몸값이 올라간다. 예를 들어 구글은 한번 플랫폼 개발을 하면 구글 검색을 하는 사람이 많을수록 이익이 커지는 구조다. 빅테크기업들의 매출은 온라인 공간에서 이뤄지는 게임, 데이터 정보, 가상 현실, 유통, 마케팅, 광고 등이 수입원인 것이다.

여기서 잠시 미국의 대표 기업 중, 글로벌 시가총액 1위인 애플 이야기를 좀 해보겠다. 애플은 하나의 기업이지만 2023년에 시가총액이 3조 달러(약 3,952조 원)를 돌파했다.♦ 단순히 GDP로 비교하면 세계 8위 국가 규모에 해당한다. 한국, 이탈리아, 캐나다 등은 애플 시가총액보다도 GDP가 낮은 나라다. 한 기업의 가치가 한 국가의 가치만큼 커질 수 있는 것은 미국이라는 자본시장이 존재해서 가능한 일이다.

2009년 애플은 아이폰을 출시하면서 스마트폰 대중화를 이끌었다. 아이폰의 탄생은 누구나 이동하면서 손쉽게 인터넷을 할 수 있는 시대를 열었다. 모바일인터넷 시대의 큰 흐름을 타고 애플은 세계 1등 기업이 되었고, 특정 국가보다 더 많은 부를 쌓을 수 있게 되었다. 그러나 오늘날 또 한 번의 큰 변혁이 일어나고 있다. 스마트폰 사용자는 점점 포화되어 가고 있고 신규 사용자 증가는 기대하기 어렵게 되었다. 최

♦ 2022년 1월 3일에 장중에 3조 달러를 넘어선 적은 있지만, 종가 기준으로 넘긴 것은 2023년이 처음이다.

근 애플은 이런 한계를 깨닫고 혼합 현실MR* 헤드셋 '비전 프로'를 출시해 새로운 도약의 기회로 삼고 있다. 450만 원대로 높은 가격이지만 시장에서는 큰 기대를 하고 있다. 미래 IoT, MoT 시대를 미리 읽은 애플은 또다시 주도권을 잡기 위해 출사표를 던졌다.

앞에서 다가올 여섯 번째 혁신의 시대는 디지털화(AI, IoT, MoT, 로봇, 드론), 친환경이라고 말했다. 이런 시대에 우리가 주목해야 할 산업은 전기 자동차와 자율 주행 자동차다. 최근 여러 글로벌 자동차회사가 속속 내놓는 구독 서비스가 이런 시대흐름을 대변한다. 여기에서 구독 서비스는 자동차가 제공하는 옵션을 사용자가 필요에 따라 선택해서 이용하는 개념이다. 사용해보고 마음에 들면 계속 구독하고 마음에 안 들면 구독을 끊으면 된다. 자동차는 사람이나 물건을 옮기는 이동 수단에 불과했지만, 점점 다양한 기능이 생기며 진화하는 중이다. 자동차라는 하드웨어에 소프트웨어인 네트워크가 심어졌다. 구독은 정기적으로 돈을 낸다는 뜻을 포함하는데, 커넥티비티 기술의 발달로 무선으로 연결된 온라인 서비스를 받으려면 소비자가 구독료를 내야 하는 시스템이 일상화되고 있다. 과거의 자동차회사는 차를 한 번 팔고 버는 수익에 만족했다. 그러나 구독 서비스를 도입함으로써 찻값 이외에 기대할 수 있는 또 다른 수익의 길이 열린 것이다. 특히 전기 자동차 대량 생산이 가능해진 것이 구독 서비스가 현실화하는 데 큰 역할을 했다.

♦ 현실 환경과 가상 환경 사이에 존재하는, 즉 현실과 가상이 혼합된 환경이다.

덧붙이자면, 전기 자동차는 모든 시스템을 전자로 제어한다. 컴퓨터에 4개의 바퀴가 달린 스마트폰이라고 보면 된다. 시스템 안에 있는 소프트웨어와 펌웨어를 수시로 업데이트해줘야 한다. 비유하자면 내 핸드폰 버전을 수시로 업데이트하는 일과 같다. 소프트웨어 업데이트에 필수적인 기술이 OTA^Over The Air•다. 과거에는 자동차의 크기가 차량 가격을 결정했다. 그러나 앞으로는 하드웨어 대신 차량에 어떤 소프트웨어가 탑재되었는지에 따라 자동차 가격의 기준이 될 것이다.

아직 완성 단계가 아니지만, 지금 추세대로라면 생각보다 빨리 '전기 자동차+완전 자율 주행' 시대가 올 것으로 보인다. 현재 우리는 모바일 인터넷 시대의 끝자락에서 살고 있지만, 수년 내에 자동차가 곧 스마트폰인 모습이 눈앞에 펼쳐질 것이다. 또 세계적인 추세인 친환경 이슈 또한 신재생 에너지 전기 자동차 보급률을 높이는 데 일조할 것이 분명하다. 직접 운전하지 않아도 차가 알아서 목적지까지 나를 데려다주고, 나는 차에서 컴퓨터 게임을 하거나 영화를 보는 일상이 눈앞에 와 있다.•• 이런 현상도 놓쳐서는 안 될 시대적 흐름이다. 애플과 같은 기업, 또 다른 황금알을 낳는 기업이 어쩌면 이 산업에서 나올지도 모른다.

• 무선으로 전자기기의 소프트웨어 펌웨어를 업데이트하는 기술 표준이다.

•• IVI^In Vehicle Infotainment(차량용 인포테인먼트) 시스템이 그 초기 시도 중 하나다. IVI는 차량 내부에 설치된 장비가 차량 상태, 길 안내 등 운행 관련 정보에 더해 사용자 편의를 위한 엔터테인먼트 요소를 동시에 제공하는 서비스다. 가령 IVI 시스템을 갖춘 자동차 운전자는 내비게이션을 통한 길 안내와 차량이 움직일 동선 내 맛집 정보, 식당 예약까지 모든 서비스를 일사천리로 도움받을 수 있다.

글로벌 자동차 산업의 패러다임

2020년 이후부터 글로벌 어젠다가 된 '파리협정'*은 자동차 산업의 지형을 바꿀 메가 트렌드로 떠올랐다. 전 세계가 온실가스를 줄이기 위한 규제 강화를 현실화하는 추세이며, 유럽은 '탄소국경조정제도CBAM'**도 예고했다. 운송 분야가 전 세계 온실가스 배출의 25%를 차지하므로 이러한 흐름에 발맞춰 자동차 제조사는 환경 친화적인 자동차를 만들

---

* '파리기후변화협정'이라고도 부른다. 2020년까지 유효했던 '교토 의정서'를 대신해 2021년부터 적용된 세계 기후 협약이다. 기존 '교토 의정서'는 온실가스 배출 감소를 주요 선진국에만 적용했으나, '파리협정'은 전 세계 195개 나라에 온실가스를 줄이기 위한 구속력을 적용한다.

** 탄소세가 반영되지 않은 수입품에 EU 생산 제품과 동일한 수준의 탄소세를 부과하는 제도다.

어내야 한다. 즉 미래는 친환경 모빌리티가 핵심 이슈다. 그러므로 앞으로는 내연기관 자동차에서 신재생 에너지 전기 자동차로 변모함과 동시에 AI기술을 접목한 자율 수행, 각종 메타버스 관련 기술이 더해진 모빌리티 분야를 눈여겨봐야 할 것이다. 모빌리티의 목표는 전통적인 교통수단에 IT기술을 더함으로써 효율성과 편의성을 높이는 데 있다. 미래에는 이런 변화를 적극적으로 반영하는 자동차기업만 살아남게 될 것이다.

- 자동차 하드웨어 분야 → 탄소 배출 최소화, 에너지 절감
- 자동차 소프트웨어 분야 → AI, IoT, 디지털 결제, 메타버스 구현

글로벌 자동차 산업의 네 가지 패러다임은 ① 모빌리티, ② 자율 주행 및 스마트카˙, ③ 신재생 에너지, ④ 전기 자동차다. 하드웨어 측면에서는 신재생 에너지 전기 자동차가 중심이 되고, 소프트웨어 측면에서는 모빌리티와 자율 주행 자동차 및 스마트카가 중심이다. 스마트카는 자동차에 스마트 장비를 탑재해 컴퓨터 기능이 더해지는 것이다. 이 기술은 이미 도입되어 성장 중인데, 보편화가 멀지 않았다.

바로 눈앞에 다가온 2025년부터는 글로벌 자동차시장의 질서가 예상보다 빠르게 급변할 것으로 보인다. 그림 6-2처럼 자동차 산업 패러

˙ 커넥티드 카connected car라고도 한다. 네트워크 접속이 가능하고 무선 통신으로 차량 내부와 외부 네트워크가 상호 연결되는 물리적 시스템을 갖춘 자동차를 일컫는다.

그림 6-2. 글로벌 자동차 산업의 패러다임 변화

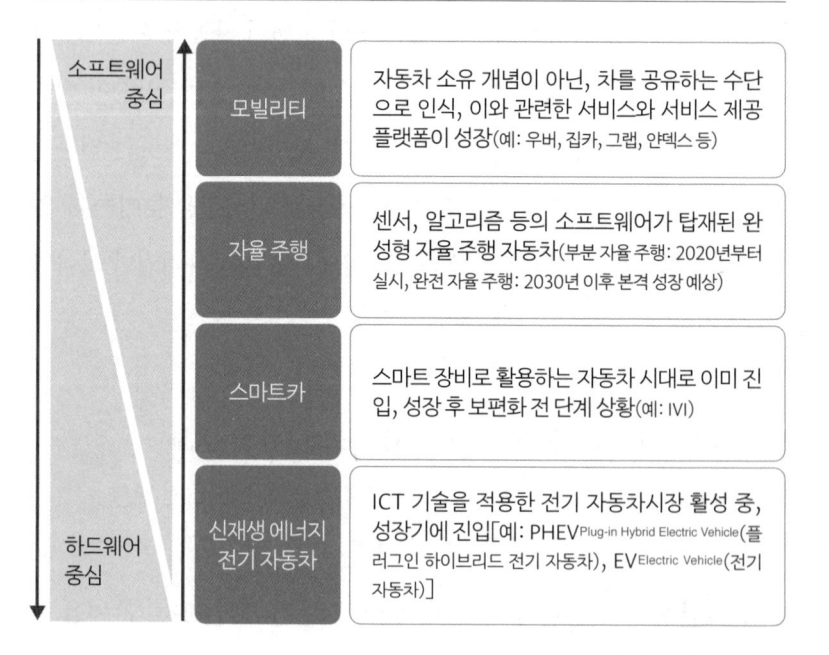

출처: 한국수출입은행

다임의 변화는 자동차기업에 기회와 위기를 동시에 제공하는 요인으로 작용할 것이다.

글로벌 완성차업체들은 투자의 75%를 전기 자동차, 자율 주행에 쏟아붓고 있다. 그림 6-3에서 볼 수 있듯이, 주요 국가의 내연기관 자동차 판매 중단 예상 시점은 멀지 않은 미래다. 내연기관 자동차 판매 중단에 따라 신재생 에너지 전기 자동차시장은 2030년까지 해마다 20%씩 성장할 것이다. 그리고 2030년 후반에는 전기 자동차 판매량이 기존 내연기관 자동차 판매량을 역전할 전망이다.

그림 6-3. 국가별 내연기관 자동차 판매 중단 예상 시점

그림 6-3. 국가별 내연기관 자동차 판매 중단 예상 시점

	중국		프랑스	
	독일		스페인	
네덜란드	이스라엘		싱가포르	
노르웨이	인도	영국	대만	일본
2025	2030	2035	2040	2050

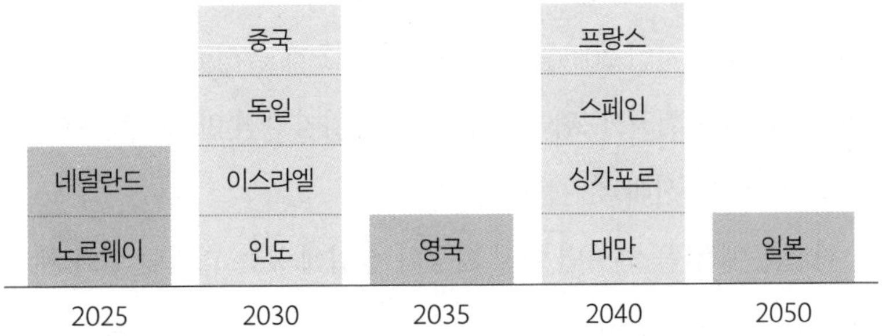

※ 중국은 하이난 등 일부 지역에 국한

출처: IEA International Energy Agency(국제에너지기구), 전국경제인연합회

자동차 제조 강국으로 떠오르는 중국

이런 변화 속에서 중국 자동차기업들은 빠르게 경쟁력을 확보해가는 중이다. 중국은 이미 일본을 제치고 세계 1위 자동차 수출국이 되었다. 중국 자동차제조협회 자료에 따르면, 중국인들의 신에너지 차량의 소비 비중이 해마다 크게 늘어 본격적인 스마트카 시대의 도래를 알려준다. 새로운 판도에서 전통 자동차 제조 강국인 미국, 한국, 일본, 영국, 독일 등이 어떻게 대처할지 궁금하다. 한국은 자타공인 자동차 제조 강국이다. 새로운 자동차 산업 패러다임에 편승해 앞으로도 계속 강자로 군림할 수 있을까? 중국의 경우 전통 내연기관 자동차시장에서 후발주자였다. 그러나 최근에는 전기 자동차와 스마트카 분야에서 두각을 나타내고 있다. 중국자동차공업협회는 2022년 중국 전기 자동차

판매 대수가 689만 대를 기록했다고 밝혔다. 신차 판매 중 전기 자동차 판매 비율이 25.6%를 기록하면서 중국정부의 2025년 전기 자동차 판매 비중 목표치인 20%를 3년이나 앞서 초과 달성했다. 이 같은 흐름이 한국에 기회일까, 위기일까? 이는 투자자라면 반드시 답해야 하는 정말 중요한 시대적 질문이다.

위 질문에 답을 하려면 최근 자동차 산업에 부는 디지털 변화 패러다임을 읽어낼 줄 알아야 한다. 현재 하이테크 기업, 휴대폰 제조업체, 심지어 가전제조업체까지 자동차를 만드는 상황*인데, 전통 자동차업체는 디지털기술기업으로의 변신을 가속화하고 있다. 스마트화, 지능화, 그리고 디지털화는 더 이상 슬로건이 아닌, 해당 영역의 혁신이 자동차기업의 생존을 결정짓는 핵심변수가 되었다. 오늘날 스마트 자동차, 스마트 단말기 산업은 강력한 산업발전 모멘텀을 만들어내는 영역으로 자리를 잡았다. 자동차 산업의 지능화 발전, 특히 신에너지 자동차의 발전이 가속화되면서 자동차와 디지털기술의 통합도 점차 더 긴밀해졌다. 한순간에 커다란 상업 기회를 가진 자동차 산업은 '달콤한 과자'가 되었고 각 분야 자본들이 한몫을 챙기려고 앞다투어 이 게임에 뛰어드는 상황이다. 이 과정에서 빅테크기업은 중요한 힘이 되었다. 사실 자동차 산업은 거대하고 복잡한 시장이다. 중국에서도 바이두, 알리바바, 텐센트, 화웨이 등 거물 기술기업들이 이 시장에 깊이 진

♦ 2021년 중국 상하이 자동차박람회는 자동차 업계에서 하나의 분수령이 되었다. 전자업체 샤오미, 부동산 대기업 에버그란데, 드론 세계 1위 업체 DJI 등이 모두 자동차를 제조하겠다고 선포했다. 이로 인해 자동차 산업은 세계 분야별 대기업들이 새롭게 진출하는 영역이 되었다.

입했다. 날로 발전하는 자동차 산업에 직면한 기술기업들은 다양한 플레이 방식을 가지고 있으며, 이는 자동차 산업에 대한 서로 다른 생각과 이해를 갖도록 만들기도 했다.

텐센트는 자동차 산업의 디지털 전환의 파트너로 자리매김하는 것으로 포지셔닝했다. 즉 소프트웨어, 서비스와 TAI Tencent Auto Intelligence(텐센트 자동차 지능형 시스템)**를 통해 자동차 산업을 지원한다는 전략이다. 휴대폰, 모바일인터넷 시대와 마찬가지로 차세대 모바일 스마트 단말기가 등장하는 순간 텐센트가 해야 할 일은 차와 이동 장면을 둘러싼 서비스 생태계를 조성함으로써 더 많은 사용자를 끌어들이는 것이다. 2018년 11월, 산업 메타버스를 본격적으로 껴안기 시작한 텐센트는 스마트 이동 전략을 공식 발표했다. 텐센트 내부 차량인터넷, 지도, 위치 서비스, 자동차 클라우드, 자율 주행 등의 업무 통합을 이뤄 사이버 보안, AI, 콘텐츠와 엔터테인먼트 서비스, 위챗 등을 사람 중심의 스마트 이동 생태계로 구축하겠다는 것이다.

** 2015년 텐센트는 텐센트 자동차 연합 부서를 공식 설립했는데, 당시 업무 논리는 'TAI'를 구축하고 자동차회사의 디지털 어시스턴트를 포지셔닝해 자동차회사와 함께 자동차 생태계를 만드는 것이었다. 2021년 텐센트는 스마트 콕핏 솔루션 'TAI 4.0'을 발표했는데, 4.0의 핵심은 지리 정보와 텐센트 생태 서비스의 통합을 실현하고 위치 및 지도 기능을 결합해 사용자에게 '능동적인 장면화 서비스'를 제공할 수 있다.

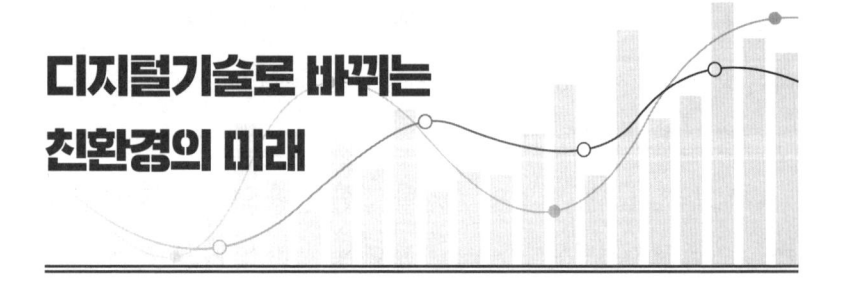

디지털기술로 바뀌는
친환경의 미래

지난 제26차 유엔기후변화협약 당사국총회 정상세션의 주제는 '행동과 연대'였다. 이는 2015년 체결된 파리협정의 이행 규칙을 구체화하는 데 실패한 국제 사회의 반성과 위기의식에서 나온 구호라고 할 수 있다. 하지만 미국과 영국의 기후위기 대응을 위한 참여 독려는 공허했고 다른 나라의 정상들의 약속도 눈길을 끌 만한 게 없었다. 뿐만 아니라 세계 탄소 배출 1위와 3위 국가인 중국과 인도가 탄소 중립 시점에 대해 의견을 강력하게 피력하면서, 인류의 기후위기 대응과 친환경의 미래는 멀고도 험한 여정임을 보여줬다. 한국도 2050년까지 탄소 중립을 실현하는 동시에 탈석탄의 목표를 이루겠다고 했지만, 현재까지도 전체 전력의 36%를 석탄에서 얻고 있는 상황에서 2050년은 너무 늦다는 국제 사회의 평가도 있다. 한마디로 기후 변화에 대응하는 국제 사회의 노력이 많이 부족하다.

사실 진정으로 탄소 중립을 실현하려면 정상들 간의 협약도 중요하지만, 그보다도 시민의식이 더 중요하며 그에 바탕을 둔 '친환경'적인 생활 습관을 확산하는 게 더 중요하다. 이와 관련된 중국 알리바바의 핀테크 자회사 '앤트그룹'이 중국인들에게 기후위기의식과 친환경적인 행동을 취하도록 고무시킨 '마이썬린螞蟻森林'이라는 프로그램을 소개하고자 한다.

마이썬린의 사례

앤트그룹은 2016년 모바일 게임 '마이썬린'이라는 공익 게임을 출시했다. 이 게임은 사용자가 자전거 구입, 대중교통 이용, 공공요금 전자 결제, 온라인 티켓 예매 등으로 절약하는 이산화탄소 배출량을 모두 가상의 '그린 에너지'로 쌓아준다. 사용자는 이 그린 에너지로 모바일상에서 묘목을 키우게 되며 나무가 자라면 NGO나 환경 보호 기업 등 앤트 생태 파트너 기업들이 이를 구매해 실제로 해당 나무 1그루를 사용자의 명의로 중국 서북부 사막 지역에 심는다. 사용자는 VR 기술로 자신이 심은 나무가 사막 한가운데 심어지는 현장을 볼 수 있다. 또한 휴가 기간에 현장에 가서 직접 확인할 수도 있다. 덕분에 현지 관광 산업도 활성화되었다. 해당 지역에서는 농부와 협력해 유기농 농산물을 개발하면서 2019년 8월 기준으로 약 40만 개의 일자리를 창출했다.

또한 마이썬린 게임의 가장 큰 매력 중의 하나는 소셜 시스템을 도입해서 친구와 서로의 그린 에너지 값을 볼 수 있게 해 경쟁하도록 한 것이다. 그뿐만 아니라 친구와 그린 에너지를 공유해 공동 명의로 나무를 심고 함께 키울 수도 있게 했다.

2020년 5월 기준 마이썬린 참여자는 5억 5,000만 명을 넘어섰고, 누적 참나무 2억 그루, 재배 면적은 싱가포르 2.5배 규모인 274만 묘를 넘어섰다. 누적 탄소 감축량은 1,200만t을 넘으며, 무게는 랴오닝 항공모함 200척과 맞먹는다. 나무를 심는 목적은 저탄소 라이프 스타일을 확립함으로써 궁극적으로 환경을 보호하는 것이다. 마이썬린은 디지털기술을 활용해 수억 명이 일상생활에서 친환경 라이프 스타일을 확립하도록 한 공로로 2019년에 UN지구환경대상과 UN글로벌 기후행동상을 수상했다.

앤트그룹은 최근 마이썬린 나무 심기 기부에 이어 앱 클라이언트에서 앤트팜Ant Farm 게임을 출시했다. 사용자는 자신의 닭을 분양받아 키우게 되며, 그 닭이 낳은 달걀 5개를 모으면 기부할 수 있다. 사실 그동안 마이썬린 사용자들은 야생동물의 다양성을 보존하는 데도 그린 에너지를 기부해왔다. 더 효과적인 생물다양성 보존을 위해서 마이썬린은 여러 환경 NGO와 파트너십을 맺어, 중국의 10개 성에 걸친 18개의 보호 구역에서 1,500여 종 이상의 야생동물에게 쉼터를 제공했다.

또한 100여 개 이상의 브랜드가 마이썬린과 협력해 저탄소 라이프 스타일을 실천한 사용자들에게 인센티브를 제공하고 있다. 스타벅스, 팀버랜드, 에스티로더 등 해외 브랜드를 포함한 많은 기업이 알리페이 앱 내에서 자체 가상 숲을 조성해, 브랜드의 팬들이 환경 보호에 참여하도록 독려하고 있다. 팬들은 가상 브랜드 숲에 자신의 그린 에너지를 기부할 수 있으며, 2021년 8월 기준으로 스타벅스, 팀버랜드, 에스티로더의 가상 숲에는 '그린 에너지'가 총 10억 번 이상 기부되었다.

환경 보호는 시민 참여를 이끌어내는 게 성공 포인트다. 마이썬린 사용자의 평균 연령이 28세라는 점에서 앞으로가 더 기대된다. 또한 이 운동을 중국뿐만 아니라 동남아시아와 중동 및 아프리카 지역에 나무 심기 운동으로 확산해 탄소 배출권을 확보하고, 이를 참여자 전원에게 수익으로 분배하는 모델도 가능하다. 특히 블록체인 기술을 접목해 국제 간의 거래가 가능한 탄소 배출권 기반의 NFT^{Non Fungible} Token(대체 불가능한 토큰)◆ 디지털 자산으로 변경한다면 충분히 국제 사업으로도 가능하다.

◆ 블록체인에 저장된 데이터 단위로, 고유하면서 상호 교환할 수 없는 토큰을 뜻한다.

신용 리스크를 해결한
블록체인기술

자, 이제 블랙체인 이야기다. 2022년 가상화폐시장에서는 두 가지 대형 사건이 있었다. 첫 번째 사건은 가상화폐 테라USD와 루나가 폭락해 투자금이 모두 휴지 조각이 된 일*이다. 두 번째 사건은 세계 3위 규모 코인 거래소 FTX의 파산**이다. 두 사건을 겪은 사람들은 혼란에

---

* 테라와 루나는 테라폼랩스가 발행한 암호화폐다. 루나는 테라의 가치를 담보하기 위해 만들어진 코인이다. 테라 가격이 1달러 아래로 내려가지 않도록 설계했는데, 이것이 무너지면서 대규모 뱅크 런 사태가 나타났다. 한때 루나는 코인시장 시가총액 5위, 1코인 가격 10만 원에 이를 정도로 투자자 사이에서 인기 있는 코인이었다. 그러나 한순간에 99.9999%까지 하락하며 개당 1원이라는 안 되는 가격까지 떨어졌다. 이 사건으로 많은 사람이 한순간에 망해 벼락거지가 되었고, 혹자는 루나 폭락 사태를 지켜보며 '폰지 사기'라고 규정했다.

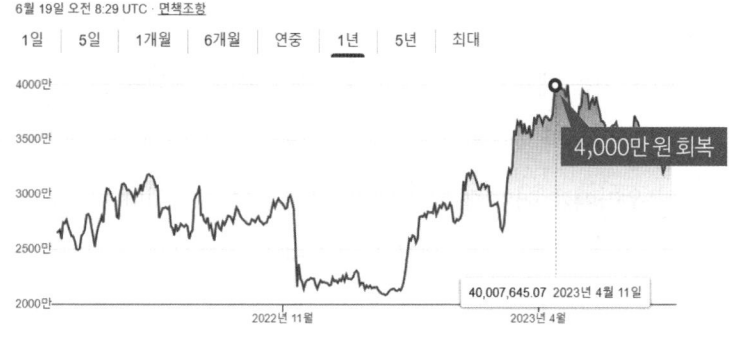

그림 6-4. 비트코인 가격 추이

33,879,564.89 KRW

+7,336,139.40 (27.64%) ↑ 지난해

6월 19일 오전 8:29 UTC · 면책조항

| 1일 | 5일 | 1개월 | 6개월 | 연중 | **1년** | 5년 | 최대 |

4000만

3500만

4,000만 원 회복

3000만

2500만

40,007,645.07 2023년 4월 11일

2000만

2022년 11월

2023년 4월

출처: 구글

빠졌고 2022년부터 2023년 초까지 가상화폐시장은 '크립토 윈터'[***]라고 불릴 정도로 초상집 같은 분위기였다. 이 사건들로 투자자들의 가상화폐에 대한 불신이 커졌다.

그런데 최근 실리콘밸리은행이 파산하면서 미국발 은행위기가 고조되자, 비트코인 가격이 다시 상승세를 보였다. 필자가 원고를 작성

[**] 투자자들은 테라와 루나 폭락을 경험하며 FTX가 자체 발행한 FTX 토큰에도 의구심을 가졌다. 그리고 FTX와 이 회사의 관계사 알라메다 리서치가 보유한 자산 중 많은 부분이 FTX라는 점도 석연치 않았다. 이런 의심을 가진 투자자들이 대규모 현금 인출을 시도하자, 내어줄 돈이 부족했던 FTX가 폭락하면서 최대 500억 달러, 한화로 약 66조 원의 피해 금액이 발생했다. FTX 창업자는 가상화폐 역사와 미 역사상 최대 규모의 금융 사기 혐의가 적용되었다. 사건 이후 창업자가 주먹구구식 경영을 해온 정황이 속속 드러났다.

[***] '가상화폐 시장의 겨울'이라는 의미로 단순히 하락세를 보이는 것이 아닌 거래량이 급감하고 저조해지는 현상을 말한다. 장기간 지속되는 가상화폐 약세장이다.

하는 2023년 4월 초에 1코인 가격이 4,000만 원을 회복했다. 3개월 전인 2023년 1월 초만 해도 비트코인은 2,100만 원 아래에서 거래되며 투자자들에게 절망을 안겨주기도 했다. 우리는 이를 어떻게 이해해야 할까?

어떤 일이든 개념과 본질부터 파악해야 한다. 본질을 모르면 헷갈리는 게 당연하다. 가상자산이 왜 나타났을까? 블록체인이 무엇이고, 이것이 우리에게 어떤 영향을 미칠까? 유튜브에는 이와 관련된 수많은 영상이 있다. 유튜브 검색창에 '블록체인' '가상화폐'를 검색하면 머

비트코인 오를까, 내릴까?

안유화 교수의 View

비트코인이 2,000만 원 선을 위협할 때 필자는 비트코인의 전망에 대한 질문을 많이 받았다. 비트코인에 대한 필자의 생각에는 변함이 없다. 경기흐름에서 자유로울 수 없지만 장기적으로는 우상향할 거라고 믿는다. 다만 필자도 비트코인의 가격이 폭락하면 어디까지 떨어질지, 폭등하면 어디까지 오를지는 모른다.

코인도 주식처럼 저점과 고점을 맞추는 건 불가능한 일이다. 투자자가 할 수 있는 건 방향성, 흐름을 파악하는 게 유일하다. 얼마나 오르고 내릴지가 아닌 앞으로 오를지 내릴지만 살피면 된다. 요즘처럼 가격이 상승세라면 좀 비싸 보여도 흐름을 타다 보면 수익이 날 테고, 하락세라면 속 편하게 관심을 끊으면 그만이다.

칠 동안 시청해도 다 못 볼 자료가 컴퓨터 화면을 가득 채울 만큼 많다. 모두 그럴듯해 보이는 영상과 자막을 곁들여가며 자신이 해당 분야 선구자인 양 말한다. 필사 역시 내용을 참고하기 위해 많은 영상을 오랫동안 살펴봤지만, 본질에서 벗어난 자료가 대부분이었다. 블록체인과 가상화폐의 본질이 무엇일까?

블록체인의 개념과 신용 문제

흔히 블록체인과 비트코인을 동일시한다. 하지만 비트코인은 블록체인 개념을 성공적으로 응용한 한 가지 사례에 불과하다. 이 말은 블록

그림 6-5. 전통적인 거래 vs. 블록체인 거래

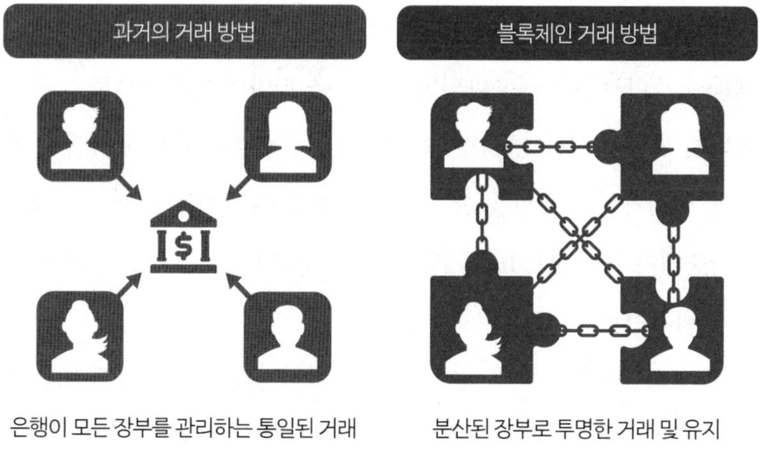

과거의 거래 방법	블록체인 거래 방법
은행이 모든 장부를 관리하는 통일된 거래	분산된 장부로 투명한 거래 및 유지

체인은 많은 영역과 산업에서 응용될 수 있다는 뜻이기도 하다. 실제로 비트코인뿐 아니라 다른 코인 대부분이 블록체인 개념으로 만들어졌다. 그러므로 블록체인 개념을 알아야 한다.

블록체인에서 중요한 개념은 P2P 네트워크다. 그림 6-5에서 볼 수 있듯이 은행이 모든 장부를 관리하는 전통적인 거래 방식과는 달리, 블록체인은 분산된 장부로 투명하게 거래하고 이를 바탕으로 시스템이 유지된다. 거래한 당사자들뿐 아니라 시장 참여자(노드) 모두가 거래 장부를 보고, 모두가 이상이 없다고 동의해야 거래가 완성된다. 그렇게 마무리된 거래는 장부에 기록되어 모든 참여자가 공유한다. 그리고 또 다른 거래가 발생할 때마다 이 과정을 반복한다. 이를 '분산원장'이라고 한다. 이렇듯 모든 참여자가 거래를 확인하니까 투명성이 확보됨과 동시에 모두가 인정함으로써 신용이 만들어진 것이다.

신용의 중요성을 말하기 이전에 먼저 큰 시대적 흐름을 짚어볼 필요가 있다. 1995년부터 개인 컴퓨터가 보급되기 시작했고, 2000년 IT 버블이 터진 이후 인터넷이 급격히 확산되었다. 2010년 이후에는 애플의 스마트폰이 상용화되면서 새로운 디바이스 기반으로 모바일 인터넷 세상이 열렸다. 이런 새로운 시대적 흐름을 타고 전 세계의 인류를 '연결'해주는 역할을 한 기업들이 있었는데, 바로 현재 미국에서 시가총액이 가장 높은 ICT기업들(대표적으로 구글, 애플, 넷플릭스, 아마존, 엔비디아 등이 있다)이다.

그러니까 내가 한국에 있어도 아프리카인과 친구를 맺고 대화를 나눌 수 있게 되었다. 페이스북이 대표적인 SNS이고, 현재 전 세계적으로 30억 명 이상이 서로 친구를 맺고 커뮤니케이션을 하고 있다. 페이스북이나 인스타그램 같은 서비스가 나오기 이전에는 불가능한 일이었다. 이 기업들 덕분에 우리가 일반적으로 하는 말인 "그 사람을 알려면 주변 친구들을 보라"가 이제는 "그 사람을 알려면 SNS 친구들을 보라"로 바뀌었다. 한마디로 지금까지 인터넷기술이 진화하면서 전 세계 누구와도 연결이 가능해진 것이다. 따라서 이런 시대적 문제를 해결해준 기업들이 전 세계 시가총액 1등부터 10등이 되었다.

그렇다면 사람 간의 연결이 곧 신용 문제를 해결해줄까? 앞에서 언급한 대로 우리가 아프리카인과 친구가 되었고 메신저도 자주 주고받는다고 하자. 그런데 어느 날 그 아프리카 친구가 1억 원을 빌려달라는 요청을 했다. 당신은 빌려줄 수 있나? 대부분은 빌려주지 않을 것이다. 비록 친구로 연결이 되었지만 그 아프리카 친구에 대한 신용은 없기 때문이다.

최근 10여 년간 우리가 주목한 가치는 사람 간의 '연결'이었다.
그러나 연결은 되었어도 신용 문제는 해결하지 못했다.

필자는 미래 시가총액 1등 기업은 바로 사람 간의 신용 문제를 해결해주는 기업이 될 것으로 확신한다. 우리가 많이 이용하는 카카오페이를 예로 들어보겠다. 우리는 카카오페이로 송금을 쉽게 할 수 있다. 그 이유는 카카오페이가 양쪽의 신용 정보를 모두 가지고 있기 때문에 중개인 역할을 함으로써 양자의 결제를 해결할 수 있는 것이다. 알리바바는 14억 명이 넘는 중국 인구를 전자상거래 플랫폼과 알리페이 결제로 묶었고, 글로벌 시가총액 10위 안에 이름을 올린 텐센트는 웨이챗결제를 선보였다.

사실 메타는 광고 말고는 비즈니스 모델이 없다고 할 정도다. 많은 서비스를 만들고 있지만 개인 정보를 제공받아 고객 맞춤형 광고 서비스를 제공해서 수수료를 받는 비즈니스 사업이었다. 그러나 애플에서 개인 정보 제공 정책을 보수적*으로 바꾸면서 메타 주가는 우려스러울 정도로 하락했다. 메타 비즈니스 모델 혁신이 시급했다. 그래서 생각해낸 미래 사업이 바로 메타의 가상화폐 '리브라'의 발행이다. 현실 세계의 30억 명의 메타 사용자를 메타버스 시민으로 묶어두려면 결제가 가상 중요한 수단이었다. 페이스북이 메타로 사명을 바꾼 배경이기도 하다. 메타 CEO인 마크 저크버그가 미래에는 메타버스 금융을 해야 큰돈을 벌 수 있다고 판단한 것이다.

그러나 리브라는 출시하자마자 금융 당국과 정부의 저항을 받았다. 미국정부에서 기축통화인 달러에 대한 도전으로 우려를 표한 것이다. 30억 명의 인구가 메타 리브라를 사용한다면, 기축통화는 리브라가 되는 것이다. 어느 정부든 1개 기업이 이러한 막강한 영향력을 가지는

◆ 애플이 자사 기기에 부여한 고유 식별자인 IDFA^{ID For Advertisers}로, 이를 통해 애플 제품 사용자의 앱 사용 빈도와 방문하는 웹사이트 등 광고에 필요한 개인 정보를 앱 개발자가 추적해서 활용할 수 있도록 했었다. 그러나 애플이 iOS 14.5부터 IDFA를 옵트인 방식으로 변경했다. 즉 그동안은 사용자들이 개인 정보 수집에 동의한 것으로 간주해 IDFA 활성화가 기본이었지만, 이후부터는 사용자가 건별로 개인 정보 의사 표시를 해야만 광고주들이 정보를 추적할 수 있게 되었다. 애플의 새 정책으로 수익의 대부분을 고객 맞춤형 광고로 벌어들이는 메타는 큰 타격이 예상되었다.

데 호락호락하지 않다. 메타는 현재 메타버스 생태계를 먼저 잡기 위해 비전을 설정했다. 업계에서 가장 먼저 VR 안경인 '오큘러스 2'로 시장을 선도했고 VR 플랫폼인 '호라이즌'도 출시했다.

미래 메타버스 세계에서는 경제 주요 플레이어들 간의 신용 문제를 해결해야 한다. 아니면 아바타로 돌아가는 가상 세계는 누가 누구인지를 모르기 때문에 믿음과 신뢰가 없어서 거래가 불가능하게 된다. 아바타 결제, 메타버스 금융 시스템이 구축되려면 인간과 인간의 연결을 넘어선 진짜 신용으로 연결되어야만 한다.

현재 각 중앙은행이 운영하는 신용 시스템은 한계가 드러나는 중이다. 이건 또 무슨 말일까? 이미 메타버스, 가상 세계는 현실이 되었다. 영화 〈아바타〉의 장르가 바뀌어야 할 판이다. SF가 아닌 현실로 다가왔으니까! 사람들이 자연스럽게 컴퓨터에 접속한다. 그리고 비용과 시간을 들여 정성스럽게 키운 나의 또 다른 자아 아바타에 들어가 현실에서 미처 해보지 못한 경험을 만끽한다. 그 안에서 사귄 다른 친구와 안부를 묻고, 게임을 하며, 선물을 주고받는다. 가상의 공간에서 물건을 사고팔고 선물을 산다는 건 그 안에서 경제 활동이 벌어진다는 이야기다. 그런데 여기서 문제가 하나 발생한다. 가상 세계에서 사귄 친구가 외국인인데, 그 친구에게 선물을 해주고 싶을 때 제약이 생긴다. 신용카드 등으로 선물값을 결제하는 현 시스템은 메타버스나 가상 세계에서 중앙은행과 정부의 디지털 계좌 부재로 운영상 많은 제도적 한계가 있기 때문이다.

삼성페이, 카카오페이 등은 엄밀히 말하면 금융혁신이 아니다. 은행 계좌가 없는 사람은 사용할 수 없기 때문이다. 계좌가 있다 한들 어디까지나 개인용이다. 미래에 진짜 디지털 세상이 오려면 사회·경제 주체, 즉 정부와 기업 모두가 디지털 계좌를 갖고 있어야 하지만 현실은 아니다. 개인들만 디지털 계좌를 갖고 있기 때문에, 사실상 메타버스를 대표로 하는 디지털 세상에서는 정부와 기업들은 디지털 신분이 없으므로 참여할 수 없다. 정부 혁신은 여기에서부터 시작해야 한다.

또한 국경 없는 메타버스 세계에서 나의 신용이 전 세계에 똑같이 적용되지 않기 때문에 여러 가지 문제나 이슈가 생길 수 있다. 이는 각 국가의 수준, 신용에 따라 다르게 나타난다. 골치 아픈 문제가 한둘이 아니다. 가상 세계에서 머무는 일이 현실로 다가왔으나, 이를 뒷받침하는 인프라, 특히 금융 제도가 현실을 따라가지 못하고 있다. 이런 문제를 해결하는 대안으로 블록체인 기술과 디지털화폐가 대두되었다. 2008년 처음 세상에 나온 비트코인이 바로 이런 국제 간 신용 문제를 최초로 해결한 현실적 시도라고 볼 수 있다.

비트코인은 모든 사람이 연결된 컴퓨터 네트워크에서 모든 사람의 거래를 기록, 저장해 누구나 확인 가능한 시스템으로 신용 문제를 해결했다. 만약 미국 워싱턴의 A와 남아프리카공화국 케이프타운 B 사이의 거래를 한국의 C, 영국의 D, 중국의 E 모두가 알 수 있다. 그리고 모두가 그 거래가 맞다고 동의해야 거래가 성사된다. 이 공간에서는 현실 세계의 신용이 문제가 되지 않고 제약도 없다.

그렇다! 블록체인은 현실 세계의 신용을 온라인 세계에서 구현하고 현실 세계에서 발생했던 신용 문제를 해결했다는 데 의의가 있다. 이제 세상은 0과 1로 표기되어 수학적 암호 기술로 모든 신용 문제를 해결할 수 있게 된 것이다. 아프리카 친구가 누군지 모르지만 그건 더 이상 중요하시 않다. 그 사람과 당신은 수학적 암호기술로 신용 문제를 해결할 수 있기 때문에 앞으로 모든 거래가 가능해진다. 앞으로 모든 것이 NFT와 같은 디지털 증명서로 기록되며, 누구도 변경할 수 없는 블록체인 분산원장으로 기록될 것이다.

예를 한번 들어보자! 우리는 부동산 거래를 할 때 보통 부동산 중개인을 찾아간다. 계약하고자 하는 부동산의 등기부 등본을 발급받은 뒤 구체적으로 내용의 진실 여부를 확인하고 거래한다. 하지만 앞으로 블록체인 기술을 적용하면 이런 서류가 필요 없게 된다. 앞서 말했듯이 블록체인 기술은 수학을 기반으로 신용 문제를 해결하는 기술이다. 부동산 계약을 할 때 블록체인 기술을 적용해서 부동산을 NFT로 발행할 수 있으므로, 누가 소유했었고 누구에게 팔았는지, 얼마에 거래했는지 등 부동산 거래에 필요한 정보들을 암호화해 블록체인 분산원장에 기록할 수 있다. 그러므로 해당 부동산이 다음 거래인에게 양도될 때 또다시 새로운 거래 블록이 생성되면서 체인으로 연결되기에, 가짜 부동산 등기부 등본 같은 문서는 존재하기 어려운 시대가 된 것이다. 앞으로 국토교통부가 관리하는 기존의 부동산 등기부 등본은 모두 디지털 자산 증명서로 대체되어야 한다. 그러기 위해서는 부동산 하나하나가 디지털 증명서로 인증되어야 한다. A의 것이라고 인증하는 기술이 바로 NFT 디지털 자산 증명서가 된다.

누가 시가총액 1~10위 기업이 될 것인가? 미래에는 신용 문제를 더욱 효율적으로 해결할 수 있는 고도화된 첨단 수학 기술이 더 많이 나올 것이고, 이런 플랫폼을 제공하는 기업들이 전 세계 시가총액 상위 10위에 올라갈 것이다. 우리는 이런 기업들에 주목해야 한다.

이더리움의 한계와 블록체인의 본질

이더리움과 같은 공개형 블록체인의 장점이자 단점은 거래 당사자들의 신용을 보증해주는 기관이 없다 보니, 전체 참여자(노드)가 동의해야만 거래가 성사되기에 모든 참여자들이 거래를 알게 된다는 점이다. 부동산 거래를 예로 들자면, 매수자와 매도자만 알면 되는 부동산 거래를 굳이 부동산을 NFT로 발급함으로써 모든 블록체인 참여자(노드)들을 증인으로 내세우는 꼴이 되는 것이다. 중앙의 신용 보증 역할이 없기에 어쩔 수 없으나, 결국 신원 인증 기반의 블록체인이 필요함을 간접적으로 알 수 있는 대목이다.

그러므로 앞으로 사업성 있는 블록체인은 이런 문제를 해결할 수 있는 신원 인증 기반의 효율성 있는 블록체인이 될 것이다. 지금의 허가형 신원 인증 블록체인의 출시는 이런 시도들이라고 보면 된다. 아무나 못 들어오게 하려면 블록체인 네트워크에 들어오려는 참여자들에게 디지털 신원 인증을 거치게 할 것이다. 이는 마치 은행에서 주민등록증을 제출해야 계좌 개설을 해주는 것과 같은 이치다. 다시 말해 블록체인에서도 신원 인증을 기반으로 디지털 계좌를 개설해줘야 한다는 뜻이다. 앞에서 주민등록증은 바로 현실 세계에서의 신원 인증 역할을 하는 것이라고 이해하면 된다.

　한마디로 앞으로 블록체인에서도 신원 인증을 거친 사람들만 접근할 수 있도록 해야 하며, 이것이 전제되어야 진정한 '개인 간 거래(P2P 거래)'가 될 수 있다. 따라서 이더리움과 비트코인은 사실 P2P 거래가 아니다. 반대로 중앙 기관이 없기 때문에 막대한 정보 비용을 지불하면서 결제하는 격이라고 보면 된다. 그리고 논리적으로 따져보면 '개인 간 거래'를 굳이 전 세계 모든 사람이 볼 수 있도록 권한을 줄 필요가 없는 것이다. 이 점이 바로 비트코인과 이더리움 같은 공개형 블록체인의 한계다.

　물론 블록체인 개념 자체가 애초에 이렇지 않냐고 반문하는 분들도 있을 것이다. 블록체인의 개념을 공개형으로 알고 있는 분들이 많기 때문이다. 사실 블록체인의 본질은 데이터이고 데이터 저장소다. 데이터를 분산원장으로 기록하고 저장한다는 개념이 본질이므로, 그 데이터 소유권자들에게 데이터 주권을 줘서 수익을 공유(웹 3.0 본질)하는 시스템으로 사용해야 할 것이다. 데이터가 쌓여 많은 히스토리를 축적하고, 많은 비즈니스 모델들이 가능해지는 그런 생태계 확장 속에서 참여자 모두가 수익을 가져갈 수 있는 시스템이 되어야 할 것이다.

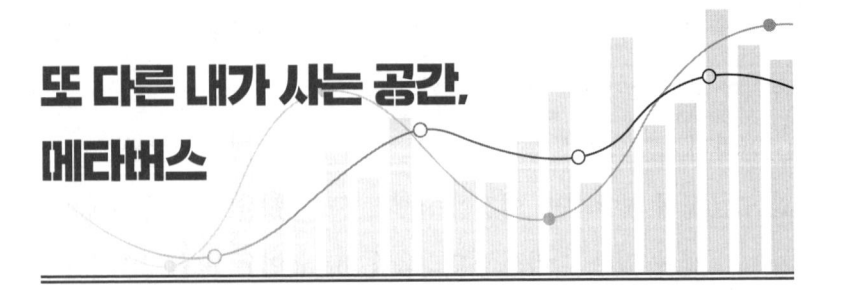

또 다른 내가 사는 공간, 메타버스

앞서 1980년대 중반부터 1990년대 후반까지가 PC 시대라고 말했다. 이 시대에 '사람과 사람의 연결'을 해준 기업이 주목받았고, 당시 가장 돈을 많이 번 기업은 최대한 사람을 많이 연결한 인텔, 마이크로소프트, 시스코 등이었다. 2000년 초부터는 모바일인터넷 시대가 열렸다. 당시에는 모든 산업이 인터넷이라는 옷을 입기 시작했다. 물건을 만들어 장사를 하든, 홍보를 하든, 소비자가 물건을 사든 모든 일이 인터넷 공간에서 이뤄졌다. 모바일인터넷 다음이 메타버스 시대다.

이제 메타버스 개념을 간략히 짚고 넘어가자. 네이버 시사상식 사전에 실린 뜻을 보면 다음과 같다.

메타버스란 '가상' '초월' 등을 뜻하는 영어 단어 메타meta와
우주를 뜻하는 유니버스universe의 합성어다.
현실 세계와 같은 사회·경제·문화 활동이 이뤄지는
3차원의 가상 세계를 말한다.

사전적 의미를 읽어봐도 머리에 잘 들어오지 않는다. 사례를 하나 만들어 더 간략하고 쉽게 말하면 이런 이야기쯤 될 것 같다. 필자는 메타버스의 본질을 '집단지혜' 혹은 '군집지혜'라고 강조하려고 한다. 이게 무슨 말이냐 하면, 가령 현대자동차를 만드는 엔지니어는 최소 수십 명이 넘을 것이며, 분야별 엔지니어가 모두 모여 자동차를 구상, 설계, 제작, 시현할 것이다. 새로운 자동차 제작은 적잖은 비용과 시간, 그리고 수많은 전문가의 협업 결과가 모여서 이뤄진다. 이런 작업이 메타버스 공간에서 진행된다고 상상해보자.

각 분야 전문가가 한곳에

예를 들어 K자동차회사가 자율 주행 자동차 엔진을 만들 기술자가 없다고 미래흐름인 자율 주행 자동차시장을 포기할 수는 없다. 이 문제를 어떻게 해결할까? 메타버스에 정답이 있다. 전 세계 자율자동차 기술자가 하나의 메타버스 플랫폼에 모여 함께 자율자동차를 설계하는 것이다. 전문 엔지니어가 독일에 살더라도 K자동차회사를 위해 일할

수 있다. 굳이 한국에 오지 않아도 된다. 독일에서도 K자동차 직원이 되어 일할 수 있는 시대, 그것이 메타버스 시대다. 실제로 이를 실현 중인 기업이 있는데, 바로 엔비디아다. 엔비디아가 '옴니버스'라는 메타버스 플랫폼을 만들어 사업을 운영 중인데, 이 소식이 전해진 이후 엔비디아의 주가가 하늘 높이 치솟았다. 현재 BMW는 엔비디아의 옴니버스 플랫폼을 활용해 디지털 트윈*으로 현실 공장과 똑같은 제작 공장을 만들었다. 신차 설계는 우선 옴니버스 플랫폼에서 끝낸 후 현실에서는 생산만 진행하는 절차다. 대부분의 설계가 메타버스 플랫폼에서 동시 작업으로 끝낼 수 있기에 엔지니어가 어느 나라에 있든 모두 옴니버스 설계 플랫폼에서 동시 참여가 가능하다. 각 분야의 세계 최고 엔지니어가 한곳에 모이지 않아도 최고의 제품을 만들 수 있는 시대가 우리 앞에 있다.

지금까지 차를 설계하기 위해서는 오프라인 공간에 모두 모여 아이디어를 내고, 또 서로 다른 의견을 모아가며 일을 진행했다. 이런 오프라인 설계 현장을 가상 세계 안으로, 메타버스로 들고 오면 이런 모습일 것이다. 메타버스 세계에서는 서울에 사는 엔지니어와 지방에 거주하는 엔지니어가 만나 아이디어를 공유한다. 그리고 독일의 엔지니어를 초대해 조언을 듣기도 한다. 엔지니어들이 메타버스에서 의견을 나누며 자동차를 설계하는 모습이 군집지혜다. 중요한 건 메타버스 안에서는 국가, 민족, 성별, 나이 제한이 없다. 오로지 실력과 능력이 전

◆ 가상 세계에 현실 세계의 기계나 장비, 사물 등을 구현한 것을 말한다.

부다. 그리고 모국어 외의 언어 능력도 무시할 수 없다. 눈여겨봐야 할 메타버스의 핵심은 한 가지 프로젝트를 전 세계 최고 전문가가 모여 공동으로 프로젝트를 완성해가는 데 있다. 이 점이 바로 우리가 놓쳐서는 안 될 핵심이다. 많은 전문가가 메타버스 안에서 협업하는 비즈니스 모델, 이런 플랫폼을 만들어 실현하면 제2의 구글, 애플이 된다.

사람과 사물, 현실과 가상 그리고 세상 모든 만물이 연결되는 상상하기 힘들었던 일들이 현실이 된 시대다. 한마디로 스마트 융합 시대다. 가령 대학 간의 경쟁도 국내를 넘어 세계의 대학과 경쟁하는 시대다. 서울대학교는 하버드대학교와 경쟁한다. 우물에서 벗어나 글로벌 무대에서 경쟁력을 갖춰야 진정한 승자가 될 수 있다. 이제는 산업도 집단지혜를 응용해야 한다. 집단지혜가 아이디어를 내고 새 물건을 만드는 플랫폼 구축이 이뤄져야 한다. 모든 산업에 메타버스 플랫폼을 심는 작업이 전 세계 산업흐름 중 하나다.

메타버스 영역의 확장도 점점 빨라지고 있다. 게임은 말할 것도 없고 쇼핑과 음악 활동도 메타버스 공간에서 소화한다. 메타버스로 쉽게 진입할 수 있는 직업군도 생각해볼 수 있다. 물건을 설계하는 직업군(엔지니어), 그림을 그리는 직업군(디자이너), 게임이나 영상·음악과 밀접한 연관이 있는 콘텐츠 제작군, 그리고 광고·마케팅 관련 직업군의 메타버스 진입장벽이 상대적으로 낮다. 물론 가상 세계 영역이 점차 확대되어갈수록 이 공간에서 일할 사람에 대한 수요 또한 커질 것이다. 로봇 시대가 도래하고 인간이 로봇에 의해 체력 노동뿐만 아니라 화이트칼라 노동까지 대체되면서, 미래에는 메타버스에서 수익을 만들지 않으면 살아갈 수 없게 될 것이다. 남보다 메타버스 생태계에 익숙해지고 자신의 역할을 찾는 사람만이 대체되지 않고 리더가 될 것이다. 영화 〈레디 플레이어 원〉* 세상이 점점 현실이 되고 있다.

당신은 상위 2.5% 혁신가에 포함되는가?

안유화 교수의 View

'얼리어답터'라는 말을 처음 사용해 유명해진 에버렛 로저스가 1962년에 제시한 '혁신확산이론'을 참고할 만하다. 과거에 볼 수 없었던 새 상품이나 기술이 나타났을 때, 새로운 것을 수용하는 데 걸리는 시간이 사람마다 다르다는 이야기다. 혁신을 수용하는 성향이 강할수록 빨리 받아들이고, 그런 성향이 약할수록 늦게 수용하거나 심지어 변하지 않는 사람도 존재한다. 새로운 것을 빨리 수용하는 성향의 정도에 따라 다섯 가지로 나눈다. ① 혁신 수용자, ② 선각 수용자, ③ 전기 다수 수용자, ④ 후기 다수 수용자, ⑤ 지각 수용자 등이다.

시장에 새롭게 나온 제품은 누군가 처음 사용하기 시작해 조금씩 성장

♦ 2018년 스티븐 스필버그 감독의 SF 영화다. 영화 배경은 2045년으로, 암울한 현실에서 벗어난 가상의 세계 '오아시스' 이야기를 다룬다. 오아시스에서는 누구나 원하는 캐릭터가 되어 자신의 상상대로 무엇이든 할 수 있다. 영화 속 인물 웨이드 와츠의 유일한 낙은 많은 사람이 하루를 보내는 오아시스에 접속하는 일이다. 이 영화의 원작은 2011년에 출간한 어니스트 클라인의 장편 SF 모험 소설이라고 한다.

하다 절정을 맞고 곧 하락세에 접어든다. 제품을 가장 빠르게 사용하는 혁신 수용자가 2.5%, 그 뒤를 이어 얼리어답터라 불리는 선각 수용자 비율이 13.5%다. 흔히 오피니언 리더가 이 비율에 포함된다. 이어서 68%에 이르는 대다수가 절정을 이끌고, 새 제품이 나오든 말든 신경 쓰지 않거나, 받아들이지 않는 지각 수용자도 16%를 차지한다. 마케팅에서는 혁신 수용자와 선각 수용자를 합한 16%를 넘겨 대다수가 받아들여야 비로소 확산 속도에 탄력이 붙는다고 평가한다.

비단 물건의 확산 주기뿐 아니라 우리 삶에 새로운 변화가 발생했을 때 에버렛 로저스의 이 이론을 참고할 수 있다. 특히 투자에 관심이 많다면 상위 2.5% 혁신 수용자까지는 아니더라도 13.5% 안에 드는 선각 수용자가 되어야 흐름을 읽는 눈이 길러진다.

필자도 지금까지 살아오면서 적어도 얼리어답터의 삶을 살고자 노력했음을 밝힌다. 늘 새로운 것을 공부하고 적응한 후 많은 학생과 대중에게 필자의 경험을 공유하는 과정이 내 인생의 흐름을 주도해왔다.

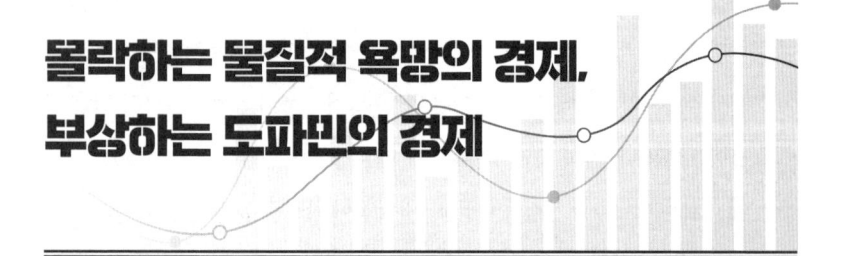

몰락하는 물질적 욕망의 경제, 부상하는 도파민의 경제

미래의 소비자는 MZ세대가 중심이라고 말했다. MZ세대는 기성세대처럼 많은 소비를 위해 삶을 바치진 않을 수도 있다. MZ세대 이전의 기성세대 역시 나이가 들어가면서 소비 욕망이 과거보다 덜하다. 여기서 MZ세대 이전 사람들의 소비를 '물질적 욕망의 경제'라 부르고, 현 MZ세대의 소비를 '도파민의 경제'라고 부르고자 한다.

과거 물질적 욕망의 경제(기성세대) → 현재 도파민의 경제(MZ세대)

기성세대의 소비

이런 의문이 생길 것 같다. MZ세대는 물질적 욕망이 없다는 말일까? 먼저 옛이야기를 하나 해보겠다. 과거 산업화 시대에는 일단 물건을 많이 만들어서 판매하는 일에 집중했다. 되도록 많이 팔아 많은 이윤을 남기고 소비자는 가성비를 중요하게 생각했다. 가령 1억 장의 티셔츠를 만들어 팔고, 30% 이상 이윤을 남겨 이익을 만드는 기업, 그리고 소비자는 되도록 저렴한 가격에 질 좋은 물건을 사는 구조에 익숙했다. 사람들은 물건을 소유하려는 욕망에 따라 노동으로 번 돈을 물질적 소비에 집중했다. 소유함으로써 만족을 느끼는 시대가 우리가 경험해온 산업화 경제다. 기업이 물건을 많이 만들어내도 그 물건을 모두 소비하는 욕망의 시대였다. 소유 욕망은 집 1채로 만족할 수 없다. 여유가 있는 사람은 살 집이 있어도 소유 욕망에 따라 집을 2채, 3채 사들였다. 이런 모습을 '물질적 욕망의 경제'라고 명명한다.

전에 필자의 지인이 이런 말을 한 적이 있다. 한국인들은 평생 집을 사는 데 삶을 바친다. 화장실 1개에서 2개 있는 집으로 옮기고, 돈을 벌어서 2개 있는 집에서 또 3개 있는 집으로 이사 간다. 그 사이 인생은 어느덧 황혼에 접어든다고 했다. 집 사는 데 평생을 바치지 말고 그 돈을 좀 더 세상을 알아가고 시대를 이끌어가는 공부에 쓰면 훨씬 더 큰 인생이 만들어지고 또 다른 한국이 만들어질 것이라면서 아쉽다고 했다. 그의 이야기는 계속 내 뇌리에서 떠나지 않는다. 그는 평생을 집 1채도 보유하지 않았고, 우리가 사는 이 지구도 인간이 잠깐 빌려서 사는 공간이라고 했다. 그러므로 우리가 집을 보유하냐 안 하냐가 무슨 의미가 있느냐고 했다. 투자론을 공부한 필자로서 투자의 측면에서 보면 맞지 않는 말이지만 여기서는 소유의 개념을 독자들과 공유하는 차원에서 잠깐 에피소드를 소개해봤다. 다시 본 주제로 돌아와서 MZ세대에게도 이런 소유욕이 있는지 함께 보자!

MZ세대의 소비

오늘날 소비 주체로 떠오른 MZ세대의 소비는 과거 세대가 보여준 물질적 욕망의 경제와 다르다. 기성세대가 익숙하게 생각하는 소유에 집착하지 않는다. 소유하는 대신 공유하는 게 익숙하고 자연스럽다. 도파민의 경제를 일종의 '공유하는 경제'라고 볼 수도 있다. 이제 MZ세대가 하루 24시간을 어떻게 보내는지 함께 살펴보자. 만약 여러분이 MZ세대를 자녀로 뒀다면, 그들이 온종일 무슨 일을 하며 하루를 보내는지 유심히 관찰하면 답이 보인다.

MZ세대는 아침에 눈을 뜨자마자 혹시 누군가 지난밤 자신의 SNS에 댓글이나 '좋아요'를 남겼는지 확인부터 한다. 그렇게 핸드폰을 들고 화장실로 들어가 누군가와 안부를 나눌 것이다. MZ세대는 하루 중의 대부분 시간을 온라인 공간에서 보낸다. 공부, 검색, 쇼핑, 친구 만들기 등의 일 모두가 온라인에서 이뤄진다. 그러다 현실 세계에서 친한 친구나 연인을 만나더라도 대화에 집중하는 시간보다 인터넷을 활용한 온라인 사용 시간이 더 많다. 가상의 세상에서 친구와 교류하고 쇼핑하는 일이 MZ세대의 일상이다. 그들은 가상의 공간, SNS에서 희열과 즐거움을 느낀다. 그 속에서의 자기 캐릭터가 현실의 자아보다 더 중요하고 의미가 크다.

한 가지 사례를 들어보겠다. 얼리어답터로 살아가려 노력하는 필자는 제페토* 게임 속 아바타에 공을 들인다. 필자의 아바타가 가상 세계에서 다른 아바타보다 더 예쁘고 멋진 모습이 되기를 바라기 때문이다. 그래서 필자의 아바타에게 명품 가방을 사서 들게 하고 예쁜 옷을 입힌다. 제페토가 무료로 주는 기본 가방과 옷이 있지만, 촌스럽고 예쁘지 않아 기꺼이 돈을 지불하고 나의 아바타를 꾸민다. 필자는 제페토에서 종종 필자의 학생과 대화하는데, 가상의 공간일지라도 학생들에게 세련된 필자의 아바타를 보여주고 싶은 욕망을 참을 수 없었다. 학생들은 세련된 옷을 입었는데 필자의 아바타만 무료로 제공되는 예쁘지 않은 옷을 입고 뛰어다닐 수 없는 것이다. 그렇게 필자는 메타버스에서 기꺼이 돈을 지불하고 예쁜 옷을 산다.

여기에서 질문을 해보겠다. 가상 세계의 명품 가방과 현실의 실제 명품 가방이 각각 1개씩 있다고 가정해보자. 하나는 가상 세계에서 아바타가 드는 가방이고 다른 하나는 현실 세계에서 들고 다니는 실제 가방이다. 가격도 500만 원으로 똑같다고 가정하자. 여러분은 가상의 명품 가방을 과연 구매할 것인가?

---

* 네이버제트가 운영하는 증강 현실 아바타 서비스다. 대표적인 국내 메타버스 플랫폼이다.

기성세대에게 이 질문을 하면 '정신 나간 소리'라는 말만 듣기 십상일 것이다. 현실도 아닌 고작 가상 세계 속 가방을 사는 데 500만 원을 써야 한다고? 그들은 이런 소비를 절대 이해하지 못한다. 만약 여러분중에 이런 생각을 하는 사람이 있다면 이미 시대흐름에 뒤떨어진 사람이다. 여러분에게 익숙했던 그 시절, 그 시대가 끝났다는 걸 힘들더라도 인정해야 한다.

도파민의 경제

MZ세대는 생각이 다르다. 그들은 하루 중 대부분의 시간을 가상 세계에서 보내기 때문에 자신의 아바타가 멋있게 입고 좋은 가방을 드는게 중요하지, 현실 세계 속 자신의 모습은 그렇게 중요하지 않다. 어쩌면 잠옷을 입고 메타버스에서 친구들과 재밌게 놀고 있을 테니까! 실물의 명품 가방을 사면 고작 1년에 몇 번 사용하겠지만 가상 세계에서는 명품 가방을 매일 들고 다닐수 있다. 그들은 오히려 1년에 한두 번밖에 안 들고 다니는 실물의 명품 가방을 왜 그렇게 많이 소유하려고하는지 이해할 수 없다고 말할 것이다.

이미 제페토 안에서 친구를 만나 안부를 묻고, 선물도 주고받는 MZ세대는 현실 세계의 나만큼 가상 세계 속 아바타도 중요하다. 그안에서 내가 더 멋지고 예쁘게 보이고 싶어 하기 때문에 가상 세계의 명품 가방을 사는 데 망설임이 없다. 현실에서는 명품 가방을 들고 다녀도 나를 봐줄 사람이 없다는 것 또한 MZ세대가 마주한 현실이다. 그래서 지갑을 연다. 이런 경제를 '도파민의 경제'라고 부른다. 실제 소유하고 있지 않지만 실제 소유한 것과 같은 행복감(또는 만족감)을 느끼는 것이다. 경제학에서는 행복감을 '효용'이라고 말한다.

그렇다면 도파민의 경제가 실물경제에 어떤 영향을 미칠까? 가상 세계 속 자신에 더 신경 쓰는 MZ세대가 주요 소비자가 된 현실에서 실물 명품 가방을 만들어 팔아도 이제 과거만큼 돈을 벌 수 없다. 명품 브랜드도 이제는 가상의 상품에 더 신경을 써야 하는 시대다.

코로나19 팬데믹으로 바뀐 시대흐름

3년 동안 진행된 코로나19 팬데믹으로 우리 삶에 많은 변화가 뒤따랐다. 처음에는 코로나19 팬데믹이 우리의 관계를 끊고 삶을 망치는 것처럼 보였다. 그런데 코로나19 팬데믹이 아니었다면 더 오랜 시간이 걸렸을 법한 일들에 큰 변화가 생겼다. 비대면 온라인 강의·공부·회의의 일상화가 대표적이다. 서로 멀리 떨어진 두 사람이 만나려면 시간과 비용을 들여 이동하고 호텔을 잡고 세 끼를 먹어야 하는 일들이 동반된다. 그러나 굳이 멀리 이동하지 않아도 많은 일을 온라인으로 해결할 수 있다. 우리가 맺는 모든 관계와 비즈니스가 너무나도 소중했기에, 충분히 온라인으로 해결할 수 있는 일도 과거에는 얼굴 마주하고 앉아 처리해야만 직성이 풀렸다. 그런데 서로 만나야 하는 상황

자체가 사라지고 나니 온라인이 활성화되었고, 이를 경험한 사람들은 효율성을 체감해서 굳이 만나지 않고 일을 처리한다. 어떤 기업은 재택 근무가 오히려 생산력을 높이는 요인으로 작용했다. 이런 시대가 언젠가 올 거라고 생각은 했지만, 이렇게 빨리 이런 시대를 살게 될 줄은 아무도 몰랐다. 그 시간을 단축해준 것이 코로나19 팬데믹이다. 의도했든 아니든 우리는 온라인에 많은 시간을 할애하고 그 안에서 즐거움을 찾는 도파민의 경제 시대를 살아가는 중이다.

사람을 직접 만나는 데 드는 시간과 그 밖의 제반 비용(항공료, 방값, 밥값 등)은 소비와 연결되었다. 그런데 직접 만날 일이 줄었고, 자연스럽게 제반 비용이 뒤따르던 일들도 줄어 소비에 부정적인 영향이 나타났다. 다른 말로 하면 실물경제가 위축되었다는 것이다. 필자의 강의를 들으러 일부러 중국에서 서울까지 올 필요가 없으니 그런 분들이 비행기를 탈 필요도 없고 호텔도 필요 없다. 이 말은 도파민의 경제가 점점 더 확산된다는 뜻이다. 도파민 경제의 확산은 당연히 이 분야 산업이 더 활성화되는 촉매로 작용할 것이다.

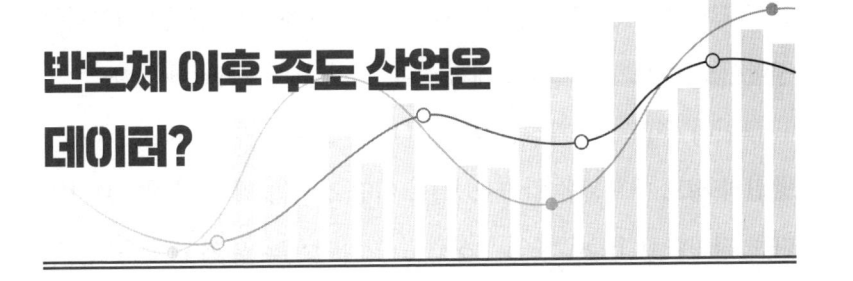

반도체 이후 주도 산업은 데이터?

컴퓨터 안에서 기록, 저장되는 모든 데이터의 기본 로직은 숫자 '0'과 '1'이다. 숫자 2개로 복잡한 모든 걸 표시할 수 있다. 이는 인간이 만들어낸 가장 효율적인 결과물일 것이다. 효율적이긴 하지만 데이터에 접속이 가능한 누군가가 있다면, 그래서 나의 모든 정보를 엿볼 수 있다면 상상만으로도 불쾌한 생각이 들 것이다. 그래서 인간의 자유와 권리 보장을 중요한 원칙으로 삼는 민주주의 국가에서는 CBDC^{Central Bank Digital Currency}(중앙은행 디지털화폐) 도입을 반대하는 것 같다. 나의 행동이 고스란히 드러나는 걸 좋아할 사람은 없다. 그러나 중국에서는 서방 세계와 비교하면 통제, 제어하는 일들이 상대적으로 흔하고 사람들도 그런 통제에 조금은 더 익숙하다. 이런 배경이 뒷받침되었기에 중국이 CBDC 도입을 빠르게 추진할 수 있었던 게 아닐까 싶다.

그런데 우리가 간과하는 건 CBDC를 도입하지 않더라도 국가가 당신의 정보 대부분을 알고 있으며, 어떤 정보는 꽤 오랫동안 보관한다는 점이다. CBDC 도입과 상관없이 이미 나의 일거수일투족을 누군가 알고 싶으면 얼마든지 알 수 있는 시대다. 시간이 오래 걸리지도 않는다. 오늘 집에 나서기 전 무엇을 계획했고 어디에서 누구를 만났는지, 하루 동안 어떤 교통 수단을 이용해 얼마나 움직였고, 점심 또는 저녁으로 누구와 무슨 음식을 먹었으며 얼마를 지불했는지를 누군가 마음만 먹으면 알 수 있다. 당신은 당신도 모르는 사이에 0과 1이라는 숫자로 된 데이터를 만들어 저장하며 살아왔다. 의도했든 의도하지 않았든 말이다. 기술의 발전은 우리를 편하게 하지만, 그 대가는 무섭다.

재미난 이야기가 있다. 일본에서 있었던 일이라는데, 자살을 방지하기 위해 특단의 조치를 생각한 끝에 "당신이 그동안 만든 데이터를 다 지우셨나요?"라는 문장을 만들어 자살이 많은 지역에 걸어뒀다고 한다. 그랬더니 놀랍게도 자살이 눈에 띄게 줄었다는 것이다. 살면서 우리는 나도 모르는 사이에 많은 데이터의 표적이 되고 있다. 구글 프로그램, 핸드폰, 카드 이용, 그리고 곳곳에 설치된 보안 목적용 CCTV가 나보다 나를 더 잘 아는 시대다. 그러니까 CBDC를 도입한다고 더 달라질 게 있을까?

CBDC에 대비하는 기업

모든 기업이 앞으로 CBDC로 설계할 수밖에 없는 세상이 올 것이다. 모든 기업이 그 방향으로 가게 되어 있다. CBDC는 중앙은행이 발행하는 법정통화이지만, 그 본질은 데이터이며 스마트 시스템 체계다. 모든 기업의 운영 과정이 스마트화, 디지털화, 자동화, 모바일화로 가는 단계에 와 있다. 중국이 천명한 '중국식 현대화' 전략도 이런 맥락을 염두에 두고 결정한 정책이다. 기업뿐 아니라 개인도 마찬가지다. 이미 페이팔은 이런 움직임을 미리 파악하고 가장 먼저 중국에 들어갔다.* 외국계 온라인 결제 플랫폼 중 최초로 중국에 들어간 기업이다. 페이팔은 14억 명의 중국인이 어디에서 어떤 물건을 사고 어디에 돈을 사용하는지 파악할 수 있다. 스마트한 디지털 플랫폼 공간에서 이런 데이터를 활용함으로써 더 많은 이익을 낼 수 있다고 생각했기에 중국으로 간 것이다.

테슬라는 왜 중국에 들어갈까? 그 이유는 빅데이터에 있다. 빅데이터를 염두에 두고 들어가는 것이다. 중국에는 서방 세계에서는 경험하기 어려운 방대하고 다양한 데이터가 있다. 신호위반 데이터도 그중 하나다. 자율 주행 자동차 사업을 본격 추진 중인 테슬라는 보행자의 안전을 고려한 신호위반 데이터가 많이 필요할 것이다. 그런데 선진국에는 신호위반 데이터가 드물어서 자율 주행 자동차를 운영하며 발생

---

* 페이팔은 고페이를 인수하면서 중국시장에 진출했다.

할 수 있는 신호위반 상황을 데이터화할 수 없다. 무단횡단하는 사람의 데이터가 많아야 컴퓨터가 딥러닝을 할 수 있기 때문이다. 그래서 실제로 그런 설계가 빠져 있는 것이다. 파란불이 켜져 있으면 무조건 직진하는 로직만 충실히 지킬 뿐이다. 이런 학습이 안 된 자동차를 중국에 수출한다면, 수많은 사상자가 나올 게 뻔하다. 선진국에서는 보기 힘든 다양한 데이터를 찾아 테슬라가 중국에 가는 것이다. 다소 부정적인 사례를 소개했지만, 사실 중국에는 정말 많은, 그리고 생각하기도 어려운 다양한 데이터가 있다. 그러니까 중국에 들어가 시뮬레이션을 거친 기계가 더 똑똑해지는 것이다. 로직이 그렇다.

그렇다면 구글은 물건을 만들어 팔지도 않으면서 어떻게 글로벌 시가총액 최고의 기업으로 성장했을까? 구글은 당신의 기호, 취향을 딥러닝해서 오랜 시간 구글 공간 안에 붙잡아둔 채로 광고 시청을 유도한다. 그리고 오히려 당신의 계획에도 없던 상품 구매까지 이끌어낸다. 물론 구글 플랫폼 안에서 홍보하는 수많은 상품은 구글과 상관없는 일반 판매자들이다. 즉 구글은 플랫폼 구축, 데이터 수집으로 큰 돈을 버는 것이다.

다가올 주도 산업, 데이터

그동안 반도체가 꽤 오랫동안 먹거리를 만들어줬다면, 앞으로는 데이터를 선점하는 기업 또는 사람에게 큰 부의 기회가 열릴 것이다. 반도체 다음 주자는 데이터다. 벌써 데이터를 확보하기 위한 치열한 전쟁이 시작되었다.

중국은 기술 혁명과 사회 신화 패러다임의 변화로 인해 개개인이 브랜드화되는 시대, 개개인을 위해 제품을 생산하는 시대, 개개인이 각자 자기 개성에 맞는 상품을 소비하는 시대가 되고 있다. 미래의 기업은 대량 생산으로 이익을 얻는 게 아니라, 특정 고객을 위한 맞춤형 상품 하나로도 이익을 남길 수 있어야 한다. 그러기 위해서는 특정 개개인의 데이터가 있어야 하고 데이터 수집, 처리, 설계, 공급이 하나의 시스템 속에서 자동화되어야 한다. 이것이 미래 사회의 핵심 공급 생태계다. 이런 식으로 기업을 운영하지 않으면 살아남을 수 없게 된다.

기업의 운명은 시대의 운명을 이기지 못한다.

코로나19 팬데믹 이후
기업 경쟁력을 결정하는 네 가지

잠시 과거를 돌아보도록 하자. 우리를 찾아온 여러 경제위기가 있었다. 경제위기는 기업의 변화를 재촉함과 동시에 성장 모멘텀을 제공하기도 했다. 예컨대 2003년 중국에서 발발한 사스는 중국경제를 위기로 몰았다. 그러나 알리바바, 징둥닷컴 등 이커머스 거인기업을 탄생시킨 촉매 역할을 한 것도 사실이다. 중국의 대표적인 B2C 플랫폼 징둥닷컴은 2003년 사스 발발 당시 CD, 캠코더를 팔던 전자기기 매장이 베이징에 12개나 있었지만 무려 11곳이 문을 닫는 위기에 처했다. 그러나 징둥은 인터넷에서 기회를 찾았고 '360BUY'라는 온라인 판매 웹사이트를 만드는 전략으로 변화했다. 그리고 마침내 중국을 넘어 세계적인 전자상거래 업체로 성장했다. 알리바바의 경우 소속 직원의 사스 확진으로 여론이 악화되어 폐쇄위기에 몰렸지만, 마윈은 직원들을 재택 근무로 돌린 후 격리 기간 동안 비밀리에 기업혁신팀을 꾸려 새 프로젝트 개발에 나섰다. 그 결과 중국 최대 온라인 쇼핑몰 '타오바오' 가 탄생할 수 있었다.

위기의 순간, 무너지지 않고 더 높이 비상할 수 있었던 기업들의 공통점은 변화를 미리 파악한 후 다음 스텝을 준비했다는 것이다. 변화를 외면한 채 제자리에서 폭풍이 지나가기만을 바란다면 알리바바와 징둥은 파산의 길을 걷고 말았을 것이다. 위기의 순간은 고객의 행태가 바뀌고 기술이 급변하며 정부 정책도 변화에 발을 맞추는 등 산업의 지형이 통째로 바뀌는 시기다. 시대적 흐름과 변화에 적응을 잘 하는 기업이 가장 강한 기업이 되어 미래를 이끌어가는 것이다.

**가장 강한 자이거나 가장 똑똑한 종이 살아남는 게 아니라
변화에 잘 적응한 종이 살아남는 것이다.
– 찰스 다윈**

변화와 혁신을 이뤄야 미래를 선도한다

우선 기업은 상품 중심의 운영에서 벗어나 고객 중심 운영으로 바꿔야 한다. 코로나19 팬데믹 이후 시장 경쟁이 더욱 치열해졌다. 이런 시장

환경에서 변화 없이 기존처럼 상품 중심의 경영을 해나간다면 새로운 시장변화에 적응할 수도, 성장할 수도 없다. 물론 제품의 성능과 품질이라는 요소도 간과할 수 없다. 그러나 여기에 매달리는 것만으로는 부족하다. 기업은 되도록 빨리 고객 맞춤형 운영을 경영 이념으로 삼고 주요 비즈니스 모델과 운영 철학을 모두 다시 검토해야 한다. 특히 고객운영을 네트워크화하고 실시간 빅데이터화하는 작업이야말로 기업이 해결해야 할 중요한 숙제다. 수요를 끌어내는 네트워크화와 빅데이터화를 갖춘 후 상품의 설계, 생산, 마케팅, 그리고 서비스를 제공하는 기업으로 변해야 한다. 또한 기업 조직도 빠르게 조정해야 한다. 고객을 위한 스마트 운영 전문조직을 신속하게 구성하고 고객 맞춤형 중심의 새로운 마케팅 시스템을 구축해야 한다. 새로운 충성고객을 효과적으로 만들어내야 하고 사용자 가치 극대화를 위한 새로운 마케팅 모델을 도입해야 한다.

또한 고객 지향적인 혁신제품 개발에 나서는 것도 중요하다. 코로나19 팬데믹 이후 소비재 시장은 더욱 아이덴티티화되는 중이다. 수요시장은 다양한 틈새시장으로 나뉠 것이고 날이 갈수록 점점 더 계층화되고 있다. 기업은 상품 혁신의 초점을 틈새시장에서 찾아야 하며 고객의 취향을 사로잡는 마케팅을 구축하기 위한 경영철학도 크게 바꿔야 하는 상황이다.

오프라인, 온라인 및 커뮤니티와 같은 다양한 새로운 채널을 통합하는 것을 옴니채널이라고 한다. 기업은 되도록 빨리 다각화된 시장구조에 적응해 완벽한 옴니채널 시스템을 구축할 시기다. 옴니채널로의 변환 과정에서 핵심은 통합 문제다. 이를 해결해야 한다. 오프라인 기반이든, 온라인 기반이든, SNS 기반이든 시장의 변화를 기반으로 합리적인 채널을 구축해야 한다. 기본채널과 신형채널 간 경쟁을 벌이거나 각개 전쟁을 치르거나 마찰을 빚어서는 안 된다. 옴니채널은 기업의 전체 비즈니스 모델과 관련이 있으며 이는 기업 경영자가 이해하고 통합하겠다는 의지를 가질 때 가능하다. 모든 채널이 하나의 시스템에서 고객 중심으로 움직여야 하는 것이 핵심이다. 기업 내에 전자상거래 부서를 새로 만들었다고 옴니채널을 구축했다고 말할 수는 없다.

마지막으로 디지털 혁신이다. 옴니채널과 디지털화는 같은 것이 아니다. 전자상거래와 SNS 생방송은 디지털 혁신이 아니다. 웹프로그램 마케팅 개발도 디지털화와는 거리가 있다. 하나의 물건에 하나의 코드를 부여하거나 직원의 디바이스로 업무를 처리하는 일도 디지털화가 아니다. 디지털화란 기업의 전체 운영이 온라인에서 이뤄지는 것을 의미한다. 특히 고객, 상품, 거래, 마케팅, 팀 운영 모든 일이 온라인으로 진행되어야 디지털화라고 할 만하다. 디지털화는 코로나19 팬데믹 이후 기업이 반드시 완성해야 할 과제가 되었다. 이는 고객 운영, 옴니채널 구축 모두가 디지털 기반으로 이뤄짐을 의미하며 빅데이터 기반 수요 개발과 공급이 가능해야 한다는 뜻이기도 하다. 중국은 이미 디지털 사회로 진입했고 5G 개발을 추진하고 있다. 그리고 또 한 차례의 본격적인 디지털화가 곳곳으로 확산될 전망이다. 디지털 혁신을 서두르지 않는다면 중견기업이든 대기업이든 위기가 왔을 때 적절히 대응하는 데 실패할 수도 있다.

위기는 기업이 혁신의 길로 전환하는 촉매 역할을 해준다. 최근 코로나19 팬데믹 사태에서 우리는 기업의 흥망성쇠를 똑똑히 목격했다. 지난 1930년대의 경제위기는 대형 슈퍼마켓을 탄생시켰다. 그리고 2008년 금융위기는 다양한 소매 영역에서 변화를 이끌어내어 전통산업의 형태를 크게 바꿨다. 오프라인, 온라인, SNS 등 다양한 채널을 통한 다원화된 시장을 만들어낸 것이다. 최근 몇 년간은 디지털기술이 빠르게 발전함으로써 전통적인 기업 운영에 변화를 촉진시켰다. 효율성을 높이고 비즈니스 모델의 전반적인 혁신을 가속화시켰다.

기업은 네 가지 변혁을 이뤄야 한다

다가올 미래에는 기업의 경쟁력이 빅데이터, AI, 사물인터넷을 하나로 연결하느냐의 여부에 달려 있다. 기업이 경쟁력을 갖추고 싶다면 반드시 디지털화digital, 모바일화mobility, 자동화automation, 스마트화AI를 실현해야 한다.

기업이 스마트하게 고객을 관리하고 고객의 니즈에 맞춘 상품을 만들려면 고객의 데이터를 확보해야 한다. 따라서 4차 산업기술 시대의 기업 경쟁력은 기업의 디지털화가 출발선이다. 디지털 수단을 활용해 비효율적인 인력 작업을 대체함으로써 고객 체험과 운영 효율을 높이는 한편, 상품의 디지털화 실현으로 인건비를 낮출 수 있다. 기업은 고객이 무엇을 생각하고 무엇을 원하는지, 즉 고객 행위에 대한 데이터를 확보해야 하는데, 이를 위해서는 업무와 서비스 전 분야에 모바일화를 실현해야 한다. 그리고 기업이 수익을 내려면 상품 아이디어부터 연구개발, 제도, 물류, 마케팅 등 밸류체인 전 과정이 자동화되어야 한다. 기업의 자동화는 밸류체인의 자동화 과정을 구축해 불필요한 인력을 줄여 비용을 절감하고, 효율성을 높이고, 고객의 불편을 줄이며, 더 나은 고객 편의를 위해 정밀한 서비스를 제공하는 일이다. 이상 세 가지가 실현되면 기업은 스마트화 제조 시스템 구축이 가능해지는데, 스마트화는 기업이 데이터 가치를 충분히 발굴해 고객, 상품, 운영, 리스크, 재무, 투자, 인력 등 다차원에서 전략적 인사이트를 제공하도록 정보 시스템을 구축·운영하는 일이다.

이러한 과정이 순조롭게 실행되어 연결되려면 반드시 결제 시스템이 밸류체인에 포함되어야 한다. 결제를 통해야만 고객의 행위를 모니터링할 수 있고, 수요를 읽어내며, 고객 맞춤형 상품을 만들어 공급할 수 있다. 다시 말하지만, 미래 기업은 제품생산의 전반적인 밸류체인에 결제가 들어와야 한다. 상품의 설계는 고객의 결제부터 시작되어야 한다.

기업의 디지털 전환의 시작은 비용으로 인식되었던 IT 시스템에서 수익 창출이 가능한 DT 시스템을 구축하는 것이다. 이는 핀테크로 상징되는 신금융이 신소매·신제조·신기술 및 신재생 에너지 자동차 등 생태계와 결합될 때 가능하다. 알리바바의 알리페이, 텐센트의 위챗페이가 큰 성공을 이룬 것은 지금까지의 ICT 시대에서 인터넷과 핀테크라는 신금융 및 새로운 플랫폼 기반의 제품공급 과정을 구동했기에 가능했다. 이러한 신흥 생태계의 구축은 알리바바와 텐센트를 세계적인 ICT기업으로 성장시켰다.

미래는 여기에 추가해 IoT 기술과 VR·AR·XR 기반의 실시간 시스템 구동이 가능해야 하며, 모든 과정과 데이터 처리가 AI 기반이어야 한다. 이러한 것들을 실현시킨 기업이 중국의 또 다른 알리바바와 텐센트가 될 것이다.

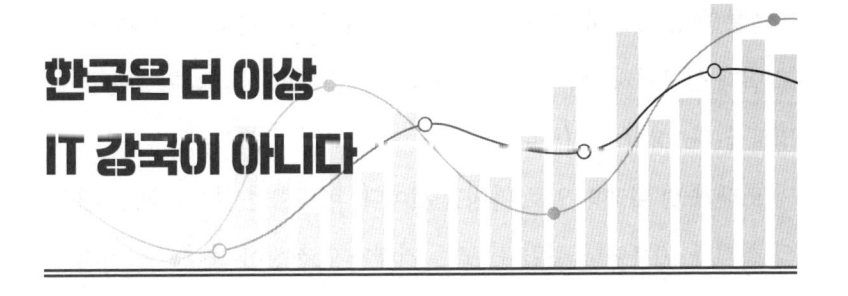

한국은 더 이상 IT 강국이 아니다

메타버스 산업 생태계에는 인프라 기술, 디바이스 플랫폼, 콘텐츠 인 터페이스가 유기적으로 연결된다. 가장 토대가 되는 것은 5G, 6G와 같은 인프라 기술이다. 메타버스 경제 생태계는 이제 막 시작한 단 계라고 생각하겠지만, 사실 기술적으로 이미 많이 구현된 상태다. 챗 GPT는 이런 단계 진입을 더욱 가속화시켰다. 그런데 문제는 통신 속 도다. 한국은 IT 인프라 구축이 세계 최고 수준인지라 줌으로 화상회 의를 하거나 실시간으로 스트리밍 영상 시청이 어렵지 않다. 하지만 이런 IT 환경을 가진 나라가 생각보다 드물다. 설령 IT 선진국일지라 도 중간중간에 생기는 버퍼링 문제는 메타버스 세상이 돌아가기에는 불충분하다. 예컨대 어제 올린 NFT가 하루가 지나도록 거래되지 않고 언제 성사될지 모른다면 그런 메타버스 세계에서 거래할 사람은 한 명도 없다. 상황이 이렇다면 사람들의 체감성이 떨어져 디지털 세상의 도래가 먼 미래의 일로 미뤄질 것이다. 비트코인 결제만 해도 매 건의 결제가 10분이나 걸린다. 모든 거래가 안전성이 가장 우선이지만, 전 세계 모든 사용자가 한 건씩 거래할 때마다 줄을 서야 한다면 큰 문제다. 결국 디지털 세상은 현실의 수요를 못 따라 늦어지고 만다. 현재 이런 측면에서 기술적인 돌파가 필요하다. 이 같은 디지털 세상에서의 불완전성 문제가 빨리 해결되어야 한다.

국경 없는 디지털시장, 선점하는 자가 곧 강자

한국은 디지털경제 강국이 되어야 한다. 여기에는 특별한 의미가 있다. 한국의 영토는 좁다. 그런데 디지털 세상은 국경 없는 국제시장이다. 먼저 장악하는 사람이 선을 그으면 거기까지 모두 자기 영토가 된다. 제한된 영토로 수출과 수입 모두 해외 의존도가 높은 한국이기에 국제시장으로 빨리 가서 기술 선도국가가 되어야 한다.

현재 글로벌 디지털시장의 성장세는 매우 빠르다. 디지털 자산시장이 2,600조 원 규모라고 하는데 IPO시장보다 훨씬 더 크다. 기술혁신 스타트업 기업들이 자금조달을 위해 IPO를 하는 것보다는 ICO^{Initial Coin Offering}(가상화폐공개)[•]를 하는 것이 더 용이하다. 한국은 엔젤 투자가 부족하고 벤처 투자 생태계가 부실하다. 디지털 자산시장이 커지면 관련 스타트업 기업이 쉽게 융자를 받아 기술혁신을 선도적으로 할 수 있다. 또 그 자체가 국제시장이기 때문에 글로벌 경쟁력도 빠르게 키울 수 있다. 결과적으로 더 많은 엔젤 투자, 벤처 투자가 일어나는 선순환이 만들어진다.

메신저가 이해하기 쉬운 사례다. 카카오톡은 대부분 한국에서만 사용한다. 반면에 라인은 일본과 동남아시아 다수 지역에서 사용한다. 가상 세계에서는 사실상 라인이 일본과 동남아시아 영토를 장악한 것이다. 즉 라인이 플랫폼을 통해 자신이 할 수 있는 많은 일을 일본이나 동남아시아에서 할 수 있다는 의미다. 제페토의 경우 2022년 3월 기준 3억 명의 사용자가 있다. 한국 전체 인구의 6배다. 제페토 디지털 세계 영토가 대한민국보다 훨씬 더 큰 것이다. 이런 생태계에서 메타버스 경제 생태계가 돌아가려면 디지털 자산 생태계를 구축해야 국제 간 거래가 장애 없이 원활하게 이뤄진다.

디지털경제는 미국과 중국이 이미 장악 중

앞으로는 디지털경제의 격차가 국가 간 부의 격차를 결정할 것이다.

◆ 블록체인 기반의 암호화폐 코인을 사업자가 발행한 뒤, 투자자들에게 판매해서 자금을 조달하는 방식이다. IPO와 유사하다.

디지털경제는 미국과 중국이 선도하고 있다. 놀랍게도 전 세계 플랫폼의 90% 이상을 미국과 중국이 장악했다. IoT, 블록체인, 3D 등 거의 모든 기술 영역에서 미국과 중국이 선도국가로, 70% 이상 차지하고 있다.

메타버스도 예외가 아니다. 한국, 중국, 미국, 일본을 비교하면 과연 미국이 개척자 겸 선도국가다. 중국은 방대한 시장을 기반으로 신속한 상용화가 가능하다는 것이 경쟁력이다. 두 나라에 비해 한국과 일본은 많이 뒤졌지만, 아직은 초기 단계이기 때문에 앞으로 치고 나갈 기회가 여전히 많다.

인터넷기술 차원에서 보자면, PC 시대와 모바일인터넷 시대를 거쳐 이른바 웹 3.0이라는 메타버스 시대가 성큼 다가왔다. 이처럼 상황이 크게 바뀌면서 디바이스 개념 역시 변하고 있다. PC 시대의 디바이스는 PC, 모바일 시대의 디바이스는 스마트폰이었다. 그런데 메타버스 시대에서는 디바이스가 스마트폰에 국한되지 않는다. 자동차, 스마트워치, VR기기가 모두 메타버스 디바이스다. 앞으로 모든 사물이 연결되면 새로운 빅테크기업과 플랫폼기업이 등장한다. 5G, 6G로 발전하면서 누가 먼저 디지털 생태계를 장악하느냐에 따라 오늘날의 구글, 아마존의 자리를 차지할 것이다.

한국은 오랫동안 IT 강국이었다. 그러나 미래 4차 산업기술 영역(방금 언급한 인프라기술 영역)에서는 후발주자다. 글로벌 AI 인덱스에 따르면 한국은 8위에 올라 선도국가와 큰 차이가 있다. 더군다나 해당 영역의 인재도 부족해 OECD 국가 중 최하위 수준이다. 특히 자율 주행 자동차 분야에는 기술을 가진 인재가 거의 없다. 이런 상황이라면 한국이 앞으로 치고 나갈 수 없다. 기술 인재와 인프라가 없는데, 국가의 비전도 부족하고, 기업 역시 변화를 주저한다면 한국의 미래는 없다고 하겠다.

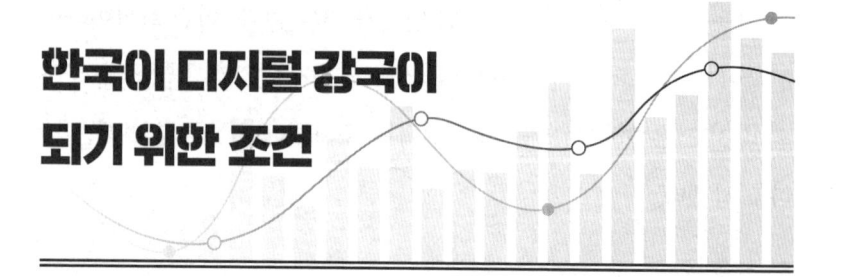

한국이 디지털 강국이 되기 위한 조건

반도체가 오랜 시간 산업의 먹거리였다면, 미래에는 데이터가 새로운 먹거리 산업으로 자리 잡을 것이 분명해졌다. 데이터의 진짜 가치는 데이터 속에서 새로운 가치를 창출해낸다는 데 있다. '먼저 울타리를 치는 자'가 모든 것을 독점하는 디지털 세계라고 앞서 밝혔다. 이런 세계에서 디지털 강국으로 군림하려면 어떤 경로를 따라가야 할까? 이와 관련해서 중국을 참고할 수 있겠다. 중국은 정책문건을 발표해 데이터를 기술·노동·자본에 이은 제4의 생산요소로 규명했다. 이를 위해 중국정부는 방대한 디지털시장을 구축하는 한편, 디지털 보안 산업을 키우는 중이다.

전 세계가 몸살을 앓은 코로나19 팬데믹이 2021년이 아닌 금융위기로 떠들썩했던 2008년에 발생했다면 어땠을까? 아마 사람들은 더 큰 혼란 속에서 힘든 상황을 버텨내야 했을 것이다. 그나마 2008년보다 훨씬 발전하고 나아진 디지털 환경 덕분에 우리는 전대미문의 격리 생활, 사람과 만날 수 없는 비대면 오프라인 일상을 견딜 수 있었다. 2008년 금융위기 당시와 오늘날의 상황 중 가장 큰 차이점을 살펴보자면 디지털 환경의 급격한 변화를 손꼽을 수 있을 것이다. 현재 전 세계에는 33억 명 이상의 스마트폰 사용자와 41억 명의 인터넷 사용자가 존재한다. 대표적인 SNS인 페이스북 사용자는 29억 명이나 된다. 디지털경제와 관련 기술의 발전은 산업경제뿐 아니라 인간의 생활 전반에 혁명적인 변화를 가져오고 있다.

이런 세상에서 중심을 잃지 않고 변화의 흐름에 휩쓸리지 않으려면 무엇보다 정부 차원의 준비가 필요하다. 디지털경제의 영토를 선점하기 위한 국제 사회의 경쟁은 갈수록 격화되는 중이다. 미국과 중국이 상당 부분 나눠 독점한 영역에 후발주자로 뛰어드는 한국은 특히 정부가 컨트롤 타워 역할을 잘 수행해야 한다. 우선 한국의 태생적인 한계는 내수시장이다. 즉 한국의 주요 시장은 국내시장이 아니라 해외시장이어야 한다. 한국 성장의 70% 이상은 수출에 의존한다. 다시 말해 한국 주요 기업의 고객은 해외에 있다. 따라서 디지털 시대 한국 기업들의 경쟁력은 국내 데이터를 파악하는 일보다도 해외기업이나 해외시장의 빅데이터를 파악하는 데 있다. 한국 기업들은 수단과 방법을 가리지 말고 해외 데이터를 수집할 수 있는 플랫폼이나 채널을 구축해야 한다.

그리고 데이터 구축은 정부나 기업이 주도하는 것도 중요하지만, 더 중요한 것이 있다. 바로 광범위한 대중의 참여와 이들이 보상받을 수 있는 경제 생태계의 마련이다. 가령 유튜브 같은 플랫폼 방송으로 팬을 확보해 상품을 팔고 광고 수입을 얻는 사람들은 앞으로 한계에 직면할 것이다. 유튜브에서 100만 명의 정기 구독자를 만들었더라도 만약 유튜브 측에서 트래픽 방문을 제한한다면, 그동안 자신이 피땀 흘려 만든 모든 것이 물거품이 될 수 있다.

네이버 블로그에 공을 들인 당신이 유명 블로거가 되었을지라도 어느 날 갑자기 블로그 방문이 안 되거나 검색어를 제한받으면 무용지물이 된다. 지금 중국에서 가장 유행하는 틱톡도 수많은 사람이 자신의 콘텐츠를 업로드하지만, 냉정히 말해서 이는 틱톡에 참여하는 개개인 모두가 틱톡에 아르바이트를 해주는 일과 같다. 단기간에 돈을 벌 수 있지만 언젠가 틱톡에 문제가 발생하거나 한계에 처하면 현재 틱톡의 모든 계정은 무의미해진다. 한마디로 유튜브, 블로그, 틱톡 계정은 모두 콘텐츠 제작자가 소유권을 갖는 디지털 자산이 아니다.

설령 이들 플랫폼이 당신의 계정을 차압한다 해도 당신은 소송할 법적 근거가 없다. 비록 당신이 이들 채널을 통해 매월 수천만 원의 수익을 실현할지라도 그 손해를 법적으로 보상받을 방법이 없다. 그 이유는 그 콘텐츠가 당신의 저작물이라는 디지털인증이 없기 때문이다. 몇 년 전 미국 트럼프 전 대통령의 트위터가 하루아침에 봉쇄당한 일을 떠올려보자. 디지털 주권이 당신에게 있는 것이 아니다.

현재 플랫폼 콘텐츠 개발 창업에 나선 사람들에겐 각각의 플랫폼에서 확보한 팬들의 데이터가 자산이다. 설령 의존하던 플랫폼이 사라진다 해도 데이터를 다른 플랫폼으로 이전할 수 있기 때문이다. 핵심은 이들이 어떻게 자신과 팬들과의 관계를 장기적으로 의미 있게 유지하느냐. 이제 국가와 기업은 각 개인이 SNS상에서 얽히고설켜 이어진 관계에 주목해야 한다. 그 관계 속에서 데이터를 발굴하고, 빅데이터 처리가 가능해야 하며, 이런 데이터를 구축한 사람들에게 충분한 보상을 해주는 시스템 마련이 필요하다. 중국의 사례 하나를 소개한다. 중국 대형 전자상거래 서비스 기업 핀둬둬가 주인공이다. 한국인에게는 다소 낯선 이름일 수도 있겠다.

핀둬둬는 SNS를 기반으로 중국 2선과 3선 도시에 상품을 판매하는 업체다. 이 기업은 1,000원짜리 물건을 판매해도 이익을 남겨야 하기 때문에 AI를 이용해 상품을 구성하고 판매해 사람의 개입을 최소화한다. 또한 사람이 상품을 찾는 것이 아닌, 상품이 알맞은 고객을 찾아내는 모델로 큰 성공을 거두었다. 이런 성공의 뒷배는 핀둬둬가 확보한 빅데이터 덕분이었다. 그림 6-6처럼 고속 성장한 핀둬둬는, 설립 3년 만인 2018년 미국 나스닥에 상장 후 기업가치 240억 달러라는 평가를 받기도 했다. 핀둬둬는 현재 중국의 네이버 격인 바이두와 어깨를 나란히 하는 중국 최대 전자상거래 기업으로 자리매김을 했다. 중국 기업 핀둬둬 사례에서 보듯 한국에서도 데이터 관련 사업에 창업하는 개개인과 기업이 더욱 늘어야 한다. 그리고 자본시장은 그런 창업자들이 신속하게 유니콘기업으로 성장하도록 돕는 경제 생태계가 마련되어야 할 것이다.

그림 6-6. 설립 3년 만에 고성장을 달성한 핀둬둬

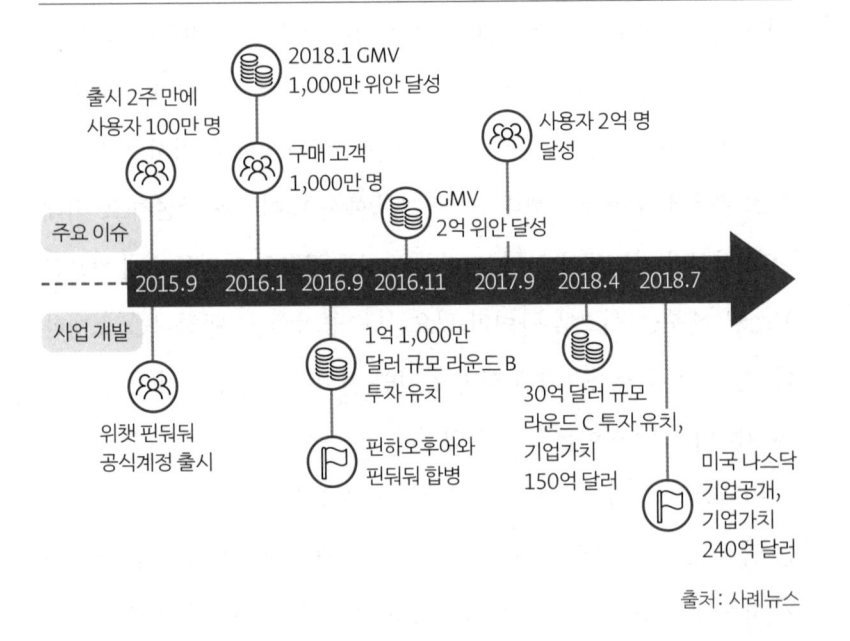

출처: 사례뉴스

마지막으로, 한국이 디지털 강국이 되려면 빅데이터 구축이 핵심이다. 의미 있는 빅데이터가 구축되려면 기업마다 핀테크 환경을 마련해야 한다. 중국에서 핀테크는 금융회사들이 아니라 ICT업체, 제조업체들이 주도한다. 그 이유는 이들의 밸류체인에 핀테크를 도입함으로써 새로운 시나리오 구축과 빅데이터 수집이 가능해져 새로운 고객 맞춤형 수익 창출 모델로 이어지기 때문이다. 실제로 글로벌 빅테크기업들의 추세는 금융업 진출이다. 한국 제조업기업들은 스마트 리테일 생태계와 핀테크 생태계 접목의 중요성을 인식해야 한다.

한국정부는 산업자본의 금융업 진출 제한과 같은 정책을 재검토

할 필요가 있다. 그리고 융합사회에 알맞은 정책이 마련되어야 한다. 한국은 전체 행정 시스템을 과거 일본의 행정 시스템을 많이 참조해서 만들었다. 이런 상황이기에 부처 긴 칸막이 행정이 많고 산업시대에 만들어진 체계가 변함없이 전수되어 오늘날 산업 간 융합으로 확장되는 4차 산업기술 경제 생태계와는 어울리지 않는다. 오히려 장애물 역할을 한다. 산업 간 융합 섹터에서 창업을 할 때 명확한 해당 부처가 부재함으로써 현실적으로 진행을 못 하는 경우가 다반사다.

한국이 디지털경제 강국이 되려면 세 가지 부문이 동시에 발전해야 한다. 우선 하드웨어 분야에서 선도기업이 나와야 한다. 스마트폰은 삼성전자라는 글로벌기업이 있지만 VR, AR, 전기 자동차, 자율 주행 자동차 등에서도 글로벌 선도기업이 나와줘야 한다. 두 번째는 디지털 플랫폼 생태계다. 물론 네이버나 카카오 등의 기업이 선전 중이지만 지금보다 더 커져야 한다. 마지막은 실물경제의 결합이다. 실물경제가 모두 디지털경제로 옮겨가는 상황이니 전통산업도 변해야 한다. 디지털이라는 새 옷을 입고, 보유한 자산을 모두 디지털 자산으로 바꿔가야 한다. 또한 앞으로 한국이 디지털경제를 선도하려면 데이터 파워, 클라우드 컴퓨팅 파워, 알고리즘 파워 등 세 가지 파워를 키워야 한다. 인슈어테크 보험 산업의 경우 앞으로는 보험회사가 아니라 소비자가 직접 자신에게 맞는 보험을 설계하는 개념이 된다. 고객 맞춤형 보험이 되려면 해당 고객의 데이터를 확보해야 한다. 그래서 빅데이터가 있어야 하고, 클라우드 컴퓨팅과 알고리즘을 통해 고객 맞춤형으로 변해야 한다.

디지털경제의 거래 방식

어떤 형태의 디지털경제가 도래할지 알고 싶다면 디지털 거래 방식을 이해할 필요가 있다. 이더리움 창시자 비탈릭 부테린은 왜 이더리움을 만들었을까? 이를 가상의 중고차 매매를 통해 알아보겠다. A라는 사람이 중고차를 B에게 팔고자 한다. 그런데 일반적인 중고차 거래 플랫폼을 이용하지 않고 둘 사이에 P2P 거래가 이뤄진다. 이 매매는 두 사람이 모두 거래하는 블록체인의 스마트 계약으로 기록된다. 그것을 모든 노드(생태계 참여자)가 확인 및 인증해준다. 그 과정에서 거래 대상인 중고차가 진짜로 A의 소유인지, B의 지불대금이 실제로 있는지 확인해준다. 두 가지 조건이 모두 'Yes'일 경우 자동으로 스마트 계약이 완료된다. 이제 B가 A로부터 자동차만 전달받으면 자기 차가 된다. 핵심은 이 거래에 중간 플랫폼이 필요하지 않다는 점이다. 현실에서 중고차를 구매하려면 은행 계좌로 돈을 이체하거나 신용카드를 이용해야 하지만 굳이 그럴 필요가 없다.

또 다른 예는 부동산 거래다. 지금은 매도인과 매수인이 부동산 중개사 앞에서 매매계약서에 사인하고 공증을 받는다. 그것을 등기소에 등록하면 정부 데이터베이스에 기록된다. 그런데 블록체인을 이용하면 중개사가 필요 없다. 거래는 블록체인에 기록되고, 은행 계좌 대신 디지털 계좌를 이용해 대금이 오간다. 그러니까 앞으로 정부가 모든 부동산 거래를 디지털화하려면 블록체인을 정부가 제어해야 한다. 디지털경제는 전통적인 은행 계좌가 아닌 디지털 계좌에 기반해야 한다.

은행 계좌로는 디지털경제가 돌아가지 않는다. 스마트 거래를 할 수 없고 디지털 자산을 담보로 금융을 일으킬 수 없다. 디지털경제를 구축하려면 개인 간 거래P2P, 기업과 정부 간 거래B2G, 기업과 개인 간 거래B2C, 그리고 정부와 정부 부처 간 거래 모두 디지털화해야 한다. 지금은 기업(B)과 정부(G)는 디지털화되지 않은 채 개인(C)들만 디지털 소비와 거래를 하는 상황이다. 그러니까 정부가 디지털 생태계 안으로 들어와야 한다.

앞으로 기업은 모든 실물 자산이 디지털 자산인 디지털경제로 돌아갈 것이다. 그리고 디지털 자산을 기반으로 디지털 금융이 형성될 것이다. 모든 실물 자산이 디지털 자산 형태가 되면 스마트 계약을 통해 자동으로 P2B, B2B, B2G, G2G 거래가 가능한 금융 시스템이 구축되어야 한다. 이것이 디지털 자산의 개념이고 디지털 자산 금융 체계다.

마지막으로 NFT 블록체인 기반 탄소배출 거래소 작동 방식의 경우 정부가 어떤 시스템을 만들어야 하는지 살펴보자. 이것은 정부의 사업이니까 G가 들어와야 하는 대표적인 디지털 자산 사례다. 탄소배출권은 환경부가 인증하기 때문이다. 어떤 친환경기업이 탄소배출권을 발행하고 그것을 구매하고자 하는 또 다른 기업이 있다고 해보자. 일단 양자 사이에 B2B 거래가 가능해야 한다. 또한 NFT 디지털 탄소배출권 발행이 가능해야 하고 전자인증도 되어야 한다. 이 탄소배출권 NFT를 산 기업은 필요시 그것을 담보로 대출을 받을 수 있어야 하고 파생상품 발행도 가능해야 한다. 이 시스템이 작동하려면 그 안에서 신원인증 기반의 블록체인, 디지털통화 결제 시스템, 기업과 정부

사이의 양방향 인증, 개인과 기업 간 거래가 가능해야 한다. 바로 이런 시스템, 즉 디지털 사회, 디지털경제, 디지털 자산 시스템이 만들어져야 종국에는 디지털 강국이 될 수 있다.

모든 선진국이 디지털경제 강국이 되고자 역동적으로 움직인다. 미국과 중국, 유럽국가들도 빠르게 앞으로 나가는 중이다. 한국 역시 디지털 강국의 꿈을 포기할 수는 없다. 특히 디지털 자산 표준 플랫폼 강국이 되어야 하고 디지털 표준을 선도적으로 만드는 나라가 되어야 한다. 이를 위해선 첫째, 국제적 인재를 유치해야 한다. 이민국을 설치해서 종교, 민족, 인종, 성별을 불문하고 외국 인재를 유치하자. 한국의 인재만으로는 부족하다. 둘째, 제도적 측면에서는 우리가 인프라를 만들어 전문가를 육성하고 기술개발을 선도적으로 하되, 그것이 국제표준에 부합해 국제시장 진입이 용이하도록 설계해야 한다. 셋째, 정부는 벤처 투자 환경을 만들고 무엇보다 국가의 비전을 원활하게 진행시킬 전담기관을 반드시 설치해야 한다. 이 기관은 이해관계가 얽힌 부처 간 알력을 조정할 수 있도록 매우 상위의 기관이어야 한다.

THE FLOW

'닭장'에서 벗어나
자신의 한계를 뛰어넘어라!

〈화이트 타이거〉라는 인도 영화 이야기를 마지막 이야기로 선택했다. 이 영화는 좀 과장해서 말하자면 나의 인생 영화라고 부를 만하다. 영화 속 여러 장면이 오랫동안 머리에 잔상으로 남아 떠오르곤 한다. 영화를 보며 최근 확대되고 있는 미국과 중국의 갈등도 생각해본다. 우리는 주변에서 '이제 중국은 끝났다!'라고 진단하는 전문가를 쉽게 볼 수 있다. 그리고 중국을 대체할 나라로 인구 15억 명의 대국 인도를 손꼽는다. 필자 또한 인도를 유심히 지켜보는 중이기도 하다. 인도는 과연 중국을 대체할 정도로 성장할 수 있을까? 만약 이 질문에 주저하지 않고 '그렇다'라고 답할 수 있으면 그 사람은 반드시 인도 주식에 투자해야 한다. 투자란 한 국가의 운명에 대한 베팅이기 때문이다.

영화 제목 〈화이트 타이거〉는 한국말로 '백호'다. 100년에 1마리만 태어날 만큼 백호는 희귀한 종이라고 알려졌다. 앞에서 필자의 인생 영화라고 밝혔으니 영화 이야기를 안 할 수가 없겠다. 인도에는 아직도 카스트 제도가 사회 전반에 많은 영향을 끼친다. 인도의 정치, 사회, 문화 전 영역에 걸쳐 전근대적 신분제인 카스트 제도(브라만, 크샤트리아, 바이샤, 수드라로 나뉘는 신분제)가 깊이 뿌리박혀 있다. 공식적으로는 1947년에 이 제도가 폐지되었다지만, 실상은 그렇지 않다. 영화 주인공 발람은 하층민 출신이다. 그의 아버지, 할머니 또한 하인으로 태어났다. 조상 대대로 하층민 신분이다. 발람의 부모는 그에게 이런 말을 자주 한다.

하인의 신분으로 착실하게 살아가야 한다!

어떻게든 하인으로 살아갈 것을 요구하는 부모라니, 지금이 어떤 시대인데 자녀에게 하인으로만 열심히 살아갈 것을 강요할까. 이 대목에서 우리는 왜 발람의 조상들이 대대로 그렇게 살아왔는지를 바로 알수 있다.

영화에서 인상적인 장면은 인도의 한 시장에서 닭들이 도살되는 모습이다. 주인공 발람은 자기 앞에서 닭들의 목이 잘리는 모습을 보며 '닭들은 왜 도망칠 생각을 안 할까?'라고 의아해한다. 그리고 자기 미래가 목이 잘려 죽어 나가는 닭의 처지와 별반 다르지 않다고 생각한다.

부모가 강요한 숙명을 스스로 바꾸겠다는 발람의 의지, 이 영화의 전개를 암시하는 장면이다.

인도에서 하인으로 태어난 사람들은 체제에 순응하고 저항할 줄 모른다. 목이 잘려 나가는 닭처럼 자기 운명이 닭과 다르지 않다는 것을 알지만, 운명을 바꾸려 노력하지 않는다. 자신에게 주어진 숙명이라고 받아들이고 저항하지 않는다. 오랜 시간 유지되어온 신분제를 담담히 받아들이고 숙명으로 여기는 삶, 그것이 인도의 하층 계급을 옭아맨 '닭장'이다. 닭장에 갇혔으면서도 닭장 밖으로 나오지 않는 이유는 단순하다. 닭장 밖으로 나가면 죽는다고 생각하기 때문이다.

영화에서 발람은 결국 부모의 말대로 주인에게 충성하지만, 주인에게 배신당한다. 주인이 뺑소니 사고를 일으키고 그 죄를 발람에게 뒤집어 씌우고자 한 것이다. 이에 엄청난 배신감을 느낀 발람은 어느 날 동물원에서 우연히 백호를 보게 되고, 이 장면에서 이런 대사가 나온다.

이 세상의 실로 아름다운 것을 목도하는 순간,
사람은 노예가 되길 멈춘다.

그렇다. 발람은 자신을 옭아맨 것에서 도망치기로 결심한다. 그는 주인을 죽이고 인도의 아웃소싱 허브 도시 벵갈루루로 건너가 거기서 벤처 사업을 벌여 큰 성공을 거둔다.

정리하면, 영화는 인도 내부에 뿌리 깊게 박힌 카스트 제도, 빈부격차 문제 등 그들이 해결해야 할 사회적 문제를 다룬다. 이와 동시에 무기력하고 가난한 하인의 신분에서 벗어나고자 노력하는 발람을 100년에 1마리 태어나는 백호와 비유한다.

이 영화는 우리에게 두 가지 시사점을 준다. 먼저 인도의 사회적·문화적 현실에 비춰볼 때 아무리 세계 인구 1위 대국이라지만 20년간 중국이 맡아온 글로벌 공급망 역할을 인도가 대체하기에는 현재로서는 역부족이며, 산업 인프라를 구축하는 데도 오랜 시간이 걸릴 수밖에 없다. 특히 많은 인도인이 스스로 하인인 것조차 모르고 살아가는 현실도 인도가 앞으로 풀어야 할 난제다. 반면에 중국은 1949년 공산당 정권이 세워지면서부터 모든 국민에게 다음과 같은 교육을 했다.

사람과 사람은 누구나 평등하다!人人平等
여성이 하늘의 절반을 받치고 있다!妇女能顶半边天

이런 교육을 받은 중국 사람들은 누군가를 차별하거나 나와 다르다고 생각하지 않는다. 누구나 평등한 인격이라고 여긴다. 중국인들 의식 속에는 스스로 한계를 두지 않는다. 즉 인도인과 달리 닭장에 갇혀도 언젠가는 나올 것이라고 확신한다. 주어진 현실, 숙명에 굴하지 않고 과감히 '닭장' 밖으로 나오고자 노력하는 사람에게 기회가 생긴다. '아름다운 순간을 경험한 그 즉시 노예가 되기를 거부한다'는 대사처럼, 닭장 밖으로 나와서 보고 듣는 경험, 그 아름다운 순간을 경험해야만 자신의 '닭장'을 인식하고 과감히 돌파하는, 진정으로 가치 있는 삶을 살 수 있다.

닭장 안이 바깥보다 더 위태로울 수 있다.
시대적 흐름을 따르지 않으면 닭장의 삶과 같은 것!

영화를 보고 난 후, 필자 역시 오랫동안 닭장 안에서 살아왔음을 느꼈다. 익숙한 일들에 스스로 함몰되어 익숙한 것 그 이상의 변화를 직접 느끼고 보면서도 두려움이 앞서 변하지 못한 삶이 아니었나 반성해본다. 닭장 밖은 위험할 수도, 나를 죽음으로 내몰 수도 있다고 생각했다. 하지만 닭장 안에 있더라도 어차피 곧 목이 비틀려 죽고 말 것이라는 것을 몰랐다. 영화에서 발람이 그렇게 충성을 다했던 주인에게 배반당한 것처럼 말이다. 단 1초라도 새로운 경험, 아름다움을 느끼는 삶은 분명 닭장 밖에 있다! 그것을 경험해야만 진정한 나의 삶을 살 수 있다.

시대적 운명 앞에서 스스로 변할 것인가, 변화를 지켜만 보고 있을 것인가? 선택은 여러분의 몫이다. 그리고 어떤 선택을 하든 그 결과 역시 여러분이 받아들여야 한다. 분명한 사실은 100년 변혁의 시대의 문턱에서 '변하지 않는 닭장 안에서의 삶'은 '변화무쌍한 닭장 밖에서의 삶'보다 더 위태로울 수도 있다는 것이다. 그리고 무엇보다 닭장 밖으로 나가야만 성공의 기회가 열린다는 것이다. 비록 낯설고 두려운 일일지라도 누군가 만들어놓은 자신에 대한 '한계'라는 선을 과감히 넘어보자. 똑똑하고 지혜로운 한국인이지만 한국인의 잠재력과 가능성을 옭아매는 '닭장'과 같은 뿌리 깊은 편견이 있다면 과연 그건 무엇일까? 어떻게 극복해야 좋을까? 깊이 생각해볼 문제다.

코너의 훌륭한 점은 도전을 즐길 때 최고가 된다는 거예요.
코너는 이 순간이 되면 감상에 빠지는 대신 경기를 읽고 상대방을 읽고
기회를 노리죠. 이런 코너를 이길 사람은 이 세상에 아무도 없어요.
– 다큐멘터리 〈맥그리거 포에버〉

The Flow 더 플로

초판 1쇄 발행 2023년 8월 2일
초판 6쇄 발행 2024년 12월 16일

지은이 안유화
브랜드 경이로움
출판 총괄 안대현
책임편집 정은솔
편집 김효주, 심보경, 이제호
마케팅 김윤성
표지디자인 김지혜
본문디자인 김혜림

발행인 김의현
발행처 사이다경제
출판등록 제2021-000224호.(2021년 7월 8일)
주소 서울특별시 강남구 테헤란로33길 13-3, 7층(역삼동)
홈페이지 cidermics.com
이메일 gyeongiloumbooks@gmail.com (출간 문의)
전화 02-2088-1804 **팩스** 02-2088-5813
종이 다올페이퍼 **인쇄** 재영피앤비
ISBN 979-11-92445-40-3 (03320)